SLUITEND BEWIJS

D1176811

Van Jonathan Kellerman zijn verschenen:

Doodgezwegen*
Domein van de beul*
Het scherp van de snede*
Tijdbom*
Oog in oog*
Duivelsdans*
Gesmoord*
Noodgreep*
Breekpunt*
Het web*
De kliniek*
Bloedband*
Handicap*
Billy Straight*
Boze tongen*
Engel des doods*
Vlees en bloed*
Moordboek*
Doorbraak*
Lege plek*
Dubbele doodslag (*met Faye Kellerman*)
Therapie*
De juni moorden*
Razernij*
Ontknoping
Misdadigers (*met Faye Kellerman*)
Stoornis
Beklemming
Skelet
Broedertwist

*In POEMA-POCKET verschenen

JONATHAN KELLERMAN

Sluitend bewijs

SIJTHOFF

© 2009 by Jonathan Kellerman
This translation is published by arrangement with Ballantine Books,
an imprint of Random House Publishing Group,
a division of Random House, Inc.
All Rights Reserved
© 2011 Nederlandse vertaling
Uitgeverij Luitingh ~ Sijthoff B.V., Amsterdam
Alle rechten voorbehouden
Oorspronkelijke titel: *Evidence*
Vertaling: Joris Verheijen
Omslagontwerp: T.B. Bone
Omslagfotografie: Arcangel Images / Hollandse Hoogte

ISBN 978 90 218 1499 5
NUR 332

www.uitgeverijsijthoff.nl
www.watleesjij.nu

Voor Faye

I

Ik vertel de waarheid. Zij liegen.
Ik ben sterk. Zij zijn zwak.
Ik ben goed.
Zij zijn slecht.

Het was een baan van niks, maar Doyle verdiende ermee.

Hij kon niet begrijpen waarom iemand vijftien dollar per uur wilde neertellen, drie uur per dag, vijf keer per week, om het omhulsel van de gigantische maar lege villa in aanbouw van een of andere rijke mafketel te bewaken.

Zijn ronde duurde vijftien minuten. Áls hij langzaam liep. De rest van de tijd zat Doyle alleen maar, at zijn lunch, luisterde naar Cheap Trick op zijn walkman.

Dacht eraan dat hij een echte agent had kunnen zijn, als zijn knie hem niet in de steek had gelaten.

Als het bedrijf zei 'Doe dit', dan deed hij het.

Het ziekengeld was op en hij nam genoegen met een parttime baan, zonder extra's. Hij moest zelf betalen voor het reinigen van zijn uniform.

Een keer hoorde hij een paar van de andere jongens achter zijn rug praten.

Die manke heeft mazzel dat hij wat te doen krijgt.

Alsof het zijn schuld was. Zijn alcoholpromillage was 0,05 geweest, nog niet in de buurt van wat strafbaar was. Die boom was gewoon uit het niets opgedoken.

Van *manke* werd Doyle kokend heet in zijn gezicht en zijn borst, maar hij hield zijn mond dicht, zoals hij altijd deed. Eens zou er een dag komen...

Hij parkeerde de Taurus op de stoffige strook net voor de ketting en stopte zijn overhemd strak in zijn broek.

Zeven uur 's ochtends, het was stil, afgezien van het stomme gekras van kraaien.

Een buurt voor rijke mafketels, maar de lucht was hetzelfde melkachtige grijs als in Burbank, waar Doyles appartement was. Geen beweging op Borodi Lane. Zoals gewoonlijk. De paar keer dat Doyle iemand zag waren het werksters en tuinmannen. Rijke mafketels die betaalden om hier te wonen, maar er nooit echt wáren, kasten van huizen, de een na de ander, afgeschermd door grote bomen en hoge poorten. Niet eens stoepen. Waar sloeg dat nou weer op?

Eens in de zoveel tijd kwam er een strakke blondine, in een Rodeo Drive-trainingspak, die met een gekweld gezicht aan het joggen was over de weg. Nooit voor tienen, dat type hield van uitslapen, ontbijt op bed, massages, wat dan ook. Dat lag daar maar tussen satijnen lakens, werd bediend door de meid of de butler totdat ze genoeg energie had verzameld om die magere kont en die lange benen uit te schudden.

En dat liep daar dan te stuiteren over het midden van de weg. Stel je voor dat er een Rolls-Royce kwam aangeraasd en boem. Dat zou wat zijn.

Doyle haalde een broodtrommel in camouflagekleuren uit de kofferbak en liep naar de villa met twee verdiepingen. De tweede verdieping was dat idiote kasteelding – het torentje. Het onvoltooide skelet van een huis dat zo groot zou zijn geweest als een… als een… Disneyland-kasteel.

Fantasyland. Doyle had het opgemeten door passen te maken, schatte het minimaal op tweeduizend vierkante meter. Een stuk grond van ongeveer een hectare.

Een houten casco bedekt met hardboard. Om de een of andere reden was de bouw gestopt en nu begon de hele boel grauw te worden en te vervormen en waren er strepen van roestige spijkers te zien.

Grijze rotlucht die naar binnen lekte door wegrottende dakspanen. Op hete dagen kroop Doyle naar binnen in een hoekje om schaduw te vinden.

Ergens achterin, in het stof waar de bulldozer doorheen was gegaan, stond een oude chemische wc die iemand vergeten was, met de chemicaliën nog in de pot. De deur van het toilet sloot niet goed en soms vond Doyle de uitwerpselen van coyotes of muizenkeutels.

Als hij moest, piste hij gewoon in het stof.

Iemand die zoveel geld betaalt om Fantasyland te bouwen en er dan gewoon mee stópt. Schiet mij maar lek.

Hij had vandaag een goeie lunch meegebracht, broodje rosbief van Arby's. Jammer dat er niks was om de jus mee op te warmen. Hij opende de doos en snoof. Niet slecht. Hij liep naar het hek met de ketting. Krijg nou...

Het stomme ding was zo ver opengetrokken als de ketting toeliet, zodat iedereen behalve de dikste flapdrol er makkelijk doorheen kon glippen.

De ketting was altijd al te lang geweest om het hek strak af te sluiten, waardoor het slot nutteloos was, maar Doyle draaide het zorgvuldig rond, zodat het er veilig uitzag als hij wegging. Een of andere mafketel had eraan geprutst.

Hij had het bedrijf verteld over de ketting, maar niemand had geluisterd. Waarom nam je een beroeps in dienst als je niet naar zijn advies wilde luisteren?

Hij gleed door de opening en trok de ketting netjes strak. Hij liet zijn broodtrommel boven aan de ruw betonnen traptreden staan en begon aan zijn dagelijkse ritueel. Staande in het midden van de benedenverdieping zei hij: 'Hal-lo' en luisterde naar de echo van zijn stem. Zo had hij het op zijn eerste werkdag gedaan en het had goed geklonken, ongeveer zoals toeteren in een tunnel. Nu was het een gewoonte geworden.

Makkelijk te zien dat alles in orde was op de benedenverdieping. De ruimte was enorm, zo groot als een... als een... Sommige kamers waren dichtgetimmerd, maar de meeste waren open genoeg zodat je aan alle kanten een goed uitzicht had, alsof je tussen de botten van een of andere dinosaurus door naar buiten keek. In het midden van wat de entreehal zou moeten worden was een joekel van een slingerende, dubbele trap. Alleen hardboard, geen leuningen. Doyle moest voorzichtig zijn. Dat ontbrak er nog maar aan, dat hij nog een lichaamsdeel vernachelde.

Daar gaan we, pijn bij elke stap. De treden kraakten als een oud wijf, maar voelden stevig aan. Dat zou wat zijn als er marmer op lag. Als een... grote kasteeltrap.

Negentien treden, allemaal even dodelijk.

De eerste verdieping was net zo leeg als de begane grond, wat een verrassing. Hij stopte even om over zijn knie te wrijven en het uitzicht over de boomkruinen naar het westen op te nemen. Toen liep hij door naar achteren, stopte weer, wreef nog wat, maar het haalde niet veel uit. Aan de achterkant kwam hij bij de kleinere trap, dertien treden maar erg bochtig, een *killer*, verstopt achter een smalle muur, je moest weten waar je moest zoeken.

Degene die hiervoor betaald had, was een of andere rijke sukkel die niet besefte wat hij had. Als Doyle ook maar een honderdste – een tweehonderdste – van zoiets had bezeten, zou hij God elke dag op zijn blote knieën danken.

Hij had het bedrijf gevraagd wie de eigenaar was. Ze zeiden: 'Steek je neus niet in andermans zaken.'

Terwijl hij de wenteltrap beklom en elke trede zijn knie deed kraken, waardoor de pijn omhoogtrok tot zijn heup, begon hij de treden te tellen zoals hij altijd deed, om te proberen zijn geest af te leiden van het brandende gevoel in zijn been.

Toen hij 'negen' riep, zag hij het.

O, jezus.

Met bonzend hart en een mond die ineens zo droog was als wc-papier deinsde hij twee treden terug en reikte naar de rechterzijde van zijn riem.

Reikte in het niets.

Nu was híj de idioot, er was al heel lang geen pistool meer, niet sinds hij ermee was opgehouden om juwelierszaken in het centrum te bewaken.

Het bedrijf gaf hem een zaklantaarn en dat was alles. En die lag in de kofferbak van de Taurus.

Hij dwong zich te kijken.

Het waren er twee.

Verder niemand, dat was goed aan het torentje, het was rond en grotendeels zonder dak, geen plek om je te verbergen.

Doyle bleef kijken en hij kokhalsde.

Zoals ze daar lagen, hij boven op haar, haar benen omhoog, één om zijn rug geslagen, was het vrij duidelijk wat ze aan het doen waren geweest, voordat...

Doyle kon geen lucht meer krijgen, alsof iemand hem verstik-

te. Hij hapte naar adem en zoog trillend lucht in zijn longen.
Reikte naar zijn telefoon.

Gewoon in zijn zak. Er ging tenminste nog iets goed.

2

Milo belt me als de moord 'interessant' is.

Tegen de tijd dat ik erbij betrokken raak, is het lichaam soms
al verdwenen. Als de foto's van de plaats delict gedetailleerd
zijn, ben ik al geholpen. En anders wordt het soms nog inte-
ressanter.

Deze plaats delict was drie minuten rijden van mijn huis en nog
onaangetast.

Twee lichamen, verstrengeld in elkaar in een misselijkmakende karikatuur van passie. Milo stond ernaast, terwijl een onderzoeker van de lijkschouwer foto's nam.

We wisselden een ingetogen groet uit. Milo's zwarte haar was
op goed geluk gladgestreken met brillantine en zijn groene ogen
waren scherp. Het leek alsof hij in zijn kleren geslapen had. Zijn
bleke, pokdalige uiterlijk paste goed bij de smoggrijze lucht.

De grauwheid van juni in Los Angeles. Soms doen we alsof het
oceaanmist is.

Ik bestudeerde de lichamen van een afstand, stapte zo ver terug als ik kon, voorzichtig om de gebogen hardboard muur
niet aan te raken.

'Hoe lang ben je hier?'

'Een uur.'

'Je komt niet vaak in deze wijk, chef.'

'Locatie, locatie, locatie.'

De onderzoeker van de lijkschouwer hoorde dat en wierp een
blik naar achteren. Een lange, aantrekkelijke jonge vrouw, met
vierkante schouders, in een olijfgroen broekpak. Ze was lang
bezig met de camera, knielend, leunend, kruipend, staand op
haar tenen om elke hoek te vangen. 'Nog een paar minuten,
inspecteur.'

Milo zei: 'Neem de tijd.'

De moordplek was op de tweede verdieping van een bouwproject op Borodi Lane in Holmby Hills. Een gepland landhuis van enorme afmetingen, dat nu dichtgetimmerd was. In de entreehal zou een compleet symfonieorkest kunnen neerstrijken. De moordplek zag eruit als een observatiekamer. Of het torentje van een kasteel. Enorm was de norm in Holmby, een heel ander universum dan mijn witte doos boven Beverly Glen, maar wel op loopafstand. Ik had gereden, omdat Milo soms liever wat denkt en rondbelt terwijl ik stuur.

Boven op het torentje waren een paar dakspanen te zien, maar het grootste deel van wat het dak moest worden was open ruimte. De wind blies naar binnen, een balsemende wind, maar niet genoeg om de geur van wit hout, roest, schimmel, bloed en lichaamsvocht te verhullen.

Mannelijk slachtoffer bovenop, vrouwelijk slachtoffer onder hem vastgepind. Er was niet veel van haar te zien.

Zijn zwarte merkspijkerbroek was opgerold tot halverwege zijn scheenbeen. Een van haar gladde, gebruinde benen was om zijn middel gehaakt. Bruine pumps zaten nog aan allebei de voeten. Een laatste omhelzing, of iemand die wilde dat het er zo uitzag. Voor zover ik de handen van de vrouw kon zien waren ze uitgespreid en slap. De slapheid van de dood, dat kon goed.

Maar het opgestoken been paste daar niet bij. Hoe was het na de dood op zijn plek gebleven?

De benen van de man waren flink gespierd, met een laagje krullen van fijn blond haar. Een zwarte kasjmieren trui voor hem, een blauwe jurk voor haar. Ik rekte me uit om meer van haar te zien, maar ving alleen de stof van haar jurk op. Een soort van glanzende jersey, opgetrokken tot boven haar heupen.

Het haar van de man was aan de lange kant, donkerblond, golvend. Een keurig robijnrood gat, gestippeld met zwart poeder, doorboorde het slaapbeen achter zijn rechteroor. Bloed liep omlaag langs zijn nek, toen naar rechts en verder over de vloer van hardboard. Lange, donkere lokken van haar haar lagen wijd uitgespreid over de vloer. Er was niet veel bloed om haar heen.

Ik zei: 'Zouden haar benen zich niet ontspannen moeten hebben?'

De onderzoeker van de lijkschouwer, nog bezig met fotograferen, zei: 'Als rigor mortis is ingetreden en weer weggetrokken, denk ik het wel.'

Ze werkte in het lijkenhuis op Mission Road, in East Los Angeles, en was erin geslaagd om de appelwangen van een geoefende wandelaar te behouden. Veel plaatsen delict in de buitenlucht? Eind twintig, begin dertig, roestkleurig haar in een hoge staart, heldere blauwe ogen; een meisje van het platteland, aan het werk aan de donkere kant van de wereld.

Ze legde de camera weg en ging op haar hurken zitten, gebruikte twee handen om het middel van de man behoedzaam omhoog te tillen, tuurde door de ontstane ruimte van vijf centimeter. Het omgeslagen been viel neer als een verkeerd opgezette klapstoel. 'Ja, lijkt erop dat ze zo is neergezet, inspecteur.'

Een blik naar Milo die om bevestiging vroeg, haar handen nog steeds tussen de lichamen geplaatst.

Hij zei: 'Zou kunnen.'

De onderzoeker van de lijkschouwer tilde het mannelijke slachtoffer nog iets hoger op, bestudeerde hem, liet hem teder zakken. Zo zijn de meeste onderzoekers die ik gezien heb: vol respect, terwijl ze rondwaden in meer verschrikkingen dan de meeste mensen in een heel leven te zien krijgen, zonder dat ze ooit afgestompt raken.

Ze stond op en klopte het stof van haar broek. 'Ze draagt geen slipje en zijn penis is eruit. Er is natuurlijk geen erectie, dus ze zouden nooit... verbonden kunnen blijven. Maar er is wel een korstachtige, min of meer witte vlek op haar dijbeen, dus zelfs als ze zo zijn opgesteld, lijkt het erop alsof ze de daad volbracht hadden.'

Ze knielde weer en trok de verfrommelde spijkerbroek van de man hoog genoeg op om zijn zakken te kunnen doorzoeken. 'Oké, daar gaan we.'

Ze haalde er een blauwe plastic portemonnee uit, die met een drukknoop dichtzat.

Milo trok handschoenen aan. 'Geen autosleutels?'

'Nee, alleen dit. Als ik het nog even kan labelen, kunt u erin kijken. Ik heb op straat geen personenauto's geparkeerd zien staan, misschien begon dit als een autodiefstal?'

'En daarna rende iedereen hier naar boven en begonnen deze twee met het echte werk?'

'Ik dacht meer aan een beoogde diefstal, waarbij de schurk van gedachten veranderde.'

Milo haalde zijn schouders op.

'Sorry, inspecteur. Dat ik voor mijn beurt sprak.'

'Voorlopig,' zei Milo, 'verwelkom ik elk bruikbaar inzicht.'

'Ik ben nog maar net begonnen,' zei ze. 'Ik weet zeker dat ik u niets zou kunnen leren – volgens mij is het tijd om ze om te keren. Ik neem de levertemperatuur op, eens zien of we het tijdstip van overlijden nader kunnen bepalen.'

Een ogenblik later was ze bezig om de thermometer schoon te maken.

Milo zei: 'En?'

'Waarschijnlijk ergens gedurende de laatste twaalf uur, ik weet zeker dat de artsen u meer zullen kunnen vertellen.'

Het gezicht van het mannelijke slachtoffer was de lege huls van het knappe, glimlachende gezicht op het rijbewijs in de blauwe plastic portemonnee. Desmond Erik Backer, tweeëndertig jaar oud afgelopen februari, één meter tachtig, bruin haar en bruine ogen, met een appartement op California Avenue in Santa Monica, een adres dat op drie straten van het strand lag.

In de portemonnee zat tweehonderd dollar in briefjes van vijftig en twintig, twee Gold creditcards, een paar graankleurige visitekaartjes, een foto van een klein blond meisje van ongeveer twee in een roodfluwelen jurk met een kanten rand. Een TAG Heuer sporthorloge om de linkerpols, geen andere juwelen. Geen bleek strookje huid dat op een trouwring duidde, die discreet of anderszins verwijderd was.

Milo toonde me de handgeschreven tekst op de achterkant van de kinderfoto. *Samantha, 22 maanden.* Niemand anders zou de trilling in zijn ooglid hebben opgemerkt.

Hij bekeek een visitekaartje. Desmond E. Backer, AIA, GEMEIN, HOLMAN EN COHEN, ARCHITECTEN. Main Street in Venice.

'Leuk horloge', zei hij, terwijl hij keek of er op de achterkant van de TAG een inscriptie stond. Leeg. Hij las het leren label van de spijkerbroek. 'Zegna.'

De onderzoeker van de lijkschouwer zei: 'Maar haar jurk ziet er een beetje goedkoop uit, vindt u niet?'

Ze onderzocht het label. 'Made in China, polyester. Lekker kort, lekker makkelijk. Zou ze misschien tippelen?'

'Alles kan.' Milo gaf de portemonnee terug. Terwijl hij dingen oppakte en aantekeningen maakte, ging hij verder met het bestuderen van de lichamen.

Geen spoor van de tas van het vrouwelijke slachtoffer. Doorsnee gouden ringen in haar oren. Drie al even onopvallende zilveren banden rond een slanke pols. Lichte make-up.

Hij boog zich omlaag naar haar rechteroor, alsof hij haar een geheim wilde vertellen. 'Ze heeft net haar haar gewassen, ik kan het nog ruiken.'

De onderzoeker van de lijkschouwer zei: 'Ik heb het ook geroken. Suave. Ik gebruik het zelf.'

'Duur?'

Ze grinnikte. 'Met mijn salarisschaal?' Toen ze naar het bleke gezicht van de dode vrouw keek, werd ze ernstiger.

Zelfs in deze vernederende positie was het een buitengewoon aantrekkelijke vrouw, met een strak lichaam, volle borsten, een ietwat laag middel, een glad, ovalen gezicht en enorme ogen, die iets schuin stonden. Bruin bij haar leven, overdekt met de kleur van een vies trottoir na haar dood.

Roze gloss op slappe lippen. Schone nagels, geen lak. Het zoekwerk van de onderzoeker had geen kogelgaten in haar lichaam aan het licht gebracht, maar haar oogwit was dooraderd en gespikkeld door bloeding en haar lange nek was opgezwollen, vol blauwe plekken en doorsneden door een gemene knalrode lijn.

De onderzoeker wees op de korstachtige, melkwitte vlek op haar dij. Controleerde de vingernagels. 'Lijkt niet alsof daar iets onder zit. Arme meid. Mag ik haar jurk omlaag trekken?'

'Doe maar,' zei Milo. 'Zodra onze technische jongens hier zijn en vingerafdrukken hebben genomen van hen en van de ruimte, kun je ze vervoeren.'

'Enig idee hoe lang dat kan gaan duren?'

'Heb je haast?'

'We hebben nog een andere oproep, maar het is geen probleem, inspecteur.'

'Jullie chauffeurs worden toch per uur betaald.'

'Ja, meneer. Nog iets anders?'

'Ik kan niets bedenken, mevrouw...' Hij kneep zijn ogen samen om haar identiteitsbadge te kunnen lezen. 'Rieffen.'

'Lara. Weet u zeker dat ik verder niets voor u kan doen, inspecteur?'

'Ik sta open voor suggesties, Lara.'

'Nou ja... Ik probeer gewoon mijn weg te vinden, ik wil niets missen.'

'Je doet het prima.'

'Oké dan.' Tegen mij: 'Aangenaam u te ontmoeten, rechercheur.'

Milo zei: 'Dit is dokter Delaware. Hij is onze psychologisch adviseur.'

'Een psycholoog,' zei ze. 'Voor een daderprofiel?'

Milo weet dat ik profielschetsen nauwelijks hoger aansla dan verkiezingspolls of het lezen van de toekomst in theebladjes. 'Zoiets.' Hij wierp een blik op de krakkemikkige wenteltrap die naar de eerste verdieping leidde en zei: 'We redden ons hier wel, Lara, ga maar naar je volgende oproep.'

Onderzoeker Rieffen verzamelde haar spullen en haastte zich naar beneden.

Toen de echo van haar voetstappen was weggestorven, trok hij een panatella uit een zak van zijn verfomfaaide, vaalbruine windjack, stopte hem tussen zijn lippen maar stak hem niet aan. Toen hij zijn kaken op elkaar zette, wipte de sigaar naar boven. Hij staarde nog even naar de lichamen. Pakte de telefoon en ging na of er een auto op naam van Desmond Backer geregistreerd stond.

Een vijf jaar oude BMW 320i. Hij liet er een opsporingsbevel voor uitgaan, met instructies om hem te vervoeren maar niet te onderzoeken, voordat de forensische dienst eroverheen was gegaan.

Hij borg zijn mobiele telefoon weer op en zei: 'Op heterdaad betrapt, maar misschien ook wel als reconstructie in scène ge-

zet.' Een halve glimlach. 'De kleine dood, gevolgd door de grote.'
Hij keek naar de lucht. 'Geen hulzen, dat wil zeggen dat onze jongen voorzichtig is, tenzij hij nostalgisch is en van revolvers houdt. Geen kogelgaten te vinden, afgezien van dat ene in het hoofd van meneer Backer, en de diameter wijst op een klein kaliber. Omdat haar tas verdwenen is en er ook geen auto in de buurt staat, zou het inderdaad met een autodiefstal te maken kunnen hebben. Behalve dat Backers portemonnee vol geld zit en dat horloge ook niet voor de poes is.'
Ik zei: 'Misschien ging het om haar en heeft de tas niets met diefstal te maken.'
'Waarmee dan wel?'
'Op dit vroege tijdstip ben ik beter met vragen dan met antwoorden.'
'Je haalt me de woorden uit de mond. Nu hoef ik alleen nog maar uit te vinden wie ze verdomme is. Nog suggesties? Ik zal je er niet op vastpinnen.'
'Geen spoor van een worsteling of een contactwond, dat wijst erop dat de schurk de zaken al snel onder controle had. Misschien omdat hij het goed gepland had. Ik hou het erop dat ze zo zijn opgesteld – de hele positie heeft een bijna theatraal karakter.'
'Iets persoonlijks.'
'Wurging is de meest intieme en persoonlijke manier van moorden,' zei ik.
'Controle met een vuurwapen van een klein kaliber? Eerst wordt hij neergeschoten, zij is te bang om verzet te bieden en ligt daar maar totdat ze verstikt wordt?'
'Misschien waren er twee moordenaars.'
'Om ze zo op te stellen,' zei hij. 'Dat zou een veelzeggend gebaar kunnen zijn – een gebaar van jaloerse razernij. Ex-vriendje volgt hen hiernaartoe, kijkt hoe ze het doen, draait door.'
'Als plekje voor een rendez-vous is het alleen niet erg romantisch. Geen wijn, geen hasj, geen chocola, niet eens een dekentje.'
'Misschien heeft de schurk dat allemaal meegenomen. Om het bewijs zoek te maken. Of om een trofee mee te nemen. Of allebei.'

'Om ze zo te laten liggen zou ook een manier kunnen zijn om ze nog meer te vernederen. Wat weer op jaloezie zou kunnen duiden.'

'Of op een sadistische psychopaat.'

'Misschien,' zei ik, 'maar wat daar niet bij past is de afwezigheid van een overvloed aan details. Zij is bijvoorbeeld niet neergelegd met haar benen wijd. Er is hier iets subtielers aan de hand. Misschien specifiek voor de slachtoffers. Dat haar tas is meegenomen, zou erop kunnen wijzen dat zij het hoofddoelwit was. Dat de dader iets van haar wilde bewaren.'

Hij liep rond door het torentje, bekeek het uitzicht naar het westen, stak zijn sigaar aan en blies een blauwe stroom uit, die als een lang lint wegdreef door de dakspanen. 'Een hete date onder de sterren. Maar waarom precies hier?'

'Backer was een architect, misschien had hij aan dit bouwproject gewerkt. Misschien had hij een sleutel, bracht hij haar hiernaartoe om indruk te maken.'

'Ik heb de Taj Mahal ontworpen, schatje, dus doe het met me? Als dat het geval was, dan dateerde Backers betrokkenheid van minstens twee jaar geleden, want toen ging de hele klus in de ijskast. En hij had helemaal geen sleutel nodig, de ketting is lang genoeg om de poort te openen. Dat heb ik van de bewaker die de lichamen ontdekte. Volgens hem heeft hij zijn bazen verteld over de ketting, maar ze keken de andere kant op. Dat past bij het hele belachelijke bewakingsplan: één vent, van zeven tot tien uur 's ochtends, helemaal niets in het weekend, en het meest dodelijke wapen dat hij mag gebruiken is een zaklantaarn.'

'Waarom werd de bouw stilgelegd?'

'Daar vroeg de bewaker ook naar, kreeg te horen dat hij zich met zijn eigen zaken moest bemoeien.'

Ik zei: 'Een verlaten bouwterrein zou ideaal zijn als Backer hier een feestje wilde vieren. Met deze vrouw of met anderen. Gezien het verschil tussen zijn kledingbudget en het hare zou ik beginnen met lagerbetaalde medewerkers van zijn firma.'

'Een kantoorromance met de receptioniste, helaas heeft zij een bezitterige partner. Er is wel iets: de bewaker zegt dat hij nooit tekenen van andere avontuurtjes heeft gevonden.'

'We hebben het over die zenuwachtige, magere vent die mank loopt.'

'Doyle Bryczinski. Solliciteerde bij de politie, kreeg een ernstig verkeersongeluk, verklootte zijn been.'

'Heeft Milo een nieuwe vriendje?' zei ik. 'Wat is zijn lievelingseten?'

'Gun je me niet van tijd tot tijd een behulpzame burger?'

'God verhoede het.'

'Maakte Bryczinski op jou een zenuwachtige indruk?'

'Toen ik kwam aanrijden keek hij naar me. Toen ik oogcontact maakte, deed hij alsof hij niet had staan kijken. Ik mag ook niet onvermeld laten dat je Bryczinski zojuist hebt beschreven als een nep-agent, die een uiterst gefrustreerde indruk maakt over het gebrek aan controle over zijn leven. Stel dat zijn vriendin hem inruilt voor iemand die leuker, gladder, rijker is? Op dezelfde plek waar jij haar ooit mee naartoe had genomen?'

'De man probeert te helpen en is plotseling onze hoofdverdachte?'

'Ik verdenk, dus ik ben.'

Hij wierp nog een langdurige, ontevreden blik op de lichamen en liep toen naar de krakkemikkige wenteltrap. 'Misschien moeten we die goeie ouwe Doyle eens wat beter leren kennen.'

3

Doyle Bryczinski zei: 'O man, ze zien er... slechter uit.'

'Slechter dan toen je ze vond?' zei Milo.

Bryczinski wendde zich af. 'Ze lijken meer op mensen.'

'En minder op...'

'Ik weet niet, het was gewoon onwerkelijk. Toen ik ze vond, bedoel ik.'

'Wat een manier om je dag te beginnen, Doyle.'

'Mijn dag begint om halfvijf,' zei Bryczinski. 'Voor mijn moeder zorgen, totdat haar verzorger om zes uur komt, dan rij ik rechtstreeks hiernaartoe.' Hij schudde zijn hoofd. 'En dan vind ik dít.'

'Is je moeder ziek?'

'Ze heeft van alles. Ze woonde bij mijn broer, maar die is verhuisd naar Nome. Dat is in Alaska.'

Hij likte met zijn tong langs zijn lippen. Een kleine man, die er kwetsbaar uitzag en zo zenuwachtig was als een konijn. Zonder pistool zou hij moeite hebben om wat dan ook onder controle te houden.

Voordat hij hem mee naar boven had genomen, had Milo zijn achtergrond nagetrokken. Bryczinski had een aantal onbetaalde verkeersboetes verzameld. Bij het ongeluk waardoor hij invalide was geraakt, was maar één auto betrokken geweest, wat meestal duidde op rijden onder invloed, maar Bryczinski's alcoholpromillage was onder de norm geweest.

Toen hem gevraagd werd om nog eens te komen kijken, zei hij: 'Natuurlijk.' En toen: 'Waarvoor?'

'We kunnen je hulp gebruiken, Doyle.'

Doordat hij mank was, werd de beklimming van twee verdiepingen een slopende martelgang.

Milo liet hem daar even staan, zodat hij de lichamen goed kon bekijken. Zweet parelde op Bryczinski's haarlijn. Zijn rug was gekromd op een ongezonde manier. Veertig, maar hij zag eruit als vijftig, met sliertig, rossig haar, dat merendeels grijs was geworden, en een smal gezicht dat op alle verkeerde plekken was ingevallen. Eén meter zeventig en kletsnat. Een kleine, goedkope zaklantaarn hing aan een riem die tot het laatste gaatje was aangetrokken. Niemand kon het iets schelen of deze plek goed bewaakt was.

'Dus,' zei hij.

'Je weet zeker dat je ze niet kent.'

Bryczinski's ogen vernauwden zich. 'Waarom zou ik ze kennen?'

'Ik bedoel, nu je hun gezichten kunt zien.'

'Ik zie ze, maar ik ken ze zeker weten niet.' Hij deinsde terug in de richting van de muur. Net voordat hij die raakte, pakte Milo zijn arm beet.

Bryczinski verstrakte. 'Hé!'

'Sorry, Doyle. We moeten overal afdrukken van hebben. Je kent de routine wel.'

'O ja, natuurlijk.'

Milo zei: 'In dit soort situaties moet ik van alles vragen. Je bent hier vaker dan wie ook. Dat betekent dat als er iemand langskomt en er een bende van maakt, dan ben jij de eerste die het weet.'

'Ik ben hier, maar hierboven kom ik niet veel.' De bewaker stampte zacht met zijn voet. Het dreunde door het hardboard. 'Als ik hierboven heb gekeken, kom ik niet meer terug.'

'Je houdt niet van het uitzicht.'

'Ik werk, geen tijd om het uitzicht te bewonderen.'

'Dus niemand loopt hier rotzooi te maken.'

'Zoals wie?'

'Wie dan ook,' zei Milo.

'U bedoelt een of andere dakloze? Denkt u dat het een van die idioten was? Ze verrasten hem, hij draaide door?'

'Alles kan, Doyle,' zei Milo.

'Nou, dat is al heel lang niet gebeurd,' zei Bryczinski en hij waagde nog een blik op de lichamen. 'Met een dakloze, bedoel ik.'

'Heb je problemen gehad met krakers?'

'Nee, niet echt. Ongeveer een jaar geleden – misschien langer, anderhalf jaar – kom ik op een ochtend binnen en vind viezigheid. Niet hier, boven, op de eerste verdieping.'

'Iemand die door de modder had gelopen?'

'Viezigheid van een mens, u snapt me wel.'

'Iemand had de plek als wc gebruikt?'

'Precies in het midden van de eerste verdieping. Pal naast de trap. Zo goor. Er lagen ook fastfoodverpakkingen – Taco Bell, papieren bekers, vettig papier, bonen en sausvlekken op de vloer. Iemand die hier Mexicaans at en daarna overal ging poepen.'

'Wat een bende,' zei Milo.

'Ik bel het bedrijf, zeggen ze: maak het maar schoon. Waarmee? Er is geen water, één kapotte aansluiting voor een slang aan de achterkant, maar geen druk. Ik zei: daar heb ik geen zin in. Waarom zouden we moeite doen? Wie zegt dat die idioot de volgende dag niet terugkomt om precies hetzelfde te doen?'

'Deed hij dat?'

'Nee. Maar een beetje later, misschien een maand later, kwamen er een paar Mexicanen om te eten. Godzijdank hebben ze niet gepoept.'

'Hoe weet je dat het Mexicanen waren?'

'Taco Bell-verpakkingen, en te veel voor één persoon.'

'Heel veel verschillende mensen eten bij Taco Bell.'

'Ja, dat zal wel,' zei Bryczinski, 'maar niet alle mensen laten Mexicaans geld achter. Stomme munten, peso's of wat dan ook. Ik heb ze bekeken. Geen stuiver waard, dus heb ik ze aan mijn nichtje gegeven, die is vier.'

'Nog andere indringers?'

'Nee, dat was het.'

'Geen aanwijzingen dat iemand hier ooit kwam om te rotzooien?'

'Nee. Die tweede keer bedacht ik dat misschien een of andere illegaal, die in een van die rijkeluishuizen hier in de buurt werkte, nergens naartoe kon gaan, zodat hij hier sliep. Wat mij verbaast, is dat er niet meer idioten inbreken. Ik heb u die ketting laten zien. Wilt u ook weten over de dieren?'

'Wat voor dieren?'

'Beesten,' zei Bryczinski. Hij proefde het woord op zijn tong. 'Ik vind overal uitwerpselen van dieren. Ratten, muizen. Coyotes. Ik weet dat het coyotes zijn, omdat ze van die kleine verschrompelde dingetjes achterlaten, die eruitzien als droge Weense worst. Veel coyotepoep gezien toen ik in Fallbrook woonde.'

'Avocadoland,' zei Milo.

'Wat?'

'Verbouwen ze geen avocado's in Fallbrook?'

'Mijn pa zat bij de marine, we woonden in een appartement.'

'Aha. Komen er wel eens bezoekers overdag, Doyle?'

'Nooit. De plek is dood.' Bryczinski huiverde. 'Bij wijze van spreken.'

'Trek het je niet persoonlijk aan, maar zoals ik al zei, ik moet routinevragen stellen aan iedereen die bij een moord betrokken is geweest.'

De ogen van de bewaker vernauwden zich. 'Wat?'
'Wat deed je gisteravond?'
'Wilt u zeggen dat ik onder verdenking sta, omdat ik ze gevonden heb?'
'Helemaal niet, Doyle, ik moet gewoon grondig zijn.'
Bryczinski veegde zijn voorhoofd af met de mouwen van zijn uniform. 'Oké dan. Gisteravond lag ik te slapen. Ik sta om vier uur op. Ma maakt me wakker. Ik lig er om negen uur in.'
'Je bent ma's enige verzorger.'
'Aan die stomme kat heb je niet veel.'
Milo lachte.
De bewaker zei: 'Ik ben blij dat iemand het grappig vindt.'

Milo keek toe hoe hij de trap af hobbelde, krimpend van pijn. 'En de diagnose is?'
Ik zei: 'Genoeg opgekropte woede, maar waarschijnlijk niet genoeg fysieke kracht en vernuft om het voor elkaar te krijgen.'
'Zelfs met een pistool?'
'Als je enig verband vindt tussen hem en een van jouw slachtoffers, dan stel ik mijn mening graag bij.'
'Hij zegt dat hij alleen maar een zaklantaarn had, maar hij zou een wapen kunnen hebben meegebracht. Ik zal de uniformdienst vragen het hele landgoed af te zoeken naar weggeworpen wapens. Bryczinski's afdrukken zijn opgeslagen vanwege het beveiligingswerk. Misschien duiken ze ergens op waar ze niet horen te zijn. Zoals op de vloer, precies waar zij liggen.'
Hij wierp nog een blik op de lichamen. 'Leuk paartje. Dikke pech voor Ken en Barbie.'
Ik zei: 'Iemand heeft met de poppen gespeeld en ze daarna weggegooid.'
Hij las Desmond Backers visitekaartje nog eens. 'Heb je zin in Venice? We nemen jouw gondel.'

4

Gemein, Holman & Cohen adverteerden niet. Het huisnummer was in schriele cijfers van roestig ijzer laag aan de voorgevel bevestigd, nog geen halve meter boven het trottoir. Daaronder GHC: CONCEPTS. We reden over het zuidelijke deel van Main Street, waar parkeren een hel is.

Milo zei: 'Neem die betaalde parkeerplaats maar, op mijn rekening.' Hij liet zijn penning zien aan de bewaker en moest toch zeven dollar betalen. De wandeling voerde langs boetiekjes met het soort van kleren dat je nooit iemand zag dragen. Een zonnige, doordeweekse ochtend in Venice. Niet meer dan een handjevol voetgangers, maar een piercingtentje deed goede zaken. Toen hij nog acteerde, had de gouverneur stukken van Main Street opgekocht en een inkomen uit de huur vergaard waar hij zijn nieuwe hobby mee kon financieren.

Misschien was hij de eigenaar van het charmante avant-gardegebouw van de architectenfirma.

Een paar gelijkzijdige driehoeken worstelden met elkaar onder een precaire helling. De grote was van pompoenkleurig oranje stucwerk, de andere van blauwachtig groen aluminium. Een zwart gewaad van zonnepanelen bedekte het dak. Een betonnen trog die langs de onderkant liep stond vol met paardenstaarten, waarvan de topjes met chirurgische precisie waren afgeknipt.

De driehoeken overlapten elkaar net genoeg om loopruimte te bieden aan mensen die niet al te dik waren. Milo had aan zijn lijn gewerkt. Met zijn betrekkelijk slanke figuur was het niet nodig om er zijwaarts langs te gaan, maar hij deed het toch maar. Het geheugen van het lichaam gaat ver terug.

Binnen was een binnenplaats bedekt met golfplaat en omsloten door een centimeters diepe, rechthoekige vijver. Te ondiep voor vissen; misschien zwommen er micro-organismen in.

De voordeur was een roestvrijstalen plaat. Het kloppen van Milo bracht geen geluid voort. Geen bel.

Hij zei: 'Of de zaken gaan heel erg goed, of heel slecht.'

Hij sloeg nog harder en bracht een treurig gebons voort.

Hij zei: 'Dit gaat pijn doen,' en bracht zijn voet in gereedheid voor een schop. Voordat hij de plaat raakte, zwaaide die stil naar binnen, waardoor hij uit balans raakte. Een adembenemende vrouw met een kaalgeschoren hoofd keek hoe hij zijn evenwicht hervond. 'Wat kan ik voor u doen?' zei ze met de warmte van een computerstem.

Ze was ongeveer vijfendertig met een soort van Teutoons accent. Schijven van hennep zo groot als schotels bungelden aan haar fijngevormde oren. Haar kaalheid leek niet echt op een ziekte te duiden; haar wimpers en wenkbrauwen waren donker en weelderig, en haar ogen hadden een opvallend blauwe kleur. Haar schedel was glad, rond en gebruind, met helblonde stoppels, alsof het haar met zout was ingewreven. De afwezigheid van enige haardracht benadrukte al het andere aan haar, als een smalle lijst om een schilderij. Ook een strakzittende witte tanktop, doorschijnende zwarte kousen en rode laarzen met naaldhakken versterkten die indruk.

Milo liet zijn penning zien. 'Politie, mevrouw.'

Ze zei: 'En?'

'We zouden graag met iemand spreken over Desmond Backer.'

'Is Des in moeilijkheden?'

'De grootste moeilijkheden, mevrouw...'

'Heeft Desmond iets illegaals gedaan?'

'Desmond is dood.'

'Dood,' zei ze. 'En jullie willen binnenkomen.' Ze liep met opgeheven hoofd terug naar binnen en stond toe dat we haar volgden. Met hoge passen en wiegende heupen.

Het kantoor bestond uit één grote ruimte. Ongemeubileerd, afgezien van een zwart bureau en een stoel op wieltjes in een hoek. Witte muren, hoge ramen, tapijt dat paste bij de hennepen oorbellen van de kale schoonheid. Dakramen op vreemde plekken, sommige deels bedekt door het zonnepaneel. Op andere waren de strepen en plekken van vochtschade te zien.

De kale vrouw zat achter het bureau en legde haar palmen plat neer. Houtskoolgrijze nagellak, een soort van tralie-effect op de nagels. 'Ik heb geen stoelen voor jullie.'

'We staan wel, mevrouw.'

'Is er iets crimineels gebeurd met Des?'

'Het spijt ons het te moeten zeggen, mevrouw. Meneer Backer is vermoord.'

'Wat erg.' Opnieuw geen spoor van intonatie.

'Wat kunt u ons over hem vertellen, mevrouw...?'

'Helga Gemein.'

'U bent een van de partners.'

'Er zijn geen partners. We zijn ontbonden.'

'Sinds wanneer?'

'Zes weken geleden. Vraag me niet waarom.'

'Waarom?'

Helga Gemein was niet in een stemming om grapjes te maken. 'Wie heeft Des vermoord?'

'Dat proberen we uit te vinden,' zei Milo. 'Wat kunt u ons over hem vertellen?'

'Hij werkte hier vanaf het moment dat we de nieuwe firma begonnen.'

'En dat was...?'

'Twintig maanden geleden. Hij was een goede tekenaar, met matige vaardigheden als het op ontwerpen aankwam. Ik heb hem aangenomen omdat hij groen was.'

'Net van school?'

'Pardon?

'Nee, nee, nee.' Helga Gemein grimaste. 'Groen, milieubewust. Des had zijn diploma behaald bij de California Polytechnic San Luis Obispo, schreef een scriptie over bio-ecologische synchroniciteit.'

Ik dacht aan de vechtende driehoeken aan de voorkant, het water dat zo ondiep was dat het binnen een paar dagen zou verdampen.

'De groene benadering werkte niet,' zei Milo.

'Natuurlijk werkt die. Waarom zegt u dat?'

'De firma is ontbonden.'

'Mensen werken niet,' zei Helga Gemein. 'De moderne post-industriële mensheid is een criminele biomechanische verstoring van de natuurlijke orde. Dat is het hele doel van groene architectuur. Om de componenten van de levenskracht zo te herscheppen dat er een duurzame balans ontstaat.'

'Natuurlijk,' zei Milo. 'Dus met wat voor soort projecten was de firma bezig?'

'We werkten aan onze doelstellingen.'

'Geen daadwerkelijke gebouwen?'

De verrukkelijke mond van Helga Gemein werd samengeknepen. 'In Duitsland is architectuur werk voor ingenieurs. De nadruk ligt op degelijke theorie en onberispelijke planning. We zagen onszelf als groene adviseurs. Wat hebben deze vragen met Des te maken?'

'Hij is vermoord op een bouwterrein, mevrouw. Een onvoltooid huis in Holmby Hills.' Hij dreunde het adres op Borodi Lane op.

'Dus?'

'Ik vroeg me gewoon af...'

'We hebben nooit overwogen om onszelf met privéhuizen te bemoeien.'

'Dit was een huis op grote schaal, mevrouw Gemein. Een landhuis met twee verdiepingen, op een terrein dat een paar hectare beslaat. Meneer Backer is op de tweede verdieping aangetroffen.'

'Dat klinkt onuitsprekelijk vulgair. Id, ego, penisvertoning. Ik zou nog liever een nomadentent ontwerpen.'

'Wanneer verliet Des Backer de firma?'

'Toen die ontbonden werd.'

'Heeft hij een andere baan gevonden?'

'Dat zou ik niet kunnen zeggen.'

'Heeft hij nooit om referenties gevraagd?'

'Hij maakte zijn bureau leeg en vertrok.'

'Was hij boos?'

'Waarom zou hij boos zijn?'

'Omdat hij zijn baan kwijtraakte.'

'Banen komen en gaan.'

'Toen hij hier werkte, waar was hij toen mee bezig?'

'Des wilde betrokken zijn bij de Kraeker.'

'Wat is dat, mevrouw?'

De blik van Helga Gemein zei dat als je daarnaar moest vragen, je het niet verdiende te weten. 'De Kraeker is een galerie voor performance art, die op de planning staat om gebouwd te worden in Basel medio 2013. Mijn plan is om een voorstel te doen voor duurzame verwarming en verlichting, die synchroon zouden lopen met de kunst zelf. Des vroeg of hij de voorstudies zou mogen maken. Een project van die omvang zou zijn carrière natuurlijk goeddoen.'

'Maar zover kwam het nooit.'

'Dat staat nog niet vast. Als ik eenmaal de rommel heb opgeruimd die mijn partners hebben achtergelaten, is het best mogelijk dat ik een nieuw team samenstel. Het zou een welkome verandering zijn om terug te keren naar Europa.'

'Genoeg gehad van L.A.?'

'Ruimschoots.'

'Is er iets wat u ons over Des zou kunnen vertellen dat van waarde zou kunnen zijn voor het onderzoek?'

'Zijn seksuele honger was opmerkelijk.'

Milo knipperde met zijn ogen. 'Met opmerkelijk bedoelt u...'

'Wat ik bedoel,' zei Helga Gemein, 'is dat Des buitengewoon gemotiveerd was om te neuken met wie hij maar kon. Was zijn dood seksueel van aard?'

'Hoe weet u dat van hem, mevrouw?'

'Als u me vraagt, op die karakteristieke, preutse Amerikaanse manier, of ik uit persoonlijke ervaring spreek, is het antwoord nee. Mijn informatie komt van de andere vrouwen die hier werkten. Ze ontdekten van elkaar dat Des hun allebei verzocht had om hen te mogen neuken.'

'Verzocht?'

'Des was beleefd: hij zei altijd alsjeblieft.'

'Hebt u hem niet ontslagen?'

'Waarom zou ik dat doen?'

'Het is toch vrij duidelijk dat het om ongewenste intimiteiten op de werkvloer gaat.'

'Politieman,' zei ze, 'een vrouw kan alleen last hebben van ongewenste intimiteiten als ze zichzelf als hulpeloos bestempelt. Iedereen zei ja. Des is een knappe man. Maar nogal onvolwassen.'

'Hoe bent u dit alles precies te weten gekomen, mevrouw Gemein?'

'Dat is een voyeuristische vraag.'

'Mijn werk brengt dat met zich mee.'

Ze beroerde een hennepoorbel. 'Er was een stafvergadering. Des was om de een of andere reden weg van kantoor en Judah Cohen was in Milaan, dus er waren geen mannen. Als u iets over vrouwen weet, dan weet u dat alcohol de tongen losmaakt. Een van hen had een ander na het werk zien weggaan met Des en vroeg het zich hardop af. Er was niet veel tijd voor nodig om ervaringen uit te wisselen. Iedereen was het erover eens dat hij attent was en redelijk geschapen, maar ook dat hij weinig creativiteit toonde.'

Ik zei: 'Over hoeveel vrouwen hebben we het?'

'Drie.'

'Vier vrouwen bij de vergadering, maar slechts drie kregen een aanzoek.'

'Als u me weer op die Amerikaanse manier vraagt of ik homoseksueel ben, nee, dat ben ik niet, hoewel ik geen morele bezwaren tegen homoseksualiteit heb. Waarom neukte ik Des niet? Hij trok me niet aan.'

'Hij heeft u nooit benaderd?'

Ze knipoogde en streelde de bovenkant van haar hoofd. 'Wij onderhielden een zakelijke relatie.'

Milo haalde zijn blocnote tevoorschijn. 'Zou ik alstublieft de namen van de andere vrouwen mogen hebben?'

Helga Gemein glimlachte. 'Ik zal langzaam spreken: nummer één, Sheryl Passant, onze receptioniste.' Ze wachtte tot hij het had opgeschreven. 'Nummer twee, Bettina Sanfelice, een saai meisje dat stage liep. Nummer drie, Marjorie Holman.'

'Uw voormalige partner.'

'Correct.'

'Des vond het niet nodig om met haar een zakelijke relatie te onderhouden.'

'Marjorie en ik verschillen van mening op veel punten.'

'Marjorie had er geen moeite mee om zaken en plezier met elkaar te combineren?'

'U bent simplistisch, politieman. Alles is zakelijk en alles is plezier. Het probleem is dat Marjorie die twee niet met elkaar kan verbinden.'

'Hoe bedoelt u?'

Ze staat erop om kunstmatige grenzen te trekken – ze schetst denkbeeldige regels, zodat zij het plezier heeft om die te overtreden.'

'Verboden vruchten,' zei Milo.

'Marjorie mag er graag aan knabbelen.'

'Is ze getrouwd?'

'Ja. En nu moet ik gaan.'

Milo vroeg haar om de adressen en telefoonnummers van de drie vrouwen. Dat van Marjorie Holman kende ze uit haar hoofd. Voor de andere raadpleegde ze een BlackBerry.

'Nu zal ik u uitlaten.'

Hij toonde haar de foto van het vrouwelijke slachtoffer. Helga Gemein onderzocht de afbeelding. 'Wat is dit?'

'Een vrouw die met meneer Backer stierf.'

'Dus het was seksueel van aard.'

'Waarom zegt u dat?'

'Des met een vrouw. Wat zou het anders kunnen zijn?'

Milo glimlachte. 'Misschien een betekenisvolle spirituele relatie?'

Helga Gemein liep naar de deur. We volgden haar. Ik zei: 'Hoe goed was Des in zijn werk?'

'Voldoende. Voordat we ontbonden, heb ik overwogen om hem te ontslaan.'

'Waarom?'

'De beklagenswaardige staat van onze planeet vraagt om iets meer dan voldoende.'

5

Helga Gemein marcheerde over de binnenplaats en liep verder in noordelijke richting over Main.

'Goede conditie, met die hoge hakken,' zei Milo. 'Wat een hartelijke vrouw.'

'Je moet 'r niet als vijandig beschouwen,' zei ik. 'Ze is gewoon consequent in haar filosofie.'

'Wat is die filosofie?'

'De mensheid is een smet op de natuur.'

'Dat is nogal psychopathisch en ze reageerde ook niet emotioneel op Backers dood. Als je bij haar bent, heb je geen airconditioning nodig.'

'Persoonlijke koeling,' zei ik. 'Als dat geen groen concept is.'

'Backer bespringt alles met eierstokken, maar haar benadert hij niet. Misschien was de jaloezie die jij voelde op de plaats delict meer boosheid om een afwijzing.'

'De furie van een afgewezen vrouw? Met die naaldhakken zou ze hardboard kunnen splijten.'

Hij overzag Main, kruiste zijn armen over zijn ronde buik. 'Een vrouw vragen om haar te neuken. Als Backers libido echt zo buitensporig was, dan is het domein van mogelijke verdachten uitgebreid tot elke heteroman in Los Angeles. Geweldig.' Hij keek de adressen door, die Gemein had aangeleverd. 'De receptioniste en de stagiaire wonen allebei buiten in de Valley, maar de stoute mevrouw Holman woont hier in Venice, Linnie Canal.'

'Dat is ongeveer anderhalve kilometer hier vandaan,' zei ik. 'We zouden kunnen gaan lopen.'

'O, prima hoor. En ik trek wel een lycra wielrennersbroekje aan.'

Het viel niet mee om de meest nabije ingang van de grachtenbuurt te vinden en met een auto door het ingewikkelde netwerk van eenrichtingsstraatjes en doodlopende stegen te laveren. Een kleine verplaatsing veranderde in een excursie van een halfuur. Toen we eindelijk Linnie Canal konden zien liggen, was de dichtstbijzijnde parkeerplaats twee straten naar het oosten.

De grachten zijn een eeuw oud, het product van een koortsachtige geest, maar inmiddels veranderd in het zoveelste stukje hoog geprijsd onroerend goed. De visionaire man waar het om ging, een excentriekeling die Abbot Kinney heette, had bochtige waterwegen gegraven en leeggepompt en het was zijn droom geweest om een replica van de oorspronkelijke eilandenstad te maken. Honderd jaar later waren de meeste van de

eigenzinnige, originele bungalows vervangen door dicht op-
eenstaande standaardlandhuizen, hoog boven de voetpaden.
Een gesnoeide heg volgde het kanaal. Mooie plek om te wandelen, maar geen voetganger te zien. Het water was groen en
ondoorzichtig, gevlekt met hyacinten en nu en dan wat rommel.
Eenden dobberden voorbij en stopten om met hun snavel naar
voedsel te priemen. Een zeemeeuw deed alsof hij een kamika-
zepiloot was, veranderde van richting, landde op een dak vlakbij en stootte een nasale, politieke aanklacht uit. Misschien had
hij dezelfde opvattingen als Helga Gemein over de mensheid.
Milo zei: 'Ik heb het hier altijd leuk gevonden. Om op bezoek
te komen, niet om er te wonen.'
'Wat is er verkeerd aan om hier te wonen?'
'Te moeilijk om weg te komen.'

De woning van Marjorie Holman was een witgeverfd chalet
met een bovenverdieping. Het had een steil puntdak, blauwe
luiken, en had dakranden versierd met een gefiguurzaagde fran-
je en een rond raam boven de deur. Het deed denken aan een
restaurantje aan zee, waar je je gefrituurde bestellingen aan de
balie moest doen.
'Niet echt postmodern,' mompelde Milo. 'Wat dat dan ook
mag betekenen.'
Een brede, betonnen weg helde omhoog naar een houten veranda. Rotan meubilair stond lukraak verspreid. Geraniumpot-
ten stonden op het muurtje. Eén hoek werd in beslag genomen
door een gigantische barbecue op gas, met meer knoppen dan
het dashboard van mijn Seville. De zonderlinge dolfijn op de
muur boven de grill had de tand des tijds niet goed doorstaan.
Een verouderde Flipper die te veel poppers had geslikt.
De muur die op de gracht uitkeek bestond uit openslaande deuren. Al dat glas betekende veel energieverlies. Er waren geen
zonnepanelen te zien. Een bel aan een leren veter, in plaats van
een elektrische zoemer, was het enige gebaar in de richting van
energiebesparing.
Milo trok aan de veter. Een diepe, mannelijke stem riep: 'Wacht
even.'
Een paar seconden later kwam een man naar buiten gereden

in een gemotoriseerde rolstoel. Een marineblauw T-shirt zat strak gespannen om enorme schouders en een gespierde buik. De kaki broek kreeg weinig vorm door de benen, die meer op stokjes leken. Hij leek een jaar of zestig, met een hoofd vol stug, grijs haar en een bijpassende borstelige baard.

'Wat kan ik voor u doen?'

'Politie, meneer. Is Marjorie Holman thuis?'

'Politie? Wat is er aan de hand?'

'Iemand die voor de firma van mevrouw Holman werkte is vermoord.'

'U maakt een grapje.' Hij knipperde snel met zijn ogen. 'Wie?'

'Desmond Backer.'

'Des.'

'U kende hem.'

'Hij is een paar keer langsgekomen om Marjie tekeningen te laten zien. Vermoord? Dat is bizar. Hoe is het gebeurd?'

'Hij is doodgeschoten, meneer Holman.'

'Ned.' Een vlezige hand schoot naar voren. Zijn mondhoeken trokken naar beneden. 'Marjie zal erg aangeslagen zijn. Ik denk dat ik het haar maar moet vertellen – kom maar binnen, jongens.' Hij reed achteruit terug het huis in door een grote lichte kamer naar het begin van een mooi bewerkte eiken trap. De hele benedenverdieping bestond uit een open ruimte, waardoor die heel licht was. Door het spaarzame meubilair kon de rolstoel makkelijk draaien. Ned Holman zette zijn hand aan zijn mond. 'Liefje, kun je even naar beneden komen?'

'Wat is er?'

'Kom alsjeblieft even naar beneden, Marjie.'

'Is alles goed, Ned?'

Het gestamp van voetstappen.

'Met mij wel. Kom even beneden, lief.'

Marjorie Holman was halverwege de trap naar beneden, toen ze ons zag en stilstond. Ze was lang en hoekig, en had een blauwgrijs pagekapsel, lange ledematen en een vrij klein gezicht, dat overheerst werd door ronde brillenglazen in een zwart montuur. Een wijde, oranje blouse en een spijkerbroek met rechte pijpen verrieden weinig van het lichaam eronder. Blote voeten. Roze nagels.

'Wat is er aan de hand?'

'Het is de politie. Het gaat om Des Backer. Hij is vermoord.'

Een hand vloog naar haar mond. 'O, god.'

'Sorry, lief,' zei Ned Holman. 'Het leek zo'n aardige dag te worden.'

Marjorie Holman gaf ons een slappe hand, ging de keuken in en sterkte zichzelf met een flinke slok Sapphire-gin uit een met rijp bedekte blauwe fles. Twee grote teugen brachten wat kleur op haar wangen. Ze staarde uit het raam naar een koraalstruik in vlammende bloei. Haar man reed naar haar toe en wreef over haar onderrug.

'Het gaat wel, Ned.' Ze wendde zich naar ons. 'Kan ik jullie iets aanbieden?'

Ned Holman reed zichzelf naar de ijskast, pakte een verlaagd handvat, trok de deur open, haalde een Budweiser tevoorschijn. Met een snelle beweging van zijn vinger was het blikje open. Hij hield het in één hand en rolde het tussen zijn worstvingers. Milo zei: 'Nee, bedankt.'

Allebei de Holmans dronken. Hij had zijn blikje het eerste leeg. Zij dronk het glas gin half leeg voordat ze het neerzette. 'Ik heb even frisse lucht nodig – red je je wel als ik even naar buiten ga, Ned?'

'Natuurlijk.'

Ze gebaarde ons haar te volgen het huis uit, haastte zich omlaag over de helling en ging naar rechts, het voetpad op. Meer meeuwen hadden zich verzameld in het water, een knorrige vergadering.

Marjorie Holman begon langzaam te wandelen en liep dicht bij de heg, terwijl ze haar hand over de toppen liet gaan. 'Ik ben nog steeds gechoqueerd. Mijn god, wanneer is dit gebeurd?'

'Gisteravond, mevrouw. Hij had visitekaartjes bij zich. We hebben net met mevrouw Gemein gesproken.'

'Helga,' zei ze. 'Dat was vast interessant.'

'Hoe dat zo, mevrouw Holman?'

'O, kom op. Als je met haar gesproken hebt, begrijpt u wat ik bedoel.'

'Ze is een interessante vrouw.'

34

'Verdenkt u haar?'

'Moeten we dat doen, mevrouw Holman?'

'Nou,' zei ze, 'Helga is gespeend van elk normaal menselijk gevoel, maar ik kan niet zeggen dat ze ooit enige vijandigheid naar Des in het bijzonder heeft laten zien.'

'Ze was meer vijandig in het algemeen?'

'Volkomen asociaal. Dat is een deel van de reden waarom we geen partners meer zijn. Wat is er precies met Des gebeurd?'

'Hij is doodgeschoten door een onbekende aanvaller.'

'Goeie god.'

'Mevrouw, als er iets is wat we moeten weten over Helga Gemein – of over iemand anders – dan moet u het ons nu vertellen.'

'Om het in een paar woorden te zeggen, Helga is raar, inspecteur. Maar heb ik een specifieke reden om te denken dat ze een moordenaar is? Nee, dat niet. Wat ik u wél kan vertellen is dat ze een bedrieger is. En dus is alles wat ze zegt verdacht. De firma is nooit van de grond gekomen omdat ze mij en Judah Cohen – de derde partner – heeft bedrogen.'

'Hoe bedrogen?'

'Er was daar geen *daar*.'

'Geen belangstelling voor groene architectuur?'

'Om uw terminologie te gebruiken, er was voorgewende belangstelling,' zei Marjorie Holman. 'In Duitsland is architectuur een onderdeel van het ingenieurswerk en dat is wat Helga is: een bouwkundig ingenieur. Met bijzonder weinig vaardigheden. Ze hoeft niet te werken, omdat haar vader transportbedrijven bezit. En ze mag spelen dat ze een intellectuele en globale denker is. Judah en ik ontmoetten haar bij een conferentie in Praag, waar ze beweerde dat ze allerlei soorten van fondsen had voor een geïntegreerde benadering van talrijke projecten. Judah en ik zijn veteranen. We waren allebei partner geworden bij redelijk grote firma's, maar we voelden dat het tijd was voor iets anders. Helga beweerde dat ze al kantoorruimte had, hier in Venice. Alles wat we hoefden te doen was op komen dagen en ons verstand gebruiken. Later ontdekten we dat ze het gebouw had ondergehuurd en chronisch te laat was met de huur. Al het andere dat ze ons vertelde was ook flauwekul. Alles wat ze wilde was praten over ideeën. Judah en ik hadden allebei onze schepen achter ons verbrand. We zaten klem. Het is een bende. In de architectuur ben je Gehry of Meier of je tekent plannen voor een uitbreiding van een woonkamer in San Bernardino.' Haar neusgaten trilden. 'Helga werd moe van het spel. Ze kwam op een dag binnen en verklaarde dat we *kaput* waren. Einde citaat.'

'Theatraal,' zei Milo.

'Geloof het maar.'

'Is dat de reden voor het kaalgeschoren hoofd?'

'Waarschijnlijk,' zei Marjorie Holman. 'Toen we haar ontmoetten in Praag had ze lang, blond haar. Ze zag eruit als Elke Summer. En dan komt ze hier als Yul Brynner.' Ze schudde met haar hoofd. 'Ze is zelf een staaltje performance art. Ik kan haar niet luchten of zien. Ik wou dat ik u kon vertellen dat ze moorddadig is, maar dat kan ik naar eer en geweten niet zeggen.'

'Vertel eens iets over Des.'

'We namen hem aan toen hij net van school kwam.'

'Hij haalde zijn diploma op zijn dertigste,' zei ik. 'Laatbloeier?'

'Dat is deze generatie. De jeugd duurt eeuwig. Ik heb twee zonen die ongeveer zo oud zijn als Des en allebei zijn ze nog bezig om uit te zoeken wat ze willen.'

Milo zei: 'De moord vond plaats op een bouwterrein op Borodi Lane in Holmby Hills. Doet dat een belletje rinkelen?'

'Nee, sorry. In Holmby zou het een woonhuis moeten zijn.'

'Een doorsnee paleis met dertig kamers.'

'Had Des een baantje gevonden bij een andere firma?'

'Als dat al zo was, dan droeg hij hun visitekaartje niet bij zich.'

'Als hij daar niet werkte, dan kan ik me niet voorstellen wat hij er anders zou doen.'

Een plastic kajak lag over het wandelpad. We liepen eromheen. Milo zei: 'En wat betreft een persoonlijke relatie tussen uzelf en meneer Backer?'

'Die was er niet.'

'Mevrouw Gemein beweerde iets anders, mevrouw.'

De handen van Marjorie Holman kromden zich, maar ze liep rustig door.

'Mevrouw Holman?'

'Gemene trut.'

'Gemene leugenachtige trut, mevrouw?'

Ze haalde snel adem. 'Ik hoef me nergens voor te verontschuldigen.'

'Wij beoordelen u niet, mevrouw Holman...'

'Natuurlijk doen jullie dat. Beoordelen is jullie werk.'

'Alleen als het om moord gaat, mevrouw.'

De lach van Marjorie Holman was broos, verontrustend. 'Nou, dan is alles toch koek en ei. Want wat ik ook heb gedaan of niet heb gedaan met Des heeft niets met moord te maken.'

'We zijn meer geïnteresseerd in gedaan dan in niet gedaan, mevrouw,' zei Milo.

Ze antwoordde niet. Milo liet het passeren en met z'n drieën liepen we verder. Vijf huizen later zei ze: 'U hebt mijn man ontmoet. Hij is al zes jaar zo. Ik ga me niet in bochten wringen om excuses te maken. Maar ik ga me er ook niet voor verontschuldigen dat ik mijn behoeften heb.'

'Natuurlijk niet, mevrouw.'

'Betuttel me niet, inspecteur. Ik ben geen idioot.'

Nog zes huizen. Ze ging sneller lopen. Een traan liep over haar wang.

'Eén keer. Dat is wat het was. Ned hoeft het niet te weten. Er is geen reden om het hem te vertellen.'

'Dat ben ik met u eens, mevrouw.'

'Hij was teder. Het was bijna alsof ik met een andere vrouw was. Niet dat ik zou weten hoe dat was. Het was krankzinnig om te doen, ik heb er spijt van, maar op dat moment...' Ze droogde haar tranen met haar mouw. 'Een van mijn zonen is net zo oud als Des. En als u niet denkt dat ik me daardoor vies voelde, dan vergist u zich. Het mocht nooit meer gebeuren en ik zou mezelf ook niet verder kwellen.'

Ze stopte ineens en raakte Milo's pols aan. 'Ik wil één ding duidelijk maken, inspecteur. Des heeft me niet uitgebuit en ik ben ook niet een of andere wanhopige krolse kat. Het gebeurde gewoon.'

'Eén keer,' zei Milo.

'Als u me door een leugendetector wilt halen, prima. Zolang Ned er maar niet achter komt.'

'Alles wat wij willen is uitvinden wie Des vermoordde.'

'Daar kan ik u niet bij helpen.'

'Had iemand bij de firma onenigheid met hem?'

'Nee.'

'Helga niet?'

'Ik wou dat ik ja kon zeggen, maar zelfs zij niet.'

'Ze vertelde ons dat ze nooit een intieme relatie met Des heeft gehad.'

'U wilt toch niet zeggen dat u daarvan steil achteroversloeg? Ik vraag me af of Helga überhaupt in staat is tot een intieme relatie.'

'Ze zei ook dat Des met elke andere vrouw bij de firma naar bed ging.'

'Daar kan ik niets over zeggen.'

'Ze zei dat u dat wel kon zeggen, mevrouw Holman. Dat ze het allemaal te weten kwam, omdat u en mevrouw Sanfelice en mevrouw Passant er openlijk over spraken bij een stafvergadering.'

Marjorie Holman wankelde, liep met haar hoofd omlaag verder. 'O, jezus.' Ze giechelde vreemd en gooide haar handen in de lucht. 'Martini's en oestrogeen, wat kan ik zeggen?'

'Een stafvergadering met alcohol?'

'Een stafvergadering in een restaurant.'

'Zonder te veel in detail te treden, als u ons zou kunnen vertellen waar u en Des samen naartoe gingen...'

'Wat gaat u dat aan?'

'We zoeken naar een patroon, mevrouw Holman.'

'Wat voor patroon?

'Bezoeken van Des aan bouwterreinen.'

Ze werd bleek.

'Mevrouw?'

'Dit is vernederend.' Nog een broos lachje. 'Als u de smerige details wilt, prima: op een avond, drie, vier maanden geleden, waren Des en ik nog laat aan het werk. Als ik eraan terugdenk, had hij het waarschijnlijk zo gepland. Hij had gehoord over de Kraeker, dat is een kunstgalerie in Zwitserland waar we zogenaamd bij betrokken zouden zijn. Weer zo'n fantasie van Helga. Ze heeft nooit zelfs maar de voorbereidende formulieren ingevuld – maar dat kan u niks schelen, u wilt vieze verhaaltjes. Des wilde dat ik een goed woordje voor hem deed bij Helga. Ik beloofde dat ik dat zou doen. We hadden honger. Dus gingen we uit eten. Des zei dat hij een bouwterrein had, waarvan hij wilde dat ik het zou zien, vanwege het ontwerp. Als dat een patroon is, prima.'

Milo zei: 'Waar was het terrein?'

'O, god... Santa Monica, vlak bij de Water Gardens. In een zijstraat van de 26e straat en Colorado. Des vertelde dat een filmstudio bezig was met een project dat gericht was op volledige zelfvoorzienendheid, tot en met de verwerking van grijs water en zwart water. Het was al donker geworden toen we erheen reden, elk in onze eigen auto. Ik had geen reden om te denken dat het... Toen ik er kwam was ik verward. Het was gewoon een leeg terrein. Er stond een keet als een soort van kantoortje, niets wat qua ontwerp de moeite waard was, en ik was pissig op Des dat hij me helemaal daarheen had gesleept. Hij zei: wacht even, er is iets wat je moet zien, en hij nam mij mee achter de keet.' Haar haar had niet bewogen, maar ze streek het toch glad. 'Waarschijnlijk was ik maar al te makkelijk bij de neus te nemen. Des pakte mijn schouders en zei: ik weet dat het verkeerd is en het kan me mijn baan kosten, maar ik vind je zo vreselijk aantrekkelijk. Je bent in mijn gedachten sinds ik je ontmoet heb en god bewaar me, ik zou je graag willen neuken.'

Ze streek haar kraag recht en schikte haar ketting, alsof ze zich klaarmaakte voor een portret. 'Het klinkt vulgair als ik het zo vertel, maar je moest erbij geweest zijn, jongens. Geloof me, het was aantrekkelijk, het was verleidelijk.'

Nog tien minuten wandelen leverde een makkelijk te verifiëren alibi op voor de voorgaande avond. De Holmans waren bij een concert van experimentele muziek geweest in Disney Hall met een ander echtpaar, gevolgd door een laat diner bij Providence op Melrose. 'Een orgie van zeevruchten, jongens. Nadat we onszelf compleet klem hadden gegeten, gingen we helemaal naar de andere kant van de stad, naar Vibrato in Beverly Glen, waar we naar wat jazz wilden luisteren. Maar de muziek was voorbij, dus gingen we naar huis. Ik ging naar bed en Ned bleef nog wat lezen, zoals hij meestal doet. Hij leeft voor boeken en talen, hij is een gewaardeerd taalkundige en gaf ooit les aan de universiteit. Ooit deed hij een heleboel dingen.' Ze fronste haar voorhoofd. 'Dat was mijn zielige poging om sympathie op te wekken. Niet dat ik dat nodig heb. Als er iemand sympathie nodig heeft, dan is het die arme Des.'

'Wat kunt u ons vertellen over de achtergrond van Des?' zei Milo. 'Persoonlijk, niet beroepsmatig.'

'We hebben nooit over dat soort dingen gesproken. Hij praatte niet veel. Hij was een mooie jongen, aardig, betrokken. Ik snap niet waarom iemand hem zou willen vermoorden.'

Milo toonde haar de foto van de dode vrouw.

'Mijn god, ze is...'

'Herkent u haar, mevrouw Holman?'

'Absoluut niet.' Ze duwde de foto terug.

'De andere vrouwen bij de firma, Sheryl en Bettina: single of getrouwd?'

'Single.'

'De reden dat ik ernaar vraag, mevrouw, is dat we moeten nagaan of er geen boze vrienden of echtgenoten in het spel zijn.' Ze staarde naar ons. 'Ned? Geen kans. Een echtgenoot kan pas boos zijn als hij iets doorheeft en dat heeft Ned niet. En zelfs als hij het zou ontdekken, dan is hij niet echt in een toestand om er iets aan te doen, of wel?' De terloopse wreedheid van de laatste zin bleef in de lucht hangen. 'En nu we het daar toch over hebben, ik moet maar eens teruggaan, heren. Ned moet misschien opgefrist worden.'

6

Marjorie Holman rende de helling op naar haar veranda. Milo zei: 'Hem opfrissen. Mannie als kamerplant. Een mooi wespennest waar die ouwe Des zijn neus in heeft gestoken.'

We liepen terug naar de auto, staken een voetbrug over boven stilstaand, groen water.

Ik zei: 'Het lijkt alsof Des maar al te graag zijn neus in dat nest stak. Als hij Passant en Sanfelice meenam naar bouwterreinen, dan hebben we het over voorspelbaar en risicovol gedrag.'

'Kom met me mee naar Maison Bouwput, mon amour. Hij zou net zo goed een bord boven zijn hoofd kunnen dragen met "Stalk me" erop. Dus misschien is dit toch gewoon de zoveelste zaak van huiselijke jaloezie. En wat Holman ook zegt, misschien hebben we zojuist de hoofdrolspelers ontmoet. Meneer is verbitterd over zijn lot, mevrouw denkt dat hij een plant is, maar het zou best kunnen dat er nog wat dierlijks in hem is overgebleven.'

'De charmante Helga noemde Holman een peuzelaar van verboden vruchten, dus mogelijk dat haar avontuurtjes zich niet beperkten tot Backer.'

'Des te meer reden voor opgekropte woede. Maar op dit moment is de enige don juan die me iets kan schelen Backer. De grote versierder. Al is het niet echt sierlijk om er zo direct om te vragen, helemaal als je drie vrouwen in hetzelfde kantoor benadert. Maar het werkt, dus wat weet ik ervan.'

Ik zei: 'Het lijkt alsof Backer een neus had voor emotionele kwetsbaarheid. Denk eens aan dat huis van de Holmans: Ned heeft geen toegang tot de eerste verdieping waar Marjie slaapt. Ze is een architect, als iemand een manier zou kunnen bedenken om hem daar boven te krijgen is zij het wel. Ze hebben ervoor gekozen om fysiek gescheiden te leven. Het gaat niet alleen maar om seks, het gaat om intimiteit, en dat is wat ze zegt dat ze van Backer kreeg.'

'Hij probeert het met een beetje tederheid en ze valt er meteen voor.'

'Mijn vraag is: als haar behoeften bevredigd werden, waarom zou ze het dan tot één keer beperken?'

Hij haalde zijn schouders op. 'Dus ze loog tegen ons en er was echt iets tussen haar en Backer?'

'Dat zou een enorme bedreiging zijn voor Ned Holman. Hij is niet alleen vernederd, maar ook fysiek en emotioneel alleen gelaten. We hebben allebei genoeg huiselijk geweld gezien om het patroon te herkennen. De jaloerse echtgenoot is er in de eerste plaats op gericht om de dreiging van buitenaf te elimineren.

Misschien heb ik me vergist toen ik zei dat onze Anonyma het doelwit was. Wat als het doel toch was om Backer te elimineren en Anonyma kwam in de vuurlijn?'

'Of,' zei hij, 'Anonyma was meer dan een avontuurtje voor Backer. Of zij en Marjie dachten allebei dat ze nummer één waren. De furie van een afgewezen vrouw.' Hij grimaste. 'Dat heb ik net nodig, een nog groter domein van verdachten. De arme man opfrissen. Waarom zou ze niet gewoon een lift of zoiets voor hem ontwerpen?'

'Bovendien,' zei ik, 'haar alibi voor gisteravond betekent helemaal niets. Ze ging slapen, ze stond op. Hetzelfde geldt voor Neds fysieke beperkingen, want hij zou er heel goed voor kunnen hebben betaald, zodat iemand anders het werk opknapte. Dat konden ze allebei doen. Het werk van een professional zou ook passen bij de zorgvuldige planning en de opstelling van de lichamen.'

Hij speelde met zijn oorlel. 'Ongelooflijk Shakespeareaans, Alex. Het enige wat ik nu nog nodig heb is iets wat in de verste verte een beetje op bewijs lijkt. Bijvoorbeeld de documentatie van een stormachtige romance tussen Marjie en Backer. En bewijs dat een van de twee Holmans een huurmoordenaar heeft betaald. Verdomme, als we toch aan het dromen slaan zou ik best een warm plekje in Warren Buffetts hart willen hebben. Maar nu zou ik al blij zijn als we uitvinden wie Anonyma is.'

Terwijl ik wegreed, belde hij het lijkenhuis en vernam dat de lichamen nog steeds in de losruimte lagen te wachten op afhandeling. Hij keek met samengeknepen ogen naar zijn Timex. 'Die nummertjes worden ook steeds kleiner,' zei hij. 'Kwart over twee. Laten we eens zien of we Bettina Sanfelice en Sheryl Passant kunnen vinden. Als ze niet alleen wonen maar ook werken in de Valley, dan kunnen we voor de spits aan de andere kant van de heuvel zijn. Bovendien ken ik daar een Italiaans tentje. Doe je mee?'

'Zeker.'

Toen we de grachtenbuurt uit reden, zei hij: 'Ik heb me daar weer een mooi slachtoffer. Met zo'n mengsel van hormonen en charisma zou hij politicus moeten worden.'

De carnavalsact die doorgaat voor de Californische wetgevende macht had de lobbyisten van telefoonmaatschappijen eindelijk aangepakt, zodat er een wet kon worden doorgedrukt inzake handsfree bellen. Milo was dolblij met het systeem dat ik had geïnstalleerd, want hij kon al kletsend achteroverleunen en roken en grommen en zich uitrekken en de straten afzoeken naar schurken.

Toen ik Lincoln Avenue naderde, begon hij nummers in te toetsen. Niemand nam op in Sheryl Passants appartement in Van Nuys, maar de vaste telefoon van Bettina Sanfelice in het noorden van Hollywood werd opgenomen door een vrouw met een slepende stem.

'Ja?'

'Is dit Bettina?'

'Nee.'

'Woont Bettina daar?'

'Met wie spreek ik?'

'Milo Sturgis, inspecteur van de politie van Los Angeles.'

'Wie?'

Hij herhaalde het en deed zijn best om langzaam te spreken.

'Politie?'

'Ja, mevrouw.'

'Is er iets met Bettina?'

'Ik moet met haar spreken over een zaak.'

'Een zaak? Wat voor zaak?'

'Iemand waar ze mee samenwerkte, is vermoord.'

'Wie?'

'Desmond Backer.'

'Ken ik niet.'

'Mevrouw...'

'Ik ben haar moeder. Ze is weg.'

'Kunt u me misschien vertellen waarnaartoe?'

'Hoe weet ik dat u niet een of andere maniak bent?'

'Ik geef u mijn nummer op het politiebureau en dan kunt u het checken.'

'Hoe weet ik dat u mij niet een of ander vals nummer geeft?'

'Check het maar als u wilt. West Los Angeles Division, op Butler...'

'Ik moet al het werk opknappen?'
'Mevrouw,' zei Milo, 'ik begrijp uw voorzichtigheid, maar ik moet echt met Bettina spreken.'
Stilte.
'Mevrouw Sanfelice...'
'Ze ging naar TGI Friday's.'
'Welke?'
'Helemaal in Woodland Hills, ik weet het adres niet. Ze houdt van de hamburgers. Ik zou daar nooit benzine aan verspillen.'
'Wat droeg ze?'
'Hoe zou ik dat moeten weten?'
'Woont ze niet bij u?'
'Zeker doet ze dat, want ze heeft nog altijd geen baan. Maar dat betekent nog niet dat ik me bemoei met wat ze aantrekt.'
Klik.
Hij belde rechercheur Moe Reed en vroeg naar de mogelijke voertuigen die op de naam van de stagiaire stonden. De jonge politieagent zei: 'Ik stond net op het punt om u te bellen, chef. We hebben de vingerafdrukken op Backer en het vrouwelijke slachtoffer door AFIS gehaald, maar helaas is er niks uitgekomen.'
'Dat wist ik al.
'U wist het al?'
'Zo'n dag is het gewoon.' Hij spelde Sanfelice's naam.
Een paar seconden later zei Reed: 'Sanfelice, Bettina Morgana, dertig jaar oud, één meter vijfenzestig, vijftig kilo, bruin haar, bruine ogen, draagt contactlenzen, nooit eerder gezocht of aangehouden. Hier is het adres.'
Woont nog bij haar moeder, terwijl ze drie jaar geleden haar rijbewijs had vernieuwd.
'Nog iets anders, chef?'
'Ik laat het je wel weten.' Milo hing op.
'Als ik "stagiaire" hoor, denk ik aan een studente. Dat is zij allang niet meer. Werkloos, opgesloten bij dat stuk moederliefde. Zoals je al zei, emotionele kwetsbaarheid, die ouwe Des had er wel een goeie neus voor.'

De Route 101 begon al dicht te slibben, dus nam ik Ventura

Boulevard naar Woodland Hills. De TGI Friday's zag eruit als ieder ander filiaal. Wat ook de bedoeling is.

Het is makkelijk om de spot te drijven met zulke fastfoodketens, als je een fijnproever bent die zijn onkosten declareert, een gesubsidieerde documentairemaker of meisjes met een beheerd vermogen. Voor mensen die het moeten rooien met een minimaal budget, in een wereld die steeds minder voorspelbaar lijkt te zijn, zijn het tempels van troost. Milo en ik waren opgegroeid in de Midwest en we hadden allebei hamburgers gebakken tijdens onze schooltijd. De geur van de grill maakt nog steeds allerlei herinneringen wakker. Hoe ik erop reageer, hangt af van wat er verder in mijn leven aan de hand is.

Vandaag beviel de geur me wel.

Milo inhaleerde diep. 'Oost west, spek best.'

De ruimte was uitgestrekt, volgestopt met kantoorfineer, versierde spiegels, lampen die in de verste verte geen Tiffany waren en bediening in rode hemden, die voornamelijk rondhing omdat ze pauze kregen om drie uur 's middags.

Een bar, ruim genoeg om de halve Valley dronken te krijgen, strekte zich uit over de gehele lengte van de zaal. Door de inrichting was het makkelijk om elke klant te zien: een paar verspreide, leepogige truckers zonder tijdsbesef, een moeder en een oma die de handen ineensloegen om een jengelend kind in een kinderstoel te temmen, twee vrouwen aan een tafeltje in het midden, die nipten aan lange roze drankjes en plukten aan een bordje friet.

Een jongen in een rood hemd zei: 'Lunch voor twee?'

'We komen hier een paar vrienden opzoeken.'

Beide vrouwen waren bleek en dun en droegen kleurloze topjes met korte mouwen, spijkerbroeken en hadden onverzorgde paardenstaarten. Ze kwamen allebei overeen met het profiel van Bettina Sanfelice, behalve dat de één hoogblond haar had. Milo zei: 'De blondine draagt een bril, dus ik gok dat ze dat is. Nu hoef ik haar alleen nog maar los te weken van haar vriendin en haar aan het kletsen te krijgen over haar seksleven. Heb je nog een tip voor de meest kansrijke benadering?'

'Die is er niet,' zei ik.

'Waar was ik zonder jouw optimisme.'

De vrouwen merkten ons niet op totdat we op een meter afstand waren; toen keken ze allebei op. Milo glimlachte naar de
blondine. 'Bettina Sanfelice?'

De vrouw met bruin haar zei: 'Dat ben ik,' met een kleine,
voorzichtige stem. Ze was fragiel maar had een vol gezicht met
koffiekleurige ogen die dicht bij elkaar stonden en pafferige
wangen, en ze zag eruit als een kind dat net straf had gekregen. Het in witte saus gedrenkte frietje dat ze net had opgepakt, viel terug op haar bord. Geen aardappel – bleekgroen en
gepaneerd. Gefrituurde sperziebonen?

Milo boog om zichzelf kleiner te maken, toonde zijn visitekaartje in plaats van zijn penning en dreunde zijn functie op
alsof het niets om het lijf had.

Bettina Sanfelice was te aangeslagen om te spreken, maar de
blondine zei: 'Politie?' Alsof hij een grapje maakte. Ze had re-
gelmatige gelaatstrekken, maar een korrelige huid en donkere
kringen onder haar ogen, die ze niet helemaal kon maskeren
met zware make-up.

Milo hield zijn aandacht op Bettina Sanfelice gevestigd. 'Het
spijt me dat ik u dit moet vertellen, mevrouw, maar we onderzoeken de dood van iemand waar u mee heeft samengewerkt.'

De mond van Sanfelice viel open. Haar hand schoot naar voren en stootte tegen haar drankje. Het zou zijn omgevallen als
ik het niet had opgevangen.

'Dood?'

'Moord, ben ik bang.'

Sanfelice hapte naar adem. 'Wie?'

Milo zei: 'Een zekere Desmond...'

Voordat Backers achternaam was uitgesproken, riepen beide
vrouwen 'Des!'

De jongen in het rode hemd tuurde vorsend naar hen. Milo
keek hem strak aan en hij richtte zijn aandacht weer op de bar.
De bebrilde blondine zei: 'Ik ben ineens helemaal misselijk geworden.'

Bettina Sanfelice zei: 'Des? O, mijn god.'

De blondine deed haar bril af. 'Ik moet naar het toilet.' Ze
gleed uit het bankje.

'Kende u Des ook, mevrouw?'

'Net als Tina.' De blondine liep snel naar het toilet, waarbij ze onhandig bewoog in haar extreem strakke spijkerbroek en verfomfaaide sportschoenen.

De jongen in het rode hemd waagde het te komen kijken. 'Is alles in orde?'

Milo zwol op als een ballon. 'Alles in orde. Ga gewoon verder met je werk.'

Nu was het moment om de penning te laten zien.

Slungelig draaide hij zich op zijn hielen. Milo zei: 'Je vriendin is behoorlijk van streek, Bettina.'

'Sheryl heeft een zwakke maag.'

'Dat is Sheryl Passant?'

Een knik. 'O, mijn god. Wie heeft Des iets aangedaan?'

'Dat proberen we juist uit te vinden. Is het goed als we erbij komen zitten?'

'Ehmm...' Ze verroerde zich niet.

Milo glimlachte. 'Bedankt voor het compliment, maar zo slank ben ik ook weer niet, Bettina.'

'O. Sorry.' Bettina Sanfelice schoof snel opzij en hij perste zichzelf naast haar. Ze werd kleiner door Milo's aanwezigheid. Een misbruikt kind.

Ik ging tegenover hem zitten. Milo wees naar het roze drankje. 'Ik weet dat het een schok is. Ga je gang.'

'O... nee, bedankt.' Maar ze greep het glas met beide handen en nam een lange, slobberende slok.

'Frozen Strawberry Margarita?' zei Milo.

'Frozen Straw-Tini. Is Des echt dood? O, mijn god, dat is zo... ik kan het niet geloven!'

'Tina, alles wat je ons over Des zou kunnen vertellen, zou erg waardevol zijn. Jij en Sheryl werkten allebei met hem samen, toch?'

'Eh, ja. Bij GHC – dat is een architectenfirma. Ik heb die baan via Sheryl.'

'Kennen Sheryl en jij elkaar al lang?'

'Vanaf de brugklas. We wilden eerst het leger in, maar we veranderden van gedachten en besloten om het niet te doen, vanwege Irak. In plaats daarvan meldden we ons aan voor JC, maar we vonden er niks aan. Dus gingen we naar ITT om iets over computers te leren. Maar daar vonden we ook niks aan. Dus toen schakelden we over naar business & technologie bij Briar Secretarial. Sheryl kreeg meteen een baan, ze kan snel typen. Maar ik ben langzamer. Dus stapte ik over naar grafisch ontwerpen. Mijn droom is om meubels en gordijnen te ontwerpen, maar daar is nu niks in te vinden, dus toen Sheryl die baan kreeg bij GHC, vertelde ze me dat ze een stagiaire nodig hadden. Misschien zou ik er wat aan design kunnen doen.'

'Klopte dat?'

'Eh, ik deed vooral klusjes en nam de telefoon aan als Sheryl iets anders moest doen, wat niet vaak gebeurde. Er was niks te doen.'

'Werkte Des bij GHC toen jij en Sheryl werden aangenomen?'

'Nee, hij kwam later. Ongeveer een week later. We zeiden: eindelijk een vent.' Ze bloosde.

'Meneer Cohen is een vent.'

'Hij is oud.'

'Hoe oud?'

'Tegen de zestig. Hij is meer een opa.'

Een stem links van ons zei: 'Hij is echt een opa, hij bracht zijn kleinkinderen mee en ging er dan de hele dag met hen op uit.' Sheryl Passant keek op ons neer, als een orakel op de berg.

Ik stond op, zodat zij kon gaan zitten. Geen paardenstaart meer; haar blonde haar was lang en los en golvend, en haar bril was verdwenen. Ze gleed in het bankje. 'Waarom hadden jullie het over meneer Cohen?'

Bettina Sanfelice zei: 'We hebben het over Des, Sher. Om uit te vinden wie hem vermoord heeft.'

'Wij? Wat kunnen wij hun vertellen?'

Milo zei: 'Om te beginnen, wat voor soort vent Des was, Sheryl. Had hij vijanden, iemand die hem kwaad zou willen doen?'

Passant schoof dichter naar me toe. Haar dij drukte zich tegen de mijne aan. Ik schoof een paar centimeter verderop. Zij trok haar wenkbrauwen op. Haalde haar hand door haar haar.

'Des had geen vijanden.'

'Helemaal niet?'

'Des was heel zachtmoedig. Ik kan me niet voorstellen dat iemand hem haatte. Zelfs niet Helga de nazi.'

'Het Gestapo-meisje,' zei Sanfelice giechelend. Toen keek ze ernstig. 'Sorry, het is alleen... ze behandelde ons niet goed. Het was al een heel gedoe betaald te krijgen. Voor Sheryl, bedoel ik. Ik was maar een stagiaire, dus ik kreeg helemaal niet betaald.'

'Dat was helemaal belachelijk,' zei Passant. 'Je deed hetzelfde werk als ik, Tina. Je had net zoveel betaald moeten krijgen. Helga is gewoon stom.'

Milo zei: 'Was de firma geen partnerschap?'

'Marjie en meneer Cohen beheerden het geld niet, dat deed zij. Het gebouw was van haar, het idee was van haar, alles was van haar. Ze praatte altijd alsof zij degene was die "groen" had bedacht. Alsof er nooit iemand als Al Gore had bestaan. Denkt u dat zij Des heeft vermoord?'

'Denk jij dat ze dat zou kunnen hebben gedaan?'

De twee vrouwen keken naar elkaar. Sanfelice roerde in haar drankje. Passant zei: 'Ik zeg niet dat ze dat gedaan heeft. Maar ze is niet echt een doorsnee mens, snapt u?'

'Anders,' zei Sanfelice. 'Ze komt uit Europa.'

De jongen met het rode hemd verscheen weer, deze keer met twee borden. Bacon burgers, die dreven in gesmolten witte en oranje kaas, salades van het formaat van een kinderhoofdje, een hooibaal van uienringen. 'Eh, willen jullie dit nog?'

Bettina Sanfelice zei: 'Ik had honger, maar nu voel ik me ook misselijk.'

Sheryl Passant zei: 'Bah. Moeten we er wel voor betalen?'

Milo zei: 'Zet het eten maar neer, jongen, en geef mij de rekening maar. Hier is alvast je fooi.' Hij haalde wat bankbiljetten tevoorschijn.

De jongen zei: 'Niet verkeerd.'

Een paar minuten van routinevragen stellen brachten niets nieuws aan het licht over Desmond Backer, die de vrouwen beschreven als 'tof en hartstikke sexy'. Ze waren niet meer zo geschrokken en ze leken allebei blij met de aandacht.

Bettina Sanfelice bestudeerde haar hamburger. 'Het is vast heel fout, maar ik ga toch een hap nemen.'

Sheryl Passant zei: 'Nou, ik niet, hoor.' Een paar ogenblikken later grijnsde ze, toen ze een hap nam en haar kin afveegde. 'Blijkbaar zat ik ernaast.'

Milo liet ze eten en bood aan om hun drankjes nog eens aan te vullen. Dat sloegen ze af, Sanfelice zonder aarzeling, Passant met zichtbare spijt. Milo staarde naar mij.

Ik trok mijn wenkbrauwen op. Hij hield zijn hoofd schuin en toen ik niet reageerde, zei hij: 'Mijn partner gaat jullie nu wat vragen stellen. Ze zijn een beetje persoonlijk van aard, sorry daarvoor. Maar we moeten het echt weten.'

Hij gebaarde naar de jongen met het rode hemd en bestelde nog een extra grote cola. Beide vrouwen waren gestopt met eten. De dij van Sheryl Passant drukte hard tegen de mijne.

7

Bettina Sanfelice zei: 'Persoonlijk?'

Milo's wenkbrauwen zeiden: 'Neem jij het over.'

Sheryl Passant zei: 'Ze bedoelen seks, Tina. Omdat Des vanaf het allereerste moment bloedgeil was, toch? Alsof hij alleen maar op aarde was om het te doen.' De hoeken van haar mond krulden omhoog, terwijl ze zich over haar rietje boog. Haar geslurp viel niet te negeren.

Ik zei: 'Helga en Marjorie Holman vertelden ons allebei over een vergadering, waar jullie het allemaal over Des hadden.'

Passant grijnsde. 'Waar we allemaal toegaven dat we het met Des deden.'

Bettina Sanfelice's hand vloog naar haar mond.

'Doe niet zo preuts, Tina. Jij deed het met hem, we deden het allemaal met hem. Nou en?'

'O, mijn god.' Sanfelice liet haar hoofd hangen.

Passant lachte. 'Ik heb altijd een slechte invloed op haar gehad. Daarom heeft haar moeder altijd een hekel aan me gehad. Als je een hete jongen als Des bij een groep meiden stopt, wat denk je dat er gaat gebeuren?'

Ik zei: 'Helga zei dat het niet met haar gebeurde.'

'Dat is omdat zij nooit menselijk is geweest – ga nou niet flippen, Tina. Het is gewoon een kwestie van biologie.'

Sanfelice zei: 'Nu moet ik naar het toilet.'

'Zo meteen, schat,' zei Milo. Ze sprak hem niet tegen.

Passant zei: 'Vanaf het moment dat je Des tegenkwam was het vrij duidelijk dat hij maar op één ding uit was.'

Ik zei: 'Marjorie zei dat hij nogal direct was.'

'Hij vroeg er gewoon om. Eerst vond ik het vulgair. Zo van: dat meen je niet. Maar zoals hij het deed, was het niet vulgair.'

'Hoe dan?'

'Niet opdringerig. Meer… vriendelijk. Des maakte het allemaal heel vriendelijk.' Haar voet rustte op de mijne. Een druk die net niet pijnlijk was. Ik gleed weg. Ze glimlachte.

'Was het eenmalig of…'

'Zeven keer voor mij. Geluksgetal.'

Bettina Sanfelice hapte naar adem.

'Ik weet wel dat ik drie heb gezegd tegen jou, Tina. Ik wilde je niet laten schrikken. Maar het was zeven. En nou vraag je me waarom het er geen acht waren. Ik weet het niet, het hield gewoon op. Alsof hij mijn broer was geworden of zoiets.'

Ik zei: 'Te vriendelijk.'

'Ja.'

'Nam Des je ergens in het bijzonder mee naartoe?'

'Koffiedrinken,' zei ze. 'Soms iets eten.' Ze begon weer mijn schoen te strelen met haar sportschoen. 'Erna.'

'Was er een speciale plek voor ervoor?'

Ze keek me aan. 'U bent echt persoonlijk. Nee, er was niet een speciale plek. Hij nam me mee naar terreinen.'

'Bouwterreinen?'

'Hij noemde het terreinen. Gebouwen die niet af waren. Soms was er alleen maar vuil, soms gebouwen die gedeeltelijk af waren. Als er alleen maar vuil was, had hij een deken in zijn auto. Het kwam erop neer dat hij het vooral graag buiten deed. Veel mensen doen dat.'

'Waar waren die terreinen?'

'Ik weet de straat niet. Het was donker. Ze waren allemaal in de Valley – is dat waar hij vermoord is? In de Valley?'

'Nee,' zei ik.

'Nou, met mij was het altijd in de Valley. Hij haalde me op bij mijn appartement en zei dat hij een nieuw terrein had.'

Bettina Sanfelice mompelde iets onverstaanbaars. Sheryl Passant zei: 'Nu kun jij ze vertellen over Des en jou.'

Ik zei: 'Volgens mij weten we wel genoeg.'

'Je zei dat het twee keer was, hè, Tina? Weet je nog wat ik zei toen je me dat vertelde? Op één been kun je niet staan. Je zei dat hij jou ook meenam naar bouwterreinen.'

Sanfelice snikte zachtjes.

Ik zei: 'Het is goed, Tina.'

Passant reikte over de tafel naar de hand van haar vriendin. 'Rustig, Tina. Niemand gaat jouw moeder iets vertellen. Het gaat ze niet om ons. Het gaat ze om degene die Des heeft vermoord.'

'Hebben jullie daar een idee van?'

Beide vrouwen schudden het hoofd.

Ik zei: 'Marjorie Holman vertelde ons dat zij en Des het maar één keer deden. Denken jullie dat dat waar is?'

Passant zei: 'Zou kunnen. Ze is oud en uitgezakt.'

'Hoe kwam het dat jullie het over Des hadden?'

'We hadden allemaal gedronken. Je drinkt en dan begin je te praten.'

'Het was geen zakelijke vergadering?'

'Zo noemde ze het wel. De nazi. Ik denk niet dat het dat was, want er waren geen zaken. Het was ook geen echte baan, weet u wel? Geen opdrachten. We kwamen gewoon elke dag opdagen en zaten daar dan. Behalve als de nazi wilde praten over dingen die niemand begreep. Op een dag kwam ze binnen en zei: er is geen coherentie. We hebben coherentie nodig.'

Bettina Sanfelice zei: 'Cohesie. We hebben cohesie nodig.'

'Betekent hetzelfde, Tina. Hoe dan ook, Helga de nazi zei dat we iets sociaals moesten doen om cohesie te creëren. Dus gingen we wat drinken.'

'Alleen de vrouwen,' zei ik.

'Een meidenavond. Alsof het iets was wat ze in een film had gezien. Alsof ze Amerikaans probeerde te zijn, snapt u? Maar wat maakt het uit, zij betaalt, waarom niet? Ze vond een stek vlak bij het vliegveld. Je hoorde de vliegtuigen die overkwamen. Ze serveerden er gigantische margarita's. Weet je die glazen nog, Tina? Je zou er een plant in kunnen zetten.' Ze wreef over mijn been om haar woorden kracht bij te zetten.

'Hoe kwam het gesprek op Des Backer?'

'Het gebeurde gewoon. Weet jij nog hoe, Tina?'

Ze schudde met haar hoofd.

Passant zei: 'Ik denk dat we gewoon over dingen aan het praten waren en dat we op kerels kwamen. En dat we erop kwamen dat het een avond voor de meisjes was. En dat iemand zich afvroeg hoe het voor Des zou zijn geweest, om daar met al die meisjes te zitten.'

'Wie zei dat?'

Bettina Sanfelice zei: 'Sheryl.'

'Zei ik dat?'

'Ja.'

Passant grijnsde. 'Als zij zegt dat ik het zei, dan zei ik het. Ik ben altijd recht voor zijn raap. Maakt me niet uit wat mensen denken. Ik zeg gewoon wat er in mijn hoofd opkomt.'

Ik zei: 'Dus jij bracht Des ter sprake en...'

'... en iedereen deed een duit in het zakje. Zoiets als pandverbeuren zonder pand.'

'Iedereen behalve Helga.'

'Iedereen met een hart.'

Ik zei: 'Wat deed Helga tijdens dat gesprek?'

'Ze leunde achterover en luisterde. Ik begon en vertelde over Des en mij en toen kwam Tina ertussen en ze zei: ik was ook met hem. Nou, daar was ik behoorlijk van ondersteboven, omdat Tina altijd verlegen was en ze me nooit iets had verteld.' Tegen haar vriendin: 'Er is niks beters dan vier margarita's om de waarheid boven tafel te krijgen, wat jij? Kom op, meid.'

Bettina Sanfelice staarde naar de tafel.

Ik zei: 'Dus Marjorie Holman sprak als laatste.'

'Het was bijna alsof ze zich buitengesloten voelde. Snapt u? Ze wilde jong zijn, net als wij. Jonger en heter en het doen met Des.'

'Maar ze was wel jouw baas. Dat was nogal onbeschaamd.'

'Ze dronk meer dan wie ook en ze was toch niet de echte baas.

Dat was Helga. En zoals ze het zei – Marjorie – was vreemd. Geen bekentenis, meer als een... iets vreemds.'

Bettina Sanfelice zei: 'Ze zei: "Die ervaring deel ik ook met jullie." Toen ik het me voorstelde, was ik behoorlijk van mijn stuk. Mevrouw Holman leek altijd zo streng.'

Passant zei: 'Streng met haar benen wijd. En ze gaf nog meer details.' Ze knipperde met haar ogen. 'Ze zei dat hij haar staande nam achter een keet. Met zijn gezicht naar haar toe. Het was heel gemoedelijk. Bijna alsof ze een conversatie hadden. Alleen was het dus iets anders.'

Bettina Sanfelice zei: 'Ze vertelde het alsof het een verrassing was dat hij in haar was.'

We staarden alle drie naar haar.

Ze barstte in tranen uit. Ze kokhalsde, sloeg haar hand voor haar mond en gebaarde wild met de andere. Milo schoof uit de bank en ze rende naar het toilet.

Sheryl Passant zei: 'Ze heeft altijd een slechte maag gehad.'

Ik zei: 'Ze zei hetzelfde over jou.'

'Over mij? Echt niet. Ik hou mijn hele leven al van chili en heet.'

'Nadat Marjorie jullie over Des vertelde, wat zei ze toen nog meer?'

'Niks. Ze zweeg en dronk nog wat. We moesten nog een hele tijd zitten voordat ze weer kon rijden. Helga ging het eerste weg. Ik en Tina en mevrouw Holman bleven daar zitten en keken naar elkaar, alsof niemand nog iets te zeggen had. Er was CSI: *Miami* op een breedbeeldscherm en daar keken we naar. Daarna reden we allemaal naar huis.'

'Wat gebeurde er de volgende dag?'

'Wat bedoelt u?'

'Kwam niemand terug op het gesprek?'

'Nee.' Ze liet haar hand vallen om weer met haar servet te frutselen. Deze keer bleef ze hangen bij mijn kruis.

Ik schoof opzij. 'Ik ga even kijken of het goed is met Bettina.'

'Maakt u zich geen zorgen, met haar is alles goed.'

Het duurde negen minuten voordat Sanfelice uit het damestoilet kwam. Ze liep wankelend en haar ogen waren rood. Toen ze me zag, hapte ze naar adem.

'Gaat het?'
'Ik voel me vreselijk. Dát was vreselijk.'
'Sorry. Ik wilde niet zo in detail...'
'Met Sheryl gaat het altijd zo. Ze maakt er graag een show van. Haar vader is een dronkenlap en hij sloeg haar moeder de hele tijd. Sheryl heeft het nooit goed op school gedaan. En haar moeder is een paar jaar geleden gestorven. Mijn moeder zegt dat ze een slet is, maar ze heeft het moeilijk gehad.' Ze wierp een steelse blik op het bankje. 'U vertelt mijn moeder echt niks, hè?'

8

Passant en Milo spraken niet met elkaar. Passant zag er verveeld uit.
Toen Bettina Sanfelice weer was gaan zitten, zei Milo: 'Er is een vrouw samen met Des gestorven...'
'O, mijn god...'
'... en ik heb een foto van haar. Het is niet weerzinwekkend of bloederig, maar de foto is wel na haar dood genomen. Zou je ernaar kunnen kijken?'
Passant zei: 'Ik heb het net gezien, Tina. Het is niets bijzonders en je kent haar toch niet.'
Sanfelice haalde diep adem. 'Hoe weet je dat zo zeker?'
'Ik kende haar niet, dus jij echt niet.'
'Dat slaat nergens op, Sher. Laat maar zien, meneer.'
Milo haalde de doodsfoto tevoorschijn. Sanfelice bestudeerde hem, glimlachte triomfantelijk. 'Ik heb haar met Des gezien.'
Passant zei: 'Echt niet.'
Milo zei: 'Waar en wanneer, Bettina?'
'Eén keer, meneer. Het was na het werk. Des en ik waren de laatsten op kantoor. Ik was aan het vegen en Des was iets aan het ontwerpen op de computer. Onze auto's stonden op de parkeerplaats aan de achterkant en we liepen samen naar buiten.' Ze tikte op de foto met een vinger. 'Zij was daar. Ze stond

naast zijn auto. Ze wachtte op hem. Hij was niet verrast of zo.'
'Was hij blij haar te zien?'
'Hij was niet blij maar baalde er ook niet van. Ergens ertussenin.'
Passant mompelde: 'En toen kwam er een olifant met een lange snuit…'
Sanfelice zei: 'Ik heb haar echt gezien. Ik kan u zelfs vertellen wat ze droeg, meneer. Een strakke spijkerbroek en een zwart haltertopje. Ze had een heel mooi lijf. Ik kan me nog herinneren dat ik bij mezelf dacht dat Des deze keer wel een hele hete te pakken had.'
Ze wierp een donkere blik naar Passant. *In tegenstelling tot…*
Passant snoof en slurpte haar drankje op.
Ik zei: 'Sprak Des haar met haar naam aan?'
'Nee, ze spraken helemaal niet. Hij knikte gewoon naar haar en zij knikte terug.'
'Gingen ze samen weg?'
'Dat kan ik niet met zekerheid zeggen. Ik reed het eerste weg en ik heb het niet gezien.'
Sheryl Passant pakte de foto. 'Ik zou haar niet heet noemen.'
Milo zei: 'Hoe lang geleden is dit gebeurd, Bettina?'
'Ik kan het u niet precies zeggen, maar het was lang voordat GHC sloot. Ik zou zeggen twee maanden, misschien nog iets langer. Tweeënhalf.'
'Nog iets anders wat je ons kunt vertellen, Bettina?'
'Nee, meneer.'
'Oké, bedankt, je bent een grote hulp geweest. Als je nog iets te binnen schiet, hier is mijn visitekaartje.'
'Haar schiet niks te binnen, geloof me maar,' zei Passant. 'En geef mij trouwens ook maar zo'n kaartje.'

We keken toe hoe ze vertrokken, een mopperende Passant en een Sanfelice die voor haar uit beende. Milo zei: 'Blondie was behoorlijk direct tegen je aan het oprijen.'
'Je hebt er geen idee van,' zei ik.
'Echt voetjevrijen?'
'Nog veel meer dan dat.'
'O.'
'Ik zal het departement wel een rekening sturen voor freelance

werk als lokaas. Had Passant nog iets zinnigs te zeggen toen je haar alleen sprak?'

'Nada. Ze is een leeghoofd. Hoewel ze wel met mijn laarzen probeerde te rotzooien. Als ze eens wist, hè? En hoe was het met Sanfelice bij de plee?'

'Zeg alsjeblieft niets tegen mama. Het ziet ernaar uit dat Des een gewoontedier was.'

'Ja, met een bord boven zijn hoofd dat er steeds groter uit gaat zien: "vermoord me". Oké, we gaan ervandoor. Italiaans? Heb je honger?'

'Ik ging ervan uit dat jij dat wel zou hebben.'

'Ja, ik zou wel iets naar binnen kunnen werken. We zouden zelfs hier kunnen blijven. Of we gaan voor de gemengde anti-pasti, hoofdkaas met delicate rookachtige nuances, de gebakken artisjokken in Romaanse stijl, de heerlijke salade met dun geraspte parmezaan en peperoncini en intens lekkere zwarte olijven, de grote, en een dampende kom gebakken *zitti* met broodkruimels eroverheen. En als er dan nog ruimte is, heb je ook altijd nog dubbele kalfskoteletten met Siciliaanse saus, *spumoni* en een triple espresso voor de nodige cafeïne.' Daarna, terwijl hij zijn grote lijf uit het bankje hees: 'Niet dat ik er veel over heb zitten nadenken.'

Buiten op de parkeerplaats zei ik: 'Mooi overgespeeld tijdens het verhoor.'

Hij grijnsde. 'Mooi opgepikt. Ik dacht dat het tijd was voor meer psychologische gevoeligheid.'

'Ik ben gevleid.'

'Het heeft er niets mee te maken dat ik niet met vrouwen naar bed ga.'

'Dat is nooit in me opgekomen.'

'Nee?'

'Ik weet toch als geen ander hoe vreselijk verlegen je bent.'

'Om eerlijk te zijn, Alex, als het om mannen gaat zou ik het gewoon gevraagd hebben. Want mannen staan meestal te popelen om over hun seksleven te praten. Ik dacht dat vrouwen anders waren. Dat er een kleine mondoperatie voor nodig zou zijn. Maar zo zie je maar weer. Sorry dat jij Blondies doortastendheid moest ondergaan.'

'Ik ben zwaar getraumatiseerd,' zei ik. 'Waar is de zelfhulp-groep?'

Hij lachte en keek toen ernstiger. 'Een getrouwde vrouw die zijn moeder zou kunnen zijn, een wilde meid en een andere, die meer een verlegen nerd is. Die jongen dook echt overal bo-venop.'

'Wat mij opvalt,' zei ik, 'is dat geen van hen erg aangeslagen lijkt te zijn door zijn dood. Er was wel een schok, maar toen die voorbij was, spraken ze allemaal vrij objectief over hem. Net zoals ze bij de cocktails deden. Hij betekende emotioneel heel weinig voor ze. En vice versa waarschijnlijk hetzelfde. Maar wat als het anders was met onze Anonyma?'

'Iemand waar Don Juan werkelijk iets voor ging voelen? Mis-schien. Als je de postcode van de wijk in beschouwing neemt, nam hij haar mee voor een van zijn chiquere dates.'

Na een paar borden vol met Italiaans eten, reed ik terug naar de stad over Benedict Canyon, terwijl Milo een rechter belde die zijn papieren nooit erg grondig las. Hij vroeg om een huis-zoekingsbevel voor de woning van Desmond Backer.

De volgende halte was het politiebureau van Santa Monica. Mooi weer spelen met de dienstdoende inspecteur van moord-zaken door haar te beloven dat we geen beslag zouden leggen op de tijd van haar rechercheurs. En haar vragen om een slo-tenmaker naar Backers appartement te sturen zo gauw ze kon. We bereikten Santa Monica aan het einde van een mooie strand-dag. Toeristen en daklozen met wilde blikken liepen over Ocean Front Boulevard. Het gebouw op California waar Backer woon-de, had drie verdiepingen, met stucwerk vol strepen van de re-gen, en versierd met balkons die te klein waren om ergens voor te kunnen dienen, en een ondergrondse parkeerplaats. Het eni-ge uitzicht was op het massieve appartementencomplex van vier verdiepingen aan de overkant. Met een huis op drie straten van het strand kreeg je wel de geur van de oceaan, maar geen gro-te blauwe kus.

Vanbinnen was het gebouw koel en grijs en steriel. De sloten-maker was al bij de deur van Backers appartement op de eer-ste verdieping en hij zag er slaperig uit. Hij zei: 'Moordzaak, hè?' en opende zijn tas. Milo gaf hem latex handschoenen en pakte ook twee paar voor zichzelf en voor mij. 'Moet een belangrijke zaak zijn,' zei de slotenmaker en hij ging aan het werk. De grendel gaf snel mee en een reçu werd getekend. De slotenmaker gooide zijn handschoenen op het tapijt in de hal en vertrok.

Ik wachtte totdat Milo had geroepen dat de kust veilig was. Desmond Backer was opgeleid in structureel ontwerpen en esthetiek, maar hij woonde in een simpel appartement met één slaapkamer en een bad en hij had geen poging gedaan om er iets persoonlijks van te maken.

Een bank met bruine bekleding en bijpassende fauteuil in de woonkamer, goedkope bamboetafeltjes, ingelijste karakterloze foto's van bomen, dieren, vossen, uilen, adelaars. Een boekenkast uit betonblokken en glazen planken bevatte architectuurhandboeken en een paar grote paperbacks. Populatiecontrole, biodiversiteit, tropische herbebossing, duurzame brandstoffen. In plastic gehulde sixpacks van merkloos bronwater vulden de bovenste plank van de simpele koelkast. Eronder stonden drie flesjes Corona, ongeopende zakjes salade en een vacuümverpakte biologische forel. Op het nepgranieten aanrecht van de kitchenette stonden een koffieapparaat, een sapcentrifuge, messen in een blok. De krant van gisteren lag nog opgerold, met een elastiekje erom.

Geen wanorde, geen zichtbare bloedsporen. Geen aanwezigheid van een vrouw.

Hetzelfde gold voor de petieterige, schemerige slaapkamer, die bijna helemaal gevuld werd door een kingsize bed in een zwarthouten ombouw. Een enkel hooggeplaatst raam toonde de blauwe zijkant van het gebouw ernaast. Op een vierkant berkenhouten nachtkastje stonden een lamp met zwanenhals, een doos tissues, en er lagen een paar boeken over bosbouw. Geen klerenkast, maar een deel van de kast was in laden verdeeld. Niet veel kleren, maar wat er was, was van goede kwaliteit. Twee kasjmieren truien, marineblauw en chocoladebruin, in dezelfde stijl als de zwarte die Backer had gedragen op de laatste avond van zijn leven. Italiaanse mocassins en een paar New Balance-hardloopschoenen.

Milo inspecteerde de zolen van de hardloopschoenen. 'Zand in de groeven. Hij rende waarschijnlijk over het strand.'

Op een Ikea-bureau naast de kast stonden een zilveren iMac en een tweede, verstelbare lamp. In de bovenste la vond Milo condooms, dozen vol in een veelvoud aan merken, stijlen en kleuren. Eronder een aantal pagina's die waren geprint van het internet. Seks, recht op en neer, atletische standjes, vrouwen in extase, echt of gespeeld, niets wat wreed of bizar was.

'Hij bedreef veilige seks, maar hij liet wel zaadsporen achter op Anonyma's dij. En geen condooms op de plaats delict.'

'Misschien nam onze schurk ook een doos condooms mee naar huis.'

'Anonyma's tas, de deken die Backer mogelijk meebracht, de bmw,' zei ik. 'Interessante vangst.'

Hij ging op zijn hurken zitten en tuurde onder het bed. 'Beste moment om Backer te grazen te nemen, als hij net een condoom uitpakt.'

'Afgeleid, niet op zijn hoede, uit balans,' zei hij. 'Verrast door de grote dood.'

'Het alternatief is dat Backer geen condoom gebruikte bij Anonyma, omdat hij met haar iets bijzonders had.'

Hij dacht erover na, ging terug naar de kast, controleerde een hoge plank, toen de vloer onder een paar lange jassen, schoof een doos eruit. Tekenblokken, potloden, gummen, pennen, de belastingformulieren van vorig jaar, een paar rekeningen van creditcards, gespecificeerde rekeningen van mobiele telefoons, losse foto's.

Milo bekeek eerst de rekeningen. 'Niet veel activiteit de laatste maand. Hij belde veel met iemand in Washington State – vier keer – en hier heb je onze dreumes ook.' Hij vouwde vier footootjes open in plastic mapjes, portretfoto's van 'Samantha', afgezien van één foto waarop het kind te zien was op de schoot van een knappe vrouw van in de dertig. Naast haar een blonde man met brede kaken, een bril en een golden retriever. Een versierde kerstboom op de achtergrond. Iedereen in bijpassende rendiertruien.

Lieve oom Desi, vrolijk kerstfeest. Bedankt voor de speel-

goedoven. Ik kook er graag op, mmm. Ik wou dat we samen konden zijn. Liefs, Samantha.'
Milo zei: 'Iemand gaf om hem' en liep naar Backers computer. Het scherm opende meteen op een server, ingesteld op een automatisch onthouden wachtwoord. Negen ongelezen e-mails, allemaal spam, afgezien van een mail van rickimicki08@gmail. com.

Hé broer, hoe gaat het? Je moet meer schrijven, ik mis je. Sam nog meer. Schrijf, bel, zing een liedje, stuur een e-card, gebruik een postduif, lol. Liefs xoxox Ricki.

Milo printte de pagina uit en liet hem in een bewijszakje glijden, ging terug naar het scherm en klikte op de taakbalk om de laatste zoekopdrachten van Backer te zien.
'Al dagenlang niks opgeruimd,' zei hij. 'Deze jongen maakte zich werkelijk geen zorgen over zijn privacy.'
'Dat past bij zijn directe aanpak,' zei ik.
Hij liet zijn vinger langs de lijst van recent bezochte websites gaan. eBay, nieuwssites, chatrooms over ecologie, online kledingwinkels voor heren. Onderaan een blok van drieëndertig pornosites.
'Wat een schok.' Hij keek ze door. Vijf minuten later: 'Allemaal recht op en neer. Oké, laten we eens zien of ik iemands dag kan vergallen.'

Het nummer in Washington State was verbonden met een antwoordapparaat. Hij identificeerde zich door zijn rang te gebruiken en liet zijn nummer achter.
'Je spreekt met het huis van Scott en Ricki en Samantha en Lionel. We zijn er nu niet, maar laat alsjeblieft bla-bla-bla… Mijn Sherlock Holmes-instinct vertelt me dat Lionel de hond is. Hij ging nog een keer naar de kast en doorzocht de zakken van Desmond Backers kleren. Vier verfrommelde bonnetjes van Trader Joe en een halfjaar oude kassabon van Footlocker voor de hardloopschoenen. Een goedkope plastic pen, een paar losse munten.
'Dus wat missen we in dit plaatje, Doc?'

'Iets wat ook maar in de verste verte met Anonyma te maken heeft.'

Dus je zou ernaast kunnen zitten – wat god natuurlijk verhoede – wat betreft haar rol als betekenisvolle partner. Misschien was ze gewoon een stoeipoes.'

'Hij ging met Holman naar Santa Monica, bleef in de Valley met Passant.'

'Dus misschien woont ze in de buurt van Holmby? Maar afgaande op haar kleren niet als vaste bewoner – een au pair of zoiets? Tijd om de buurt nog eens te bezoeken. Maar eerst de parkeerfaciliteiten van dit shangri-la.'

De ondergrondse parkeerplaats was voor een derde gevuld en Backers BMW was makkelijk te vinden. Milo trok zijn handschoenen aan en tuurde door het raam, probeerde de deuren, constateerde dat ze gesloten waren, liet zijn zaklantaarn over het interieur schijnen.

'Het ziet er niet naar uit dat hier iets ongewoons te vinden is, maar laten we wachten wat de technische recherche te zeggen heeft.'

Ik zei: 'Backer en Anonyma zijn op een andere manier naar Borodi gegaan.'

'Zij reed? Waarom niet, een gladde jongen zoals oom Desi kreeg waarschijnlijk alles van de vrouwen gedaan. En als ik enig idee had wie ze verdomme was, zou ik haar verdomde auto kunnen zoeken. Klaar voor nog een bezoekje aan de plaats delict?'

'Waarom?'

'Ik kan even niks anders bedenken.'

9

Milo toetste Robins mobiele nummer in, terwijl ik naar Holmby Hills reed. Haar stem kwam door de luidspreker op het dashboard. 'Hé, schatje, lange dag?'

Milo zei: 'En nog lang niet voorbij, honneponnetje.'

'Hé, ouwe reus,' zei ze lachend. 'Ben jij nou zijn receptionist?'
Ik zei: 'Nee, ik ben zíjn onbetaalde chauffeur.'
'Of misschien ben ik zijn patiënt,' zei Milo. 'Hoe gaat het, kleine?'
'Prima. Jullie klinken alsof jullie ver weg zijn.'
'Ligt aan de handsfree,' zei ik. 'Vandaar ook het gebrek aan privacy. Ik zou binnen een uur thuis moeten zijn.'
Milo zei: 'Privacy? Hebben jullie iets te verbergen voor ome M.?'
Robin zei: 'Nooit, lieverd. Zeg, bedoel je met "nog lang niet voorbij" dat er grote vooruitgang is geboekt of juist het tegenovergestelde?'
'Drie keer niks, Rob. Ik zorg dat je je man zsm weer terug hebt.'
'Kom mee-eten, Milo. Ik braad wel iets.'
'Ik kwijl van verlangen, maar dokter Silverman rekent op een gezellig etentje.'
'Rick kan ook komen.'
'Bedankt, schat, maar hij moet laat werken. Het plan is dat we samen iets eten bij Cedars.'
'Een cafetaria, dat noem jij gezellig?'
'Liefde is lijden, schat.'

Er was nog maar één geüniformeerde agent op het bouwterrein te vinden, leunend tegen zijn dienstwagen en pratend in zijn mobiele telefoon. Langs het hek was gele tape bevestigd. De ketting was nog steeds zo los dat iedereen erdoorheen kon. Milo ging overeind zitten en zijn mond viel open. 'O, nee, hè.'
Hij priemde met zijn vinger naar de parkeerbon onder een van de ruitenwissers van de geparkeerde auto.
Voordat ik de motoren had afgezet, stond hij al buiten en rukte de bon eronder vandaan.
De surveillerende agent liet zijn telefoon zakken. Milo beende naar hem toe. 'Was jij hier toen ze me op de bon slingerden?'
Stilte.
'En je liet het gewoon gebeuren?'
De agent was jong, gespierd, met een glad gezicht. A. Ramos Martinez. 'U kent de verkeersnazi's, meneer. Ze hebben een bonnenquotum, meneer. Ze laten zich nergens door weerhouden.'

'Heb je het geprobeerd?'

Ramos Martinez aarzelde, besloot niet te liegen. 'Nee, meneer. Ik hield mijn oog op de plaats delict.'

'O, nou, bedankt, meneer agent.'

'Sorry, meneer. Ik dacht dat dat was wat ik moest doen, meneer.'

'Dat zijn wel een heleboel meneren. Hoe lang ben je uit dienst geweest?'

'Acht maanden, meneer.'

'Overzee?'

'Anbar, Irak, meneer.'

'Oké. Ik zie het door de vingers. Maar maak de volgende keer een vuist voor waarheid en rechtvaardigheid. Begrepen?'

'Ja, meneer.'

'Nog iets gebeurd terwijl ik weg was?'

'Niet veel, meneer.'

'Niet veel of niets?'

'Vrij rustig, over het algemeen, meneer,' zei Ramos Martinez. 'Die bewaker kwam terug, zei dat hij officieel nog steeds aan het werk was. Ik zei dat hij op straat kon gaan staan, maar geen toegang kon krijgen. Of dat hij zijn auto overal op straat zou kunnen parkeren. Hij parkeert hier meestal op het zand. Wilde dat weer doen. Ik zei hem dat dat bij de plaats delict hoorde. Hij besloot te vertrekken.'

'God verhoede dat hij ook nog een parkeerbon krijgt.'

Stilte.

'Maakte hij moeilijkheden?'

'Nee, meneer.'

'Had je het idee dat hij nog andere bedoelingen had, zoals teruggaan om met bewijsmateriaal te rommelen?'

'Hij ging niet in discussie, meneer. Mij lijkt het een beetje het paard achter de wagen spannen om dit object nu te gaan bewaken.'

Milo staarde naar hem.

'Dat zegt mijn vader altijd, meneer.'

'Mag ik ervan uitgaan dat je collega's het hele pand hebben afgezocht, het huis en het terrein, zoals ik heb opgedragen?'

'Ja meneer, grondig, ik was erbij betrokken. We hebben een

64

paar frisdrankblikjes gevonden aan de achterkant van het terrein, gedeukt en roestig, alsof ze er al een hele tijd lagen. Ze zijn van een label voorzien en in bewijszakken doorgestuurd naar het laboratorium, meneer. Geen wapens of narcotica of bloed of zoiets, meneer. De technische recherche zei dat er in die kamer ook niks interessants te vinden was, meneer.'

Milo wendde zich naar mij. 'Waar is de dichtstbijzijnde ijzerwinkel?'

'Er is niks dichtbij. Misschien Santa Monica, bij Bundy.'

Terug naar Ramos Martinez. 'Agent, dit is wat je voor me moet doen. Rij naar de ijzerwinkel bij Santa Monica, vlak bij Bundy, koop een slot van goede kwaliteit en de kortste ketting die je kunt vinden en breng het allemaal zsm terug.' Hij haalde zijn portemonnee tevoorschijn en gaf de jonge agent een paar bankbiljetten.

'Nu, meneer?'

'Vóórdat het nu is, agent. Schiet op – hou jezelf maar voor dat het noodoproep is. En ga niet naar het bureau bellen om te melden waar je bent. Als iemand problemen maakt, geef mij maar de schuld.'

'Geen punt, meneer,' zei Ramos Martinez. 'Ik ben niet bang voor problemen.'

'Is dat zo?'

'Ja meneer. Er is veel voor nodig om mij van mijn stuk te brengen, meneer.'

De dag was nog steeds warm en dat zou het ook moeten zijn in het torentje. In plaats daarvan voelde het kil en vochtig aan en mijn neus vulde zich met een stank die niet echt was. Dezelfde stank die ik dagenlang met me had meegedragen na mijn eerste bezoek, jaren geleden, aan het lijkenhuis op Mission Road. Een cluster van geurcellen, geactiveerd door het geheugen.

Milo liet zich onderuitzakken en kauwde op zijn dode sigaar. 'Oké, we zijn er. Kom nu maar met een of ander grensverleggend inzicht.'

'Als de moordenaar Anonyma en Backer heeft achtervolgd, vraag ik me af waarom hij heeft besloten om hier toe te slaan. De trap is vrij goed verborgen en hij zou hier in het donker naar boven moeten zijn gekropen, voorzichtig om geen lawaai te maken. Als Backer en Anonyma vlak bij de trap waren, liep hij het risico om gezien te worden of gehoord, lang voordat hij boven was. En als zij hoger waren dan hij, zou hij in het nadeel zijn. Een flinke duw en onze jongen flikkert omlaag.'

Hij zei: 'Dus misschien wist onze jongen dat Backer en Anonyma hier regelmatig kwamen om te rotzooien. En kende hij de ligging van de plek – de woordspeling was intentioneel. Verdomme, Alex, als die twee druk bezig waren en flink aan het hijgen, zullen ze geen voetstappen gehoord hebben.'

'Bekendheid met het terrein zou ook kunnen duiden op iemand die hier gewerkt heeft, een onderaannemer die bij de klus betrokken is. Misschien iemand die Backer uit de bouwwereld kende. Als je een geschiedenis van geweld, stalken, en seksuele delicten vindt, dan heb je iets om mee te beginnen.'

'Anonyma's jaloerse partner is Bob de bouwer?'

'Dat of iemand die Des met Anonyma had gezien en bezeten was geworden van haar.'

'De klus ligt hier al twee jaar stil, het zou dan moeten gaan om een onderaannemer die allang weer verder is gegaan.'

'Misschien niet ver genoeg.'

Hij keek op zijn horloge. 'Ga jij maar naar huis, ik ga zelf nog eens de ronde doen over het terrein en blijf hangen totdat Ramos Martinez terugkomt met het slot en de ketting.'

'En zorgen dat Doyle Bryczinski niet binnenkomt.'

'Dat er niemand binnenkomt,' zei hij. 'Bovendien ben ik als een vorst onder de mensen. Waarom mag ik niet eens doen alsof ik een eigen kasteel heb?'

Robin wachtte op me in de woonkamer, haar één meter zestig lange lijf opgerold op de bank terwijl ze luisterde naar Stefano Grondona, die Bach speelde op oude gitaren. Een witte zijden jurk stak af tegen haar olijfkleurige huid, haar kastanjebruine krullen lagen uitgespreid over het kussen. Blanche lag tegen Robins borst gedrukt, en haar knobbelige blonde kop rustte vlak bij Robins linkerhand.

Ze glimlachten allebei. Het kan een schok zijn als het platte gezicht van een Franse buldog een onmiskenbaar menselijke

66

uitdrukking aanneemt. Sommige mensen schrikken inderdaad als Blanche met haar charme begint te strooien. Ik ben eraan gewend, maar het maakt nog steeds dat ik me ga afvragen of de klassieke rangorde van de evolutie wel klopt.

Ik zei: 'Hé, meisjes,' en kuste ze allebei, Robin op haar lippen, Blanche boven op haar kop. In tegenstelling tot onze vorige hond, een krachtige gevlekte Franse reu die Spike heette, had Blanche geen problemen met jaloezie. Ik krabde over haar vleermuizenoren.

'Je ziet er moe uit, liefje.'

'Het gaat prima.'

'Vind je het goed om buiten de deur te eten?'

Ik zat nog helemaal vol met Italiaans eten en zei: 'Uitstekend.'

We reden naar een plek boven aan de Glen, waar goede jazz werd gespeeld, vermengd met redelijk eten en gulle glazen. De band pauzeerde net en in de tussentijd klonk gedempte saxofoonmuziek, een Braziliaans liedje, misschien Stan Getz. We dronken wijn en maakten het onszelf gemakkelijk.

Robin zei: 'Wat is het voor zaak?'

Ik vertelde het haar.

'Holmby. Dat is dichtbij.'

'Geen gevaar, Rob. Dit was iets persoonlijks.'

Ik noemde Backers gewoonten op. De verhoren van Holman, Sanfelice en Passant.

Ze zei: 'Ze klinken allemaal als personages uit een soapserie.'

'Don Juan en zijn fanclub.'

'Als hij een vrouw was, zouden ze hem een slet noemen.'

'Of een courtisane,' zei ik. 'Of ambassadeur bij een belangrijke bondgenoot. Het hangt er helemaal van af in welke salarisschaal je zit.'

'Bij Borodi Lane hoort een behoorlijk salaris, Alex. Misschien nam hij Anonyma mee daar naartoe omdat zij een rijk meisje was.'

'Dat zou je niet zeggen, als je haar kleren zag. Ik dacht eerder aan iemand die in de buurt werkte. Iedereen die er regelmatig was, wist dat er op het bouwterrein niets gebeurde en dat het slecht bewaakt werd.'

Het eten kwam. De band liep terug naar het podium.

Robin pakte mijn hand vast. 'Misschien moet ik je maar een compliment maken.'

'Waarvoor?'

'Dat jij geen don juan bent.'

'Krijg ik daar een prijs voor? Prima, ik pak wat ik krijgen kan.'

'Hé,' zei ze, terwijl ze mijn wang streelde, 'een knappe jongen met een chique diploma en geen hypotheek? Nog afgezien van andere – ahum – kwaliteiten? Jij zou los kunnen gaan alsof het 1999 was.'

'Breng me mijn plateauzolen maar.'

'Dat zijn de jaren zeventig, schat.'

'Zie je,' zei ik. 'Ik ben niet bij de tijd. Ik zou nooit overleven op de vleesmarkt.'

'O, je zou het heel aardig doen, schat. Het zou wat anders zijn als je een sukkel was zonder libido, maar ik weet wel beter.'

'Goed ben ik, hè,' zei ik. 'Een seksuele superman met de moraal van een heilige.'

'Lach jij maar,' zei ze. 'Ik glimlach.'

10

Verzadigd en gelaafd reden we terug naar huis. Toen ik de deur openhield, zei Robin; 'Leuke plek heb je hier, Don.'

We kleedden ons uit in het donker en doken onder de lakens. Naderhand zei ze: 'Dat was heerlijk, maar de volgende keer verwacht ik plateauzolen.'

Ik werd om 04.18 uur wakker, zat vijf minuten later achter mijn bureau, met pupillen die zich verkleinen naarmate het computerscherm zich vulde met licht. Toen ik het adres op Borodi invoerde, vond ik een vier jaar oud berichtje uit de *L.A. Design Quarterly*.

'Masterson & Associates, Century City, zullen de architecten zijn van een omvangrijk project, dat gepland staat voor deze herfst in Holmby Hills. De residentie van bijna tweeduizend vierkante meter is gelegen op een terrein van ruim een hectare op Borodi Lane en zal het pied-à-terre in Los Angeles worden voor een anonieme, buitenlandse investeerder.'

De neerbuigende opmerking van Marjorie Holman over Helga Gemein flitste door mijn hoofd. Die hoefde niet te werken, omdat haar vader een Duitse transportmagnaat was.

Het was vergezocht, maar je moest wel iets in die categorie zijn om je zo'n project te kunnen veroorloven. Ik zocht nog wat verder, combineerde Gemein en Borodi, maar vond niets.

Vijf uur later was ik op Milo's kantoor. Hij schudde zijn hoofd.

'Ik heb al nagevraagd bij het kadaster. Nada.'

'En hoe staat het met de bouwvergunningen?'

'Er zit een volkomen legitieme, vier jaar oude vergunning in het dossier. En dat bedrijf in Century City – Masterson – leverde de architecten, maar de eigenaar is een corporatie die DSD Inc. heet, Massachusetts Avenue, Washington D.C. En de laatste negenendertig maanden komt dat adres overeen met het hoofdkantoor van een lobbyist voor de sojaindustrie, die nog nooit van DSD gehoord had. Het bedrijf staat nergens geregistreerd. Misschien ging het om een of ander louche hedgefonds, dat uiteenspatte.'

Ik zei: 'Volgens het artikel ging het om een buitenlandse investeerder.'

'Dan was DSD mogelijk een holdingbedrijf, opgezet om de belastingen te ontlopen. Zit ik daarmee? Niet als het niets te maken heeft met twee lichamen in een torentje.'

Hij opende een bureaula en sloeg hem weer dicht. Rolde zijn stoel de paar beschikbare centimeters naar achteren en drukte zijn knokkels tegen zijn oogleden. Zijn raamloze cel stond stijf van de verschaalde tabaksrook en dampen van verbrande koffie, die nog eens opgewarmd werd in de grote rechercheurskamer. Hij had twee kopjes gehaald en het zijne al op. Het mijne stond onaangeraakt af te koelen. Het leven was te kort.

'Nog iets over de lijkschouwing?'

'Lichamen liggen als houtblokken opgestapeld in de ijskast. De lijkschouwer ziet het niet als een zaak met een hoge prioriteit, omdat de doodsoorzaak vrij duidelijk is. Ik heb nog wat doorgezeurd, maar ik snap hun punt wel. De röntgenfoto van Backers hoofd laat zien dat er kogelfragmenten in zijn hersenen zitten. En Anonyma is een duidelijk geval van wurging. Wat ze niet hebben gevonden is enig spoor van een seksueel delict. O ja, en om te voorkomen dat ik iets had om vrolijk van te worden, de enige afdrukken die in Backers auto zijn gevonden zijn die van hem en Anonyma. Maar aangezien de hare nergens zijn opgeslagen, hebben we er geen zak aan. Ze heeft geen enkel opmerkelijk litteken en geen tatoeages. Wel heeft ze een neusoperatie ondergaan, lang geleden. Ik heb het netwerk van naamloze slachtoffers en elke andere database van vermiste personen doorzocht maar tot dusver niets gevonden. Zelfs als we uitgaan van een grotere kokkerd. En Backers harde schijf bevatte alleen maar meer van hetzelfde: porno, ecologie, architectuur.'

'Klinkt als een film van Woody Allen,' zei ik.

'Klinkt als een tragedie. Ik heb al twee boodschappen achtergelaten bij die poeha-architecten. Wacht nog steeds op een teken van leven. Laten we ondertussen eens gaan kijken wat de buren te zeggen hebben.'

Deze keer reed hij. 'Voor het geval de parkeernazi's terugkomen.'

'Heb je dan immuniteit voor jezelf geregeld?'

Hij haalde de verfrommelde parkeerbon tevoorschijn, verscheurde hem in kleine stukjes en gooide ze in het prullenbakje. 'Ik ben een veelpleger.'

Afgezien van de plaats delict lag Borodi Lane er statig en zonovergoten bij. Hij stopte om de nieuwe ketting te controleren. Strak.

'Ik snap nog steeds het hele idee niet van bewaking op halve dagen, niks in het weekend.'

Ik zei: 'Mensen die in staat zijn om dit soort huizen te laten bouwen, hebben weinig voeling met het dagelijks leven. Als je aan de andere kant van de oceaan zit, is het nog moeilijker om contact te houden. Een of andere ondergeschikte vertelde waarschijnlijk aan een nog lager geplaatste dat hij maar een sukkel

moest aannemen voor de bewaking, maar dat het niet te veel moest kosten. Nog lager op de ladder probeerde iemand bonuspunten te verdienen door extra te bezuinigen. Bovendien, wat viel er nou helemaal te stelen? Rottend hout?'
'Een anonieme, buitenlandse investeerder. Oké, laten we de brave burgers op Borodi Lane eens leren kennen.'

Zes keer drukken op de zoemer bij de poort leverde drie keer niks op en even zoveel Spaanse huishoudsters, die de intercom beantwoordden. Milo praatte de meiden naar buiten en toonde hun de foto van Anonyma.
Verbijsterde uitdrukkingen, schuddende hoofden.
Het zevende was een bakstenen huis in tudorstijl zonder hek. Ruim, maar niet monumentaal, met een parkeerplaats van kinderhoofdjes ervoor. Bentley, Benz, Range Rover, Audi. Een jonge brunette in een lavendelkleurig velours trainingspak opende de deur. Sproeten worstelden zich door haar foundation. Lang, zijdeachtig haar was zorgeloos opgestoken. 'Gaat dit over de moord?'
'Ja, mevrouw.'
'Mevrouw? Ik ben vijfentwintig.'
Milo glimlachte. 'Ik kan me vaag herinneren dat ik zelf ooit vijfentwintig was.'
Ze stak een hand uit. 'Amy Thal. Dit is het huis van mijn ouders. Voordat ze weggingen, vertelden ze me wat er gebeurd was. Moeder wilde niet eens dat ik zou blijven, maar ik zei dat ze zich geen zorgen hoefde te maken. Ik pas altijd op de katten, als zij naar Parijs gaan.'
'Wanneer zijn je ouders weggegaan?'
'Vanmorgen vroeg.' Haar lach werd breder. 'Maakt u zich geen zorgen, ze zijn niet op de vlucht voor Vrouwe Justitia. De reis is al maanden geleden gepland. Maar als u ze iets wilt vragen, kan ik u het telefoonnummer geven en zelfs het adres van hun appartement. Ernest en Marcia Thal, rue Saint-Honoré. Maar het zou ook kunnen dat ze reizen onder de namen van Bonnie en Clyde.'
Ze giechelde. Milo niet.
'Sorry, ik wil er geen grapje van maken. Om eerlijk te zijn is

het wel een beetje eng. Hoewel het ook niet als een hele grote verrassing komt.'

'Een moord?'

'Dat er daar iets gebeurd is.'

'Zijn er eerder problemen geweest?'

'Dat hele terrein is een probleem. Het ligt er gewoon maar en er verzamelt zich vuil, er zijn geen bewakingslampen 's avonds, de ketting is ver open, iedereen kan naar binnen lopen. Iedereen heeft er de pest over in. Mijn vader wilde een proces beginnen tegen wie ook maar de eigenaar is.'

'Wie is de eigenaar?'

'Een of andere Arabier, heb ik gehoord. Of misschien een Iraniër. Een Midden-Oosters type, ik weet het niet zeker. Niemand lijkt het te weten te kunnen komen. Het is niet dat we een vooroordeel hebben, daar gaat het niet om. Dat huis daar – ze wees verderop in de straat – dat grote, abrikooskleurige ding, is van de Nazarians. Het zijn Iraniërs en het zijn hele aardige mensen. Ik snap gewoon niet waarom je de zaak dichttimmert en er dan twee jaar niks meer aan doet. Niemand snapt het.'

'Zijn er geruchten in de buurt, waarom het daar gewoon maar staat?'

'Zeker. Geld. Gaat het niet altijd om geld? Maar waarom dan niet gewoon verkopen? Bijvoorbeeld aan iemand die echt iets smaakvols bouwt.'

'Ja, het is wel een beetje overdreven,' zei Milo.

'Een beetje?' zei Amy Thal. 'Het is wanstaltig. Het gaat niet alleen om de afmetingen. Laten we reëel zijn, dit is geen achterbuurt. Maar die stijl, niemand snapt er iets van. Die stompzinnige tweede verdieping, die erbovenop zit als een soort van wrat. Ik studeer design – mode, geen interieur – maar je hebt geen opleiding tot ontwerper nodig om te kunnen zien wanneer iets onhandig en protserig en gewoon spuuglelijk is.'

'Ik weet het verschil niet eens tussen ontwerpers, dassen en eekhoorns,' zei Milo, 'maar zelfs ik kan het zien.'

Amy Thal glimlachte. 'Dassen en eekhoorns, dat is een mooie – en coati's en wasbeertjes ook soms? Hoe dan ook, meer kan ik u niet vertellen, inspecteur. Ik bewijs alleen de oudjes een dienst, omdat een van de katachtigen bijna negentien is en we niet willen dat ze het zwembad in struikelt.'

'Zou ik je een foto mogen laten zien?'

'Waarvan?'

'Van een van de slachtoffers.'

'Was er meer dan één?'

'Twee,' zei Milo.

'O. U bedoelt toch niet dat het een of andere psychopaat was, of wel?'

'Helemaal niet.' Hij haalde Anonyma's foto tevoorschijn.

Amy Thal trok haar neus op. 'O jee.'

'Mevrouw Thal?'

'Ik weet het niet zeker, maar ik denk dat ik haar hier in de buurt gezien heb. Niet regelmatig, ze woont hier niet.'

'Zou het kunnen dat ze hier werkte?'

'Ik denk het niet. Iedereen kent hier al het personeel van de anderen. Ik heb haar maar twee keer gezien en ze zag er gewoon uit alsof ze hier niet hoorde.' Ze keek nog eens. 'Het zou haar echt kunnen zijn.'

'Wanneer en waar hebt u haar gezien?'

'Wanneer zou dat geweest zijn? Niet kortgeleden.'

'Een maand geleden?'

'Ik zou het echt niet kunnen zeggen.'

'Waar?'

'Dat is makkelijker. Gewoon hier, wandelend vlak bij dat bouwterrein. Dat is wat me opviel. Niemand loopt hier. Er zijn geen trottoirs.' Een glimlach. 'Dat is ook de bedoeling, om het gepeupel buiten te houden. God verhoede dat het een echte buurt zou worden. Ik ben hier niet opgegroeid, we woonden in Encino, mijn broers en ik hadden trottoirs om limonade op te verkopen en op te fietsen. Maar toen onze ouders een leeg nest hadden, besloten ze dat dertienhonderd vierkante meter voor twee mensen een uitstekend idee was.' Ze haalde haar schouders op. 'Het is hun geld.' Ze liet haar blik nog een keer op de foto rusten. 'Ik weet echt bijna zeker dat ik haar zag. Ik kan me nog herinneren dat ze mooi was, maar haar kleren niet.'

'U hebt haar twee keer gezien.'

'Maar kort op elkaar – zoiets als twee keer in dezelfde week.'

'Lopend,' zei Milo.

'Niet voor de ontspanning, daar was ze niet op gekleed. Ze droeg hoge hakken. En een pak, geen goed pak. Met een klein beetje aandacht had het een stuk beter kunnen zijn.'

'Kunt u zich nog meer herinneren?'

'Laat me denken. Het pak was grijs. De manier waarop het niet met haar mee bewoog gaf aan dat het synthetisch materiaal was. Ze liep, maar niet voor de lichaamsbeweging. Ze liep voorbij, stopte, en liep weer terug, alsof ze op iemand wachtte. Hebt u helemaal geen idee wie ze is?'

'Helaas niet.'

'Jammer,' zei ze. 'Zonder identificatie komen jullie geen stap verder, of wel? Ik kijk altijd naar CSI: *Forensic Files, New Detectives*.'

'Was er een auto in de buurt?'

'Niet dat ik kon zien. Mmm... dat was nog een reden waarom ze me opviel. Welk normaal mens rijdt er nou niet?'

We staken de straat over en probeerden nog een huis. Er was niemand thuis. We praatten met nog vier werksters, een echte butler in livrei en twee persoonlijke assistenten in de volgende straat, maar niemand herkende Anonyma.

Terug in hun auto probeerde Milo Masterson & Associates nog een keer te bellen en kreeg eindelijk verbinding. 'U spreekt met inspecteur Sturges. Ik belde gisteren over een plaats delict op Borodi Lane. Een bouwproject waarbij uw firma betrokken is... mevrouw, het is een moordzaak en ik moet... ja, u hoort het goed: moord... wat ik moet weten is... oké, ik wacht.'

Een minuut ging voorbij. Twee, drie, zes. De verbinding werd verbroken.

Hij startte de motor en reed weg, terwijl hij zijn blik nog een keer liet gaan over het omgewoelde zand en het kromtrekkend hardboard. De gordel van gele tape. 'Ieder huisje heeft zijn kruisje.'

11

MASTERSON & ASSOCIATES: ARCHITECTUUR. DESIGN. PROJECT-
ONTWIKKELING. deelde de vijfde verdieping van een zielloze toren op Century Park East met twee investeringsmaatschappij-
en.
De lobby van het bedrijf was een duet van blond hout en roest-
vrij staal, in een muur van glas. Een vloer van gegoten cement.
Als stoelen waren er kussens van zwarte spijkerstof, geplaatst
in c-vormige dragers van grijs graniet.
Milo zei: 'Lekker huiselijk, Norman Rockwell zou ervan gaan
kwijlen.'
Een raam aan de andere kant van het glas bood een helder uit-
zicht over Boyle Heights en verder. Het kostte een tijdje om de
zoemer te vinden: een kleine, roestvrijstalen tepel die geniepig
opging in de omringende metalen muur.
Milo drukte. Geen geluid.
Een vrouwenstem met een licht accent zei: 'Masterson.'
'Daar ben ik weer. Inspecteur Sturgis.'
'Ik heb uw boodschap doorgegeven aan meneer Kotsos.'
'Dan is meneer Kotsos de man die ik moet hebben.'
'Ik ben bang...'
'... en terecht. Als ik terug moet komen, is het met een dwang-
bevel.' Hij boog voorover als een aap en sloeg zich op zijn borst.
'Meneer...'
'... en ik zal uw naam moeten hebben voor het papierwerk.'
Stilte. 'Een seconde.'
Dat was een krappe schatting, maar het scheelde niet veel.
Twaalf seconden later kwam een mollige, kleine man naar bui-
ten, met een stralend gezicht.
'Heren, wat een genoegen. Markos Kotsos.' Een diepe stem,
die ergens in het spijsverteringskanaal begon en eruit kwam als
een soort van boer. Ander accent dan de receptioniste. Zwaarder, mediterraan.
Afgaande op de koudbloedige lobby en zijn werkterrein, had
ik een in het zwart geklede spookverschijning verwacht, met
Porsche-design bril en een ingewikkeld horloge. Markos Kot-

sos droeg een zwaar gekreukelde witte kaftan over een te ruime broek van bruin linnen, sandalen zonder sokken, een stalen Rolex. Middelbare leeftijd, één meter vijfenzestig, ongeveer negentig kilo, met zijn te donkere haar in een permanent. Diep gebruind, zo saffraankleurig aan de randen dat het wel met kunstmatige middelen versterkt moest zijn.

Hij liet zich vallen in een van de granieten stoelen, vouwde zijn handen in zijn brede schoot. 'Sorry voor het ongemak, heren. Wat kan ik voor u doen?'

Hij handelde zijn zaken af in de lobby, omdat er toch geen bezoekers verwacht werden.

Milo zei: 'We zijn hier vanwege een...'

'Elena heeft het me verteld, een moord op Borodi.' Kotsos zuchtte. 'Dat project stond vanaf het begin onder een slecht gesternte. Geloof me, we hebben er spijt van dat we eraan begonnen zijn.'

'Wie was de cliënt?'

'Wie is er vermoord?'

Milo zei: 'Als u het goedvindt stel ik de vragen, meneer.'

'Ah, natuurlijk,' zei Kotsos.

Stilte.

'Meneer?'

Kotsos schudde droevig zijn hoofd. 'Ik ben bang dat ik u niet met details kan helpen. Er was een overeenkomst tot geheimhouding.'

'Tussen?'

'De cliënt en ons. Aansluitend op de opschorting van de bouw.'

Milo zei: 'Wie procedeerde er tegen wie?'

Kotsos likte zijn lippen. Stompe vingers trommelden op een vette dij. 'Het is erg ongebruikelijk voor ons om woonprojecten aan te nemen. Buitengewoon. We zijn minstens zozeer projectontwikkelaars en concept-ontwikkelaars als architecten, dus de projecten die wij aannemen zijn op massieve schaal, complex, en meestal internationaal.'

'Met internationaal bedoelt u het Midden-Oosten?'

Kotsos sloeg zijn benen over elkaar en hield de hiel van zijn sandaal vast. 'U hebt onze website bezocht, zeker? Dan weet u dat ons werk zich concentreert in Dubai, omdat het een fascinerende omgeving is, waar raakvlakken ontstaan tussen financiële realiteiten en esthetische avonturen op een hele unieke manier.'

'Goede ideeën en geld zat om ze te realiseren.'

Kotsos glimlachte. 'Daarom zal het Al Masri Majestic Hotel uniek en spectaculair zijn, een ontzagwekkende prestatie van bouwkundig ingenieurschap, tien sterren of meer. We boren honderden meters diep in de Golf om heipalen te kunnen plaatsen die zo groot zijn als gebouwen.'

'De artist's impression zag er indrukwekkend genoeg uit,' zei Milo.

Gladde jongen.

'De realiteit zal alles overtreffen, inspecteur. Letterlijk en figuurlijk. We hebben een revolutionaire manier gevonden om een dragend gewicht... maar dat interesseert u niet, u bent hier voor een moord.' Hij liet het klinken alsof het iets triviaals was. 'Bij een project waar we al jaren niet meer bij betrokken zijn.'

Milo zei: 'Desmond Backer.'

Hij knipperde niet met zijn ogen. 'Wie?'

'Een van onze slachtoffers.'

'Een? Er zijn er meer?'

'Twee, meneer.'

'Heel spijtig. Nee, ik kende hem niet.'

'Hij was een architect.'

'Er zijn veel architecten,' zei Kotsos.

Milo zei: 'Deze stierf bij uw project.'

'Voormalig project.'

'De vergunning is aangevraagd door DSD, incorporated.'

'Als dat is wat er in de boeken staat, dan is het waar.'

'Enige reden om iets anders te denken?'

Aarzeling. 'Nee.'

'Meneer?'

'De boeken spreken voor zichzelf.'

'Vertel eens iets over DSD.'

Kotsos schudde zijn hoofd. 'Het spijt me, zoals ik u vertelde, de afspraken inzake geheimhouding...'

'U kunt zelfs niet zeggen wie ze zijn?'

'Het spijt me.'

Milo zei: 'Dat was een civiele afspraak, hier gaat het om strafrecht.'

'Inspecteur, ik zou u maar al te graag helpen, maar de afspraken zijn keihard en de inzet is hoog.'

'Veel geld.'

Stilte.

Milo zei: 'U procedeerde tegen DSD voor een aanzienlijk achterstallig bedrag. Ze schikten, maar betalen in termijnen en gebruiken elk excuus om de betaling op te schorten.'

Kotsos zuchtte weer. 'Het is niet zo simpel.'

'Is er enige reden waarom we DSD – of iemand die met DSD verbonden is – van misdaad zouden moeten verdenken?'

Kotsos dacht even na, totdat zijn gezicht opklaarde en hij in zijn handen klapte. 'Oké, ik vertel u dit omdat ik niet wil dat u denkt dat ik iets belangrijks verberg. Wat moord betreft, kan ik eerlijk niet met een beschuldigende vinger wijzen, helemaal niet. Als ik het kon, zou ik het doen. Niemand houdt van moord, het leven is kostbaar. Als uw onderzoek zich echter zou richten op financiële...' Hij glimlachte en liet een vinger langs zijn mond gaan. 'Ik heb genoeg gezegd.'

Milo haalde zijn blocnote tevoorschijn. 'Moord, meneer Kotsos. Financiële zaken interesseren mij niet. En nu een paar namen van mensen die voor DSD werkten?' De manier waarop Kotsos zijn hoofd schudde, leek werkelijk berouwvol.

'Hier nog een naam voor u, meneer Kotsos: Helga Gemein.'

'Wie is dat?'

'De baas van Desmond Backer. De firma is Gemein, Holman en Cohen.'

'Nooit van gehoord,' zei Kotsos.

'Ze houden zich bezig met groene architectuur.'

Kotsos snoof: 'Lariekoek.'

'Groen is onzin?'

'Om groen aan te voeren als een of ander diepzinnig begrip, alsof het iets nieuws is, inspecteur, is pretentieus en idioot. De Grieken en de Romeinen – en de Hebreeërs en de Foeniciërs en de Babyloniërs – elke beschaving van naam heeft natuurlijke elementen in haar ontwerpen verwerkt, van de tempel van Salomo tot de piramides van de Maya's. Dat is de natuurlijke manier voor mensen. Het zit in onze chromosomen. En zullen we het eens over de renaissance hebben? U wilt toch niet beweren dat de kerk met drie niveaus in Rome iets anders is dan ongekend synchroon en organisch, ondanks de onverwachte wendingen van de geschiedenis die leidden tot haar sequentiële aard?'

'U haalt me de woorden uit de mond.'

Kotsos zei: 'Wat ik bedoel, inspecteur, is dat alles wat er goed is aan design met harmonie te maken heeft. Al dit geklets over natuurlijke materialen is... lucht. Gezwaai met mollige handen. Cement is natuurlijk, het komt van zand. Zandsteen is natuurlijk. Betekent dat dat cement en zandsteen de beste materialen zijn voor elk doel? Zullen we zandsteen gebruiken voor onze heipalen in Dubai?' Een keellach. 'Elke architect die zijn diploma waard is observeert zijn omgeving en probeert te integreren.' Hij leunde naar ons toe. 'Weet u wat groen geworden is, inspecteur?'

'Wat dan, meneer?'

'Een cultus van onbenullen. Die gerecycled karton gebruiken alsof het platina is. Leidingen blootleggen, gras op het dak planten, ruw hout in plaats van een fijne afwerking. Je verdient een brevet van eer als je rioolwater hergebruikt? Een cultus, inspecteur. Zelfbewust ironisch en esthetisch vals.'

'U hebt geen last van smog?'

Kotsos zei: 'Lelijkheid is geen oplossing voor smog. Er is niets nieuws onder de zon. De enige zinvolle vraag is wie er door de lens kijkt.'

Zijn passie had hem dichter naar de rand van zijn stoel gedreven. Onder zijn gebruinde huid was roze te zien.

Milo zei: 'Dus u hebt nooit gehoord van Gemein, Holman en Cohen.'

'Dat heb ik niet. Waar bevinden ze zich?'

'Venice.'

'Ik ga altijd naar Venetië in Italië. Als u me nu wilt verontschuldigen...'

'U bent een grote firma,' zei Milo. 'Hoeveel partners hebt u?'

'Ik heb ze nooit geteld.'

'Er staan geen namen op uw deur.'

'Dit is geen hoofdkantoor,' zei Kotsos.

'Wat is het dan?'

'We spreken hier met cliënten van de West Coast.'

'Een paar dozijn partners over de hele wereld, zou dat een redelijke schatting zijn?'

'Heel redelijk.'

'Nog een lading assistenten erbij en we hebben het over een heleboel mensen, meneer Kotsos. Dus als Desmond Backer solliciteerde naar een baan, zou u daar niet noodzakelijk van horen.'

Kotsos vlocht zijn vingers ineen. 'Als hij door dit kantoor zou worden aangenomen, zou ik het weten.'

'En wat als u hem afwees?'

Kotsos trok aan zijn kaftan. 'Een moment.'

Zes minuten later was hij terug. 'Er zijn geen aantekeningen van een sollicitatie van iemand met de naam Backer. Desondanks kan ik in alle eerlijkheid de mogelijkheid niet uitsluiten. We bewaren geen archieven van afwijzingen.' Een scheve glimlach. 'Alles om bomen te sparen, zodat we er fineer van kunnen snijden. Als u mij nu...'

'Heeft een van uw internationale projecten ook met Duitsland te maken, meneer Kotsos?'

'Staat allemaal op de website. Ik moet nu echt weg. Er vertrekt vanavond een vliegtuig naar Athene en ik heb nog niet gepakt.'

'De Akropolis herbouwen?'

Kotsos liet een bulderend gelach horen. 'Dat zou een hele uitdaging zijn, maar nee. Ik reis om bij mama te eten. Morgen is haar verjaardag, ze haat restaurants.'

'Spanakopita, keftes, skordalia?'

Kotsos had zijn oogleden half gesloten. 'Bent u een fijnproever, inspecteur?'

'Meer een veelvraat.'

Kotsos keek naar zijn eigen buik. Twee sumoworstelaars tegenover elkaar. 'Ik ben het met u eens, inspecteur, er is niks beters dan af en toe een bacchanaal. Aangenaam kennisgemaakt te hebben.'

'Nog één ding.' De doodsfoto kwam weer tevoorschijn.

Markos Kotsos kneep zijn ogen samen. Plaatste een pince-nez in een gouden montuur op de brug van zijn vlezige neus. Met samengetrokken wenkbrauwen reikte hij in een broekzak, haalde er een witte afstandsbediening uit van het formaat van een luciferdoosje.

Er zat maar één enkel rood knopje op. Hij priemde. De glazen deur ging open.

'U kunt beter even binnenkomen.'

We volgden Kotsos' verende gewaggel door een gang van coromandelhout, versierd met foto's van het formaat van muurschilderingen en weergaven van de projecten van Masterson. Resorts, kantoorcomplexen, regeringstorens in Hongkong, Singapore, de Emiraten, olierijke sultanaten als Brunei en Sranil. Ondanks al het gepraat over harmonie waren de gebouwen een dreigende verzameling van kolossale megalieten, wolkenkrabbers met haaienneuzen, gekanteelde monsters, gepantserd met stalen en gouden platen, dichtgeplamuurd met mijnen vol marmer, graniet, onyx. In sommige gevallen herinnerde de esthetiek van het design eerst nog aan klassieke motieven, maar veranderde daarna snel in een koude, brutale voorspelling van een darwinistische toekomst.

De winnaar krijgt alles, hoger en breder is beter, durf is goddelijk.

Vergeleken daarbij was het huis op Borodi Lane met al zijn paleiselijke pretenties een klein stukje nepklassiek dat afstak bij de rest. En wat ook al niet paste was een afspraak inzake geheimhouding voor het terugboeken van betalingen die zouden verbleken bij wat Masterson over het algemeen omzette.

Kotsos versnelde zijn tred. De foto van Anonyma, die hij nog steeds in zijn hand hield, fladderde tegen zijn heup. We haastten ons langs een dozijn kantoordeuren zonder namen. Achter elke deur was het stil. Misschien waren ze heel goed geïsoleerd, maar het leek er meer op dat er niemand thuis was. Aan het einde van de hal werd de toegang tot Kotsos' suite in de hoek geblokkeerd door een jonge vrouw met strokleurig haar, in een nauwsluitend, paars pak uit de jaren dertig, achter een zwart bureau en een roze laptop. Haar vingers bleven in beweging, totdat ze zich eindelijk verwaardigde om op te kijken.

'Elena,' zei Kotsos, terwijl hij haar de foto liet zien, 'wat was de naam van deze vrouw?'

Zonder een pauze te laten vallen zei Elena: 'Brigid Ochs.'

Milo zei: 'U hebt een goed geheugen.'

'Inderdaad,' zei Elena. Een schelle, Slavische stem, met een harde, verachtelijke ondertoon.

Kotsos zei: 'Ze is dood, Elena.'

'Dat begrijp ik.'

Milo zei: 'Vertel eens iets over haar.'

'Wat is er te vertellen? Ze was een ramp.'

'Hoezo?

'Ze was aangenomen voor ondersteuning. Niets ingewikkelds, alleen bijspringen aan de telefoon en algemene assistentie als ik meereis met meneer Kotsos of om de een of andere reden weg moet van mijn bureau. Haar cv was indrukwekkend. Directiesecretaresse bij eBay en Microsoft en twee durfkapitalisten in Los Gatos, en ze maakte een slimme en gretige indruk. Later kwamen we erachter dat alles vervalst was. Met dat uitzendbureau waren we dus uitgepraat.'

Kotsos keek verbijsterd. 'Elena, ik had geen idee...'

'Dat hoeft ook niet. Ik bescherm je.'

Milo zei: 'Welk uitzendbureau...'

'Kersey & Garland. We doen geen zaken meer met ze.'

'Wat gaven ze als excuus voor de slechte screening?'

'Ze waren net zo goed slachtoffer als wij.' Ze snoof. 'Als ze werkelijk haar referenties hadden nagetrokken, hadden we een heleboel problemen kunnen vermijden.'

'Wat deed Brigid precies verkeerd, mevrouw?'

Elena wendde zich tot Kotsos. 'Bereid je voor: ik betrapte haar toen ze keek waar ze niet hoorde te kijken.' Ze tikte op de rand van de laptop.

'O, nee,' zei Kotsos.

'Geen zorgen, ze heeft niets gevonden.'

'Cyberspieken?' zei Milo.

'Er was geen reden voor haar om in de buurt van die bestanden te komen. Haar baan was om aan mijn behoeften tegemoet te komen.'

'Hoe hebt u haar betrapt?'

'Keystroke buddy program,' zei ze. 'Elke beweging die ze maakte werd getraceerd. Ik doe het altijd. Om discretie te garanderen.' Ze wendde zich weer tot Kotsos. 'Zie je? Niks om je zorgen over te maken.'

Hij zei: 'Ja, ja, bedankt.'

Milo zei: 'Wat bekeek ze nog meer behalve bestanden van het bedrijf?'

'Niks,' zei Elena. 'En ze kwam niet verder dan de adressen, die ze net zo goed in het telefoonboek had kunnen vinden. Omdat ik elk bestand met een wachtwoord bescherm. Maar daar ging het niet om. Ze hoorde haar neus daar niet in te steken.'

'Wie werd er aangenomen om haar te vervangen?'

'Niemand. Ik hoef geen hulp, het is niet de tijd en de moeite waard om iemand op te leiden.'

Milo zei: 'Wat kunt u ons nog meer over haar vertellen?'

'Een slechte smaak in kleren,' zei Elena. Ze bekeek zijn verfrommelde, synthetische stropdas, uitgezakte chino-broek en glimlachte toen. Naar de gekreukelde kleren van Kotsos keek ze niet.

'Hoezo een slechte smaak?'

'Slechte stoffen, slecht silhouet, slechte pasvorm. Met outlets en het internet is er geen excuus meer om je slecht te kleden. Ik had moeten weten dat haar onverzorgdheid ook in haar werk zou terugkomen.'

'Het lijkt erop dat ze eerder onbetrouwbaar dan onverzorgd was.'

'Ja, waarschijnlijk hebt u gelijk.'

'En wat betreft Desmond Backer?'

'Wie?'

'Een architect die samen met haar stierf.'

'Een architect,' zei Elena. 'Misschien had ze een soort van fixatie.'

Marcos Kotsos zei: 'Maar natuurlijk. Architecten zijn flitsende jongens.'

Elena grijnsde. 'Je limo naar LAX en de auto op het vliegveld

in Athene zijn bevestigd. Ik heb irissen besteld voor je moeder. Blauw, ik ga ervan uit dat dat goed is.'
'Perfect. Bedankt.'
Milo zei: 'Hebt u misschien een adres van dat uitzendbureau?'
'Niet nodig,' zei Elena. 'Neem de lift naar de begane grond.'

Terwijl we wachtten bij de lift kwam een nerveuze man in een krijtstreeppak voorbij, die aan zijn haar plukte.
Milo zei: 'Weet u iets over Masterson?'
De bankier stopte. Trok zijn wenkbrauwen samen. Mompelde 'Spookstad' en liep verder.
Ding. We stapten in de lift. Ik zei: 'Masterson is in feite niks anders dan een verrekenkantoor voor de West Coast.'
'Alleen Kotsos en die kleine houwdegen. Misschien wassen ze geld voor een oliekartel of runnen ze een internationaal netwerk voor mensensmokkel of lobbyen ze voor een of andere kannibalistische dictator. De vraag is: waar was Brigid Ochs zo nieuwsgierig naar?'
'DSD had een hoofdkwartier in Washington. De geur van internationale intriges wordt steeds sterker.'
Hij wreef over zijn gezicht. 'Met vrienden zoals jij...'

Kersey & Garland, Wervingsbureau en Human Resources Consultants, was weggestopt in een hoekje voorbij de snackbar op de begane grond, niet ver van de openbare toiletten.
De vermoeide oudere vrouw aan de balie keek naar Anonyma's foto. 'Oi, daar heb je haar weer. Wat nu weer?'
JODY MILLAN op haar naambordje. Omlijste foto's van gekostumeerde kleinkinderen met beschilderde gezichten overal op haar bureau.
Milo zei: 'Weer?'
'Dat is Brigid Ochs. We hebben haar laten vallen.'
'Iemand heeft haar voorgoed laten vallen, mevrouw.'
'Pardon?'
'Ze is vermoord.'
Jody Millan werd wit. 'Mijn god... dat is een... hoe noem je dat... lijkfoto? Ik had mijn bril niet op.'
'U herkende haar zonder bril.'

'Zoveel kon ik wel zien, maar...' De bril kwam tevoorschijn.
'O, mijn god, ik word misselijk. Wie heeft het gedaan?'
'Dat proberen we juist uit te vinden, mevrouw.'
'Dan bent u op de verkeerde plek. Ze is hier al maanden niet geweest.'
'Nadat ze had gelogen over haar referenties om de baan bij Masterson te krijgen.'
'Zíj heeft u hierheen gestuurd,' zei de vrouw. 'Die Russin, ik had het kunnen weten. Ik durf te wedden dat ze maar wat graag met haar vinger wees. Een kleine uitglijder, ze stond te popelen om van ons af te komen.'
'Elena?'
'Ik heb haar die baan bezorgd en het heeft haar wel wat opgeleverd, of niet soms?'
'Wat bedoelt u?'
'Ze begon als de secretaresse van de baas en ging er daarna met hem vandoor.'
'Met de baas bedoelt u meneer Kotsos? Is zij mevrouw Kotsos?'
'De vierde,' zei Millan. 'En ongetwijfeld vastberaden om de laatste te zijn.' Een gemene glimlach. 'Trekt u háár ook even na? Ze was razend op Brigid.'
'Is er iets interessants te vinden in haar verleden?'
Millan pakte een potlood op. 'Eerlijk gezegd, nee. Ze was een kei. Werkte voor een topdirecteur bij Kinsey en leverde vakwerk. En ze had ook wel het recht om kwaad te zijn. Toch was Brigid erg overtuigend. Zelf had Elena tenslotte ook helemaal niets door.'
'Brigid was een goede actrice?'
'Daar hebben we er heel veel van in deze stad, u zou versteld staan als u wist hoeveel kletskoek ik te horen krijg. Maar zo kwam Brigid niet over, helemaal niet.'
Ik zei: 'Ze was niet theatraal.'
'Eerder het tegenovergestelde, rustig, goed gemanierd, overschreeuwde zichzelf helemaal niet. Zo'n mooi meisje, maar ze haalde er niet alles uit wat erin zat. Bijna alsof ze niet de aandacht wilde trekken. Ik weet dat we haar achtergrond hadden moeten natrekken, maar Elena was ongeduldig, had meteen iemand nodig.'

'Zouden we haar aanmeldingsformulier kunnen zien?'

'Sorry, we bewaren geen bestanden als ze bij ons zijn weggegaan.'

'Recycling?'

'Er is geen reden om afval te bewaren. Ik kan u vertellen wat ze beweerde, omdat ik persoonlijk met haar sprak. U snapt dat ik daar niet erg trots op ben. Maar ik ga mezelf ook niet voor mijn kop slaan, ze kwam slim over, kalm, welbespraakt, deed haar best om in de smaak te vallen. Ik vraag niet naar de meest persoonlijke verhalen, maar ik wil iemand wel even leren kennen, dus vroeg ik haar naar haar achtergrond, haar sociale leven. Ze zei dat ze alleenstaand was en daar vrede mee had. Ik bedacht dat ze misschien pas gescheiden was of een slechte relatie had beëindigd. Ze zei dat ze opgroeide in de Pacific Northwest, beweerde dat ze werkte voor een van de topassistenten van Bill Gates, vertelde dat ze toen verhuisde naar Los Gatos, waar ze een tijdje werkte voor een hightech durfkapitalist, en toen naar eBay, waar ze de organisatie van de website deed. Haar vaardigheden leken ideaal voor wat Elena beweerde nodig te hebben.'

'Beweerde?'

'Geloof me, die vrouw is nooit ergens tevreden mee,' zei Millan. 'De waarheid is dat ze daarboven niemand anders wil zien dan zijzelf en Kotsos. Al is hij homo, als je het mij vraagt.'

'Vreemd paar,' zei Milo.

'Hé,' zei ze. 'Dit is Los Angeles.'

Ik zei: 'Het kantoor van Masterson maakt een heel bedaarde indruk.'

'Het is een graf,' zei Jody Millan. 'Op een blauwe maandag komt er nog wel eens iemand, maar normaal gesproken vind je er alleen Kotsos en Elena. De enige zaken die er gedaan werden die ik heb gezien betroffen rijke buitenlanders, die er gefêteerd en schaamteloos opgevreeën werden.'

Milo zei: 'Wat voor soort rijke mensen?'

'Voornamelijk Arabieren, soms dragen ze die jurk en hoofddoeken. Zoals sjeiks. Misschien zijn het wel sjeiks.'

'Hebt u Kotsos nog wel eens andere mensen gestuurd?'

'Voor tijdelijk werk,' zei ze. 'Vóór Elena. Het meisje heeft wel een strenge arbeidsmoraal, dat kan ik niet ontkennen.'

'Dus Brigid Ochs was de eerste nieuwe kracht na de komst van Elena.'

'Elena zei dat de zaken zozeer waren toegenomen dat ze ondersteuning nodig had. Omdat zij en Kotsos meer samen reisden.' Ze schudde met haar hoofd. 'Ik beroep mezelf erop dat ik mensen kan doorgronden, maar ik werd goed beetgenomen. Alles wat Brigid me vertelde bleek flauwekul, tot en met haar burgerservicenummer.' Haar gezicht klaarde op. 'Dát heb ik misschien nog wel. Al zult u er niet veel aan hebben.'

'Waarom niet?'

'Nadat ik ontdekte dat ik belazerd was, probeerde ik haar te traceren. Het nummer hoort bij een arm klein meisje, geboren in hetzelfde jaar waar Brigid het over had, in New Jersey. Een kind dat op haar vijfde jaar stierf. Wacht even.'

Ze ging een zijkamertje in en kwam terug met een Post-it. 'Alstublieft, Sara Gonsalves.'

'Hebt u Brigid erop aangesproken?'

'Dat had ik graag gedaan, maar het nummer dat ze me gaf was afgesloten.'

'Waar was haar adres?'

'Santa Monica, bleek alleen een plek waar haar post kwam en ze was allang verdwenen.'

'Ze stierf samen met iemand anders. Een man die Desmond Backer heette.'

'Ken ik niet. Was Brigid betrokken bij criminele activiteiten?'

'Daar is geen bewijs van.'

'Nou,' zei Jody Millan, 'ze was in elk geval geen brave burger.'

We namen de trap naar de ondergrondse parkeerplaats.

'Brigid Ochs,' zei Milo. 'Hoe hoog schat jij de kans dat dat haar echte naam is?'

Ik zei: 'Wie ze ook was, ze was duidelijk nieuwsgierig naar het Borodi-project en DSD.'

'Internationale intriges. Oké, tijd om van iemand eens een gunst terug te vragen.'

Hij bladerde door zijn notitieblok, vond een nummer, toetste het in en liet een vage boodschap achter voor iemand die Hal heette.

Terwijl we in de auto stapten, probeerde hij Moe Reed, kreeg diens voicemail, nam genoegen met zijn andere incidentele assistent, Sean Binchy, en vroeg hem om Brigid Ochs na te trekken in de databases, ook die van de sociale dienst.

Binchy belde binnen tien minuten terug. 'Nergens iets van haar te vinden, chef. Er is een Brigitte Oake, gespeld als de boom maar met een extra e. Ze zit opgesloten in Sybil Brand, wacht op een rechtszaak over cocaïne, bezit met het oogmerk om te verkopen. Een reeks overtredingen voor tippelen en drugsbezit, maar ze is negenenveertig. De sociale dienst wilde niks loslaten, zei dat het nummer op non-actief was gesteld vanwege misbruik. Ik probeerde bevestiging te krijgen van die vijf jaar oude Sara Gonsalves, maar het is alsof ze nooit bestaan heeft. Om de een of andere reden kreeg ik de indruk dat hun verteld was om niet mee te werken, maar misschien ben ik paranoïde.'

'Vertrouw op je instinct, Sean.'

'Dat leer ik steeds beter, chef.'

12

Anderhalve kilometer voor het station maakte Milo een omweg langs een tacotent op Santa Monica, werkte twee burrito's naar binnen die in 'kerststijl' waren verzopen in rode saus en *salsa verde*, goot een megacola naar binnen en liet nog eens bijschenken. 'Van al dat groene geklets ga ik alleen maar energie bewaren. Voorwaarts.'

Er kwam geen belletje van Hal de FBI-man. Een berichtje van Binchy zei: 'Geen succes op het internet.' Milo googelde *Brigid Ochs* toch maar even, net als DSD *Inc.*

Twee keer niks.

Ik zei: 'Misschien ging het toch niet om grote intriges en wilde Brigid alleen maar de adressenlijst van Masterson, zodat ze Backer kon helpen om daar een baan te vinden.'

'En ondertussen maken ze plezier voor twee op chique bouwvallen?'

'Waarvoor misbruiken de meeste mensen hun computer op kantoor?'

'Porno.'

'Misschien raakte Brigid opgewonden van hardboard.'

Hij leunde achterover, draaide aan zijn oor totdat het rood begon te worden. 'Laten we de zus van Backer nog eens proberen.'

Hij belde en hing weer op. 'Scott en Ricki en Samantha en waf waf waf.'

Het telefoonboek leverde een naam bij het nummer op: Flatt, Scott A.

Daarmee kwamen we terecht op een gezinswebsite van één pagina, met dezelfde vakantiefoto's die we in Backers appartement hadden gezien, een paar meer van de kleine Samantha, nu ongeveer drie, en vakantiefoto's van een stuk of zes nationale parken, plus Hawaï, Londen, Amsterdam.

Scott en Ricki Flatt gaven allebei les op de basisschool.

Ik zei: 'De school is uit, ze krijgen de hele zomer vrij, kunnen overal zijn.'

'Dan wacht hun een mooie verrassing als ze terugkomen.' Hij draaide rond in zijn stoel en sloeg bijna tegen de muur. Mompelde: 'Als dat niet symbolisch is.'

'Brigid vertelde het uitzendbureau dat ze opgegroeid was in de Pacific Northwest. Handige leugenaars stoppen altijd een stukje waarheid in hun verhalen, misschien was dat deel wel waar en gaat het hier om oude vrienden, die elkaar terugvonden. En herinneringen ophaalden aan de goeie ouwe tijd, toen zij en Des parkeerden onder de sterren.'

'Onder de sterren is tot daaraan toe, Alex. Maar waarom verdomme een bouwterrein?'

'Misschien waren ze allebei jong en wild en kwamen ze graag op verboden terrein.'

'Nostalgie, hè?'

'Als je de dertig bereikt, en je hebt niks opwindends in je leven, dan kan nostalgie een zekere charme krijgen. Als hij het verleden herbeleefde, zou dat ook kunnen verklaren dat Backer verderging dan zijn gewoonlijke kortdurende wippartijen.'

Hij belde inlichtingen om na te gaan of Backer of Ochs ergens geregistreerd stonden. Gooide de hoorn neer, schudde zijn hoofd, belde de politie van Port Angeles en sprak met een vriendelijke agent met een basstem, die Chris Kammen heette. Kammen wist niets nuttigs te vertellen, beloofde dat hij zou rondvragen.

'Even krikken omwille van de nostalgie.'

'Een sterke chemie kan lang blijven hangen,' zei ik. 'Maar als Brigid iets had met een andere man, zouden er complicaties kunnen komen in hoofdstuk twee.'

'Die zogenaamde Brigid, wie weet hoe ze echt heet? Ik vraag me af of het geen tijd is om iets openbaar te maken. Kan jij één reden bedenken om dat niet te doen?'

Hij was alweer aan de telefoon met Parker Center voordat ik had kunnen zeggen: 'Ik niet.'

Drie ondergeschikten verder werd hij doorverbonden met commissaris Henry Weinberg, die zelfvoldaan opmerkte: 'Het klinkt alsof je lekker opschiet.'

'Het is een lastige zaak.'

'Ik dacht dat je van dat soort zaken hield.'

'Tot een bepaald punt wel.'

'Tot het punt dat je niet verder komt, hè? Ik zou er misschien nog wel toe bereid zijn om er iemand op te zetten. Maar geen televisiezender gaat een lijkfoto op het scherm laten zien, veel te echt voor de burgers. Heb je een tekenaar die ervoor kan zorgen dat ze er levend uitziet?'

'Ik vind er wel een.'

'Doe dan eerst je huiswerk maar,' zei Weinberg. 'Bel daarna terug.'

'De eerste keuze van Milo – Petra Connor – lag voor de hand, omdat ze had gewerkt als zelfstandig kunstenares voordat ze bij de politie kwam, en omdat ze echt talent had. Een telefoontje naar haar kantoor bij Hollywood Division maakte duidelijk dat ze in Cabo was voor rust en recreatie met haar partner, Eric Stahl. Aanvullend rondneuzen leverde de naam op van agent Henry Gallegos van Pacific Division. Hij had een HBO-graad in de kunsten behaald aan het college van Santa Monica en was daarmee een Rembrandt in het land van de krabbelaars. Gallegos was een dagje uit naar Disneyland met zijn vrouw en tweelinghummeltjes, maar beloofde om zes uur langs te komen, als het verkeer niet te krankzinnig was.

'Geen fratsen, inspecteur, begrijp ik dat goed?'

'Als je er maar voor zorgt dat ze niemand angst aanjaagt.'

'Vorige week heb ik mijn vinger gebroken bij het honkballen,' zei Gallegos, 'maar ik kan het nog steeds aardig.'

Die avond keek ik thuis naar het late nieuws voor de zaak. Ik werd overspoeld door politiek en natuurrampen, een afschuwelijke zaak van kindermisbruik die maakte dat ik de televisie uitschakelde. Ik hoopte dat me niet gevraagd zou worden om eraan mee te werken.

Ik speelde gitaar, las psychiatrische vakbladen, stoeide met Blanche en luisterde naar een plaat van Anat Cohen, die klaaglijke muziek speelde op haar klarinet en saxofoons. Speelde 'Cry Me a River' een paar keer achter elkaar, omdat dat een geweldig nummer was, punt uit. Robin en ik aten kip en aardappelpuree, namen een lang bad, deden een heleboel niets. Toen ze tegen middernacht geeuwde, kroop ik bij haar en slaagde erin te blijven slapen tot zeven uur 's ochtends.

Ik trof haar in de keuken, waar ze een bagel at en koffiedronk. De tv stond afgestemd op een ontbijtprogramma van een lokale zender. Mooie gezichten kletsten over beroemdheden en recepten en de laatste trends in muziek om te downloaden.

Ze zei: 'Je miste het gezicht van het meisje op het nieuws.'

'Goed weergegeven?'

'Ik weet niet hoe ze er echt uitziet, maar het vakmanschap van de tekenaar was in orde. Voor een trottoirkunstenaar.'

Ik zapte langs de kanalen en vond het staartje van een nieuwsuitzending. Henry Gallegos deed er goed aan om zijn gewone baantje nog even aan te houden, maar de gelijkenis was goed genoeg.

Ik probeerde het nummer van Milo's kantoor. Hij had de opgenomen boodschap geïnstalleerd, die tipgevers bedankte met een gepast professionele toon, en beloofde er zo snel als mogelijk op terug te komen.

De aanval was blijkbaar begonnen.

Ik voltooide een paar verslagen, e-mailde facturen aan advocaten, ging hardlopen, nam een douche. Milo belde net toen ik me ging aankleden.

'Een storm van tips?'

'Achtenveertig behulpzame burgers in het eerste uur. Inclusief tweeëntwintig flagrante psychoten en vijf helderzienden die zich voordeden als behulpzame burgers.'

'Pas op je woorden,' zei ik, 'politici kunnen niet zonder de psychotische stemmer.'

Hij lachte. 'Binchy en Reed en ik hebben gesproken met een massa goedbedoelende zielen, die er volkomen van overtuigd zijn dat Brigid iemand is die ze kennen. Helaas kloppen de feiten voor geen meter en zitten ze er allemaal naast. Het enige wat nog een beetje op een mogelijkheid lijkt is een – je raadt het al – anonieme tip uit een telefooncel. Luister.'

Een boel geruis werd gevolgd door omgevingsgedruis. De eerste paar woorden verdronken in het toenemende verkeerslawaai.

'... dat meisje. Bij dat huis dat niet af is.' Een onvaste mannelijke stem. Die oud was of probeerde om oud te klinken. Een pauze van tien seconden, toen: '... zij en Monte.'

Ik zei: 'Die aarzelingen klinken als angst. Het zou echt kunnen zijn.'

'Te bang om zijn eigen telefoon te gebruiken en een naam achter te laten, nou, hartelijk dank. En om je helemaal op de hoogte te houden, mijn meest meegaande rechter zei *njet* tegen de dagvaarding van de financiële gegevens van de Holmans. Dus we moeten weer boterhammen met tevredenheid eten.'

'Kun je de boodschap nog eens laten horen?'

Toen de opname was afgelopen, zei ik: 'Hij kent deze Monte goed genoeg om een naam te noemen. Hij heeft haar ook met Monte gezien, maar kent haar niet goed genoeg om haar naam te gebruiken. Misschien heb ik me vergist, hadden de twee geen relatie en was dit gewoon weer zo'n geval van verkeerde tijd, verkeerde plaats.'

'Stil even, ik ga voor nu akkoord met de uitleg dat meneer de tipgever te bang is om me alles te geven wat hij weet. Die rottige telefooncel – die vent had mazzel om er een te vinden die werkte.'

'Waar staat hij?'

'Venice Boulevard vlak bij Centinela. Eromheen zijn heel veel appartementen.'

Ik zei: 'Hij klonk bejaard. De premobiele generatie.'

'Brigid is in haar eentje op Borodi gezien, misschien had ze er iets mee te maken of werkte ze voor een van de betrokken partijen en was zij degene die het avontuurtje met Backer begon. En misschien kende ze Monte – of kende hij haar, omdat jij het meteen goed had toen je gokte dat het om een leverancier ging. Ik ga de stad in, aan de slag met de vergunningen voor de klus. Wie weet, misschien levert het iets op.'

Om twee uur 's middags verscheen hij bij mijn huis en hij sleepte zijn gesleten vinyl aktetas mee. De traditionele strooptocht door de keuken leverde kip met puree van gisteren op, een fles ketchup, stelen bleekselderij die wel wat viagra konden gebruiken. Alles werd met lichtsnelheid naar binnen gewerkt, staande bij het aanrecht, en weggespoeld met een pak sinaasappelsap. Toen hij Blanche een kliekje aanbood, keerde ze zich af.

'Kieskeurig?'

'Ze wil niet dat je iets tekortkomt.'

'Wat empathisch van haar.'

'Ze doet dit jaar examen psychologie. Ik voorspel dat ze gaat slagen.'

Hij boog om haar te strelen, ging aan de tafel zitten, maakte de aktetas open. 'De hoofdaannemer was een tent die Beaudry heette, helemaal in La Canada, ze zijn gespecialiseerd in grote projecten, hebben er een website vol van. Daar is Borodi niet bij.'

'Weer een overeenkomst inzake geheimhouding?'

'Ik heb wat druk uitgeoefend op een van de directeuren, kon geen moer te weten komen, ook niet over onderaannemers. En niks bekend over iemand met de naam Monte. Alsof hij me iets anders zou vertellen.'

De aktetas ratelde, trilde boven op de tafel als een kikker in een gemeen experiment.

Hij haalde zijn mobiele telefoon tevoorschijn. 'Sturgis... je maakt een grapje… ik kom eraan.' Hij kwam overeind en veegde stukjes kip van zijn hemd. Ongeregeldheden bij het droompaleis.'

Flarden gele tape fladderden in de wind. Twee geüniformeerde agenten hielden Doyle Bryczinski vast aan zijn magere armen. Tien meter hoger hield een ander paar agenten een goed geklede man met wit haar in bedwang, die zich niet makkelijk liet overmeesteren. Schreeuwend en stampvoetend; de agenten keken er verveeld naar.

Bryczinski zei: 'Hé, inspecteur. Kunt u ze vertellen dat dit mijn terrein is?'

Milo richtte zich tot een vrouwelijke agent met het naamkaartje Briskman. 'Wat is er aan de hand?'

'Deze en die daar stoorden zich aan elkaars aanwezigheid. Hoop misbaar, een buurman belde 911. Wij kregen het binnen als een 415, mogelijke geweldpleging. Toen we hier kwamen, stonden ze net op het punt om te gaan worstelen.'

'Echt niet dat ik ging worstelen,' zei Bryczinski. 'Waarom zou ik gaan worstelen? Hij is een oude knar, dit is mijn terrein.'

Milo legde een vinger op Bryczinski's lippen. 'Even rustig, Doyle.'

'Kunnen ze me dan in elk geval loslaten? Mijn armen doen pijn en ik moet het gewicht van mijn been halen.'

Milo keek voorbij Bryczinski, naar iets groots met een groen handvat, dat net buiten het hek lag. 'Een betonschaar, Doyle?'

'Voor het geval.'

'Voor welk geval?'

'Een noodgeval.'

'Ik heb de ketting daar aangebracht, Doyle.'

'Ik ging nergens doorheen knippen. Het was alleen voor het geval ik naar binnen moest.'

'Waarvoor?'

'Wat ik zei, een noodgeval.'

'Zoals wat?'

'Weet ik veel, nog een misdaad? Een brand?'

'Waarom zou er nog een misdaad zijn of een brand, Doyle?'

'Dat zou er niet zijn, ik zeg het gewoon maar.'

'Je zegt wat?'
'Ik ben graag voorbereid.'
'Als ik je auto doorzoek, Doyle, ga ik dan iets vinden wat crimineel bruikbaar is – of brandbaar?'
'Echt niet.'
'Heb ik toestemming om je auto te doorzoeken?'
Aarzeling.
'Doyle?'
'Goed, doe maar.'
'Laat hem even los, jongens, zodat hij me zijn autosleutels kan geven.'
Milo rommelde in de Taurus, kwam terug. 'Niks verdachts, Doyle, maar ik zal zorgen dat deze agenten je naar mijn kantoor brengen zodat we nog wat kunnen kletsen.'
'Ik heb niets gedaan, inspecteur. Ik kan niet weg, ik ben aan het werk...'
'Het werk is tijdelijk opgeschort, Doyle.'
'En mijn auto dan? Als ik hem hier laat, krijg ik een parkeerbon.'
'Ik plak wel een sticker op de voorruit.'
Bryczinski's ogen werden vochtig. 'Als ik niet werk, zet het bedrijf me op straat.'
'We praten op het bureau, Doyle. Als alles goed gaat ben jij hier vandaag weer terug. Maar val de buren niet lastig.'
'Hij is geen buurman, hij is een maniak. Beweert dat hij de eigenaar is van de plek en toen ik zei dat hij moest opkrassen probeerde hij me op mijn hoofd te slaan.'

'Charles *Ellston* Rutger.'
De man schraapte zijn keel voor de derde keer, streek dun wit haar naar achteren, wierp een verachtelijke blik om zich heen. Zijn sportjas met vissengraatmotief was van goede kwaliteit kasjmier met leren knopen, suède lappen op de ellebogen en een snit die op een kleermaker duidde, maar de revers waren een paar decennia te breed. Een messcherp gestreken, roomkleurige pantalon viel perfect over bruinrode lage schoenen, die glommen alsof ze met spuug waren opgepoetst. Zijn overhemd was van een gestippelde stof, ooit blauw maar nu vervaald tot

lavendelgrijs en gerafeld bij de boord. Een gouden dingetje met de vorm van een veiligheidsspeld hield de boord op zijn plaats en tilde de Windsor-knoop van een dennengroene das met een patroon van bugels en jachthonden op. Ook het weefsel van de das was aan erosie onderhevig. Net als het kanariegele zakdoekje.

Volgens zijn rijbewijs was Charles Rutger zesenzestig. Zijn huid, die gebarsten, droog en gevlekt was als de bekleding van een cabrio die te lang had blootgestaan aan de elementen, maakte dat ik hem ouder schatte. Hij had gelogen over zijn lengte en gewicht, er een paar centimeter bij gesmokkeld, en er de vijftien pond afgetrokken die aandrukte tegen de knopen van de sportjas. Op het witte haar lag een gele waas. Hij had het naar achteren gestreken en de groeven van de kam waren er nog in te zien. De zware oogleden waren gespikkeld met bultjes.

Een adres in South Pasadena, niet het meest trendy deel van de stad, een appartementenblok. Het enige voertuig dat op zijn naam geregistreerd stond was een vijftien jaar oude, kastanjebruine Lincoln Town Car. Dezelfde sedan die lukraak bij het hek geparkeerd stond.

'Een eindje rijden vanaf South Pasadena, meneer Rutger.'

'Dit is mijn erf, ik kan hier in mijn slaap naartoe rijden.' Een geaffecteerde stem, met een vaag Midden-Atlantisch accent en een duidelijk afkeurende toon.

'U zegt dat u de eigenaar bent van dit landgoed?'

'Ík zeg het niet, voor een fatsoenlijk mens spreekt het vanzelf. Toen ik hoorde wat er gebeurd was, ben ik meteen hierheen gekomen.'

'Hoe kwam u erachter?'

'Het nieuws. Natuurlijk.' Charles *Ellston* Rutger trok zijn revers recht.

'De geregistreerde eigenaar is een bedrijf dat DSD heet.'

'Tulbanden,' zei Rutger. 'En ik deins er niet voor terug om dat te zeggen. Ze bombarderen ons en wij krabbelen terug? Volslagen onaanvaardbaar.'

'Arabieren,' zei Milo.

'Wie anders? Oliegeld, ook wel bekend als bloedgeld, speelde een rol, en hoe! In mijn tijd zouden we hun verteld hebben wat ze ermee konden doen.'

'U zou hun verbieden om onroerend goed te kopen?'

'We noemden het convenanten en het was goed dat ze er waren.' Hij wendde zich weer naar het bouwsel. 'Monsterlijk. Dit was een prachtige buurt, daar konden Beverly Hills en díé mensen niet tegenop.'

'Met die mensen bedoelt u –'

'Mensen van Beverly Hills. Hollywood. En nu zijn zij het met hun olie.'

'Kunt u ons de namen geven van mensen die betrokken zijn bij DS...'

'Ik kan u niet iets geven wat ik nooit geweten heb,' zei Rutger. 'De hele transactie werd gemanipuleerd door gladde Joodse advocaten. Je zou denken dat ze elkaar zouden mijden als de pest. Joden en tulbanden. Maar als het om geld gaat, weten ze elkaar te vinden.'

'Ga zitten,' zei Milo, 'we onderzoeken een moord, dus als er iets is wat u kunt...'

'Ik weet wat u onderzoekt, ik heb u net verteld dat ik het op het nieuws heb gehoord.'

'En kwam meteen hierheen geracet.'

'Absoluut.'

'Waarom, meneer Rutger?'

'Waarom?'

'Ja, meneer.'

'Waarom niet? Voor zover ik weet is dit nog steeds een vrij land.'

'Meneer Rutger, dit is een ernstige zaak en ik heb geen tijd...'

'Ik ook niet, agent. Waarom ben ik hierheen geracet? Omdat ik gekrenkt ben. Opnieuw.'

'Opnieuw?'

'Deze plek was van mij, agent. Zij hebben hem van mij afgenomen. En nu is er bloed gevloeid. Barbaren.'

'Vertel me hoe ze hem van u hebben afgenomen, meneer.'

'Vertellen?' zei Rutger. 'Ik zou er een boek over kunnen schrijven. Trouwens, daar loop ik al een tijd over te denken. De plundering van de onschuldigen. Het zou een bestseller kunnen worden, als je bedenkt hoe mensen over hen denken.'

'Kunt u het even voor ons samenvatten, meneer Rutger?'
'Waarom zou u dat willen?'
'Zodat ik kan begrijpen...'
'Goed, goed, hier is uw samenvatting: een tragedie die uitdrukt hoe vulgair dit land is geworden. Toen ik een jongen was, stond hier een schitterend geproportioneerd húís. Een prachtig voorbeeld van Georgian Revival, ontworpen door Paul Williams. Niet dat u daarvan gehoord zou...'
'Een toparchitect in de jaren veertig en vijftig,' zei Milo. 'Zwart, waardoor hij niet mocht wonen in de meeste buurten waar hij werkte.'
Rutger streek zijn stropdas glad. 'Hoe dan ook, hij wist hoe hij een huis moest ontwerpen. Mijn vader betaalde ervoor met eerzaam werk, niet door valuta te manipuleren of geld te wisselen of plannen te smeden.'
'Wat voor werk deed uw vader?'
'Eerzaam werk. Mijn zus en ik groeiden op in pastorale pracht. Niet dat het haar iets kan schelen. En wat doen zíj ermee? Ze vernietigen onze bloedlijn en zetten dát ervoor in de plaats.'
Zijn kin beefde. 'Visigoten.'
'U was erop tegen om het landgoed aan DSD te verkopen, maar uw zus dacht er anders over?'
Rutger wierp hem een donkere blik toe. 'Hebt u niet geluisterd? Ze hebben het onder mij vandaan gestólen.'
'Hoe?'
Geen antwoord.
'Meneer?'
'Niet nodig om hierop in te gaan, agent.'
'Ik zou het toch graag doen.'
'Jammer voor u, maar ik wens geen persoonlijke zaken te bespreken.'
'Moord maakt alles publiek, meneer Rutger.'
'Dat gaat mij niets aan.' Meer bewegingsoefeningen met de kin. Rutgers ogen vulden zich met tranen. Hij trok het zakdoekje tevoorschijn en zei: 'Dat verdomde stof.'
Ik zei: 'U kwam hier omdat u voelde dat de herinnering van uw familie opnieuw werd bezoedeld.'
Rutger staarde naar me. 'U bent joods, of niet? Mijn vader speel-

de golf met rabbijn Magnin. Dat was nog eens een slimme man, gebruikte het geld van zijn familie om die tempel van hem te bouwen. Groot geld, uit San Francisco. Zijn broers waren fourniturenhandelaars, wisten hoe ze winst moesten maken.'

Milo zei: 'Claimt u feitelijk dat u de eigenaar bent van dit landgoed, meneer Rutger?'

'Dat zou ik doen, als ik een edele ridder zou vinden om voor mij te strijden.'

'Een advocaat die uw zaak zou kunnen behartigen.'

'Lafaards,' zei Rutger.

'Oké, meneer, u moet nieuwe confrontaties uit de weg zien te gaan – wacht even, laat me mijn zin afmaken. Ja, het is een vrij land, maar vrijheid betekent verantwoordelijkheid. U bent een welopgevoed man, u weet dat.'

Rutger snoof. 'Voor zover ik weet is dit nog steeds een vrij land.'

'Meneer, dit is een plaats delict. Verboden terrein voor onbevoegden.'

'Dat is wat hij zei – die idioot in uniform. Hij was grof en onbeschoft en ik moest wel maatregelen nemen.' Hij hield twee vuisten omhoog. Hij vouwde de zakdoek op, nogmaals, totdat hij een volmaakt kuiltje had gemaakt. 'Ik ga nu, agent, maar ik zal me niet neerleggen bij willekeurige uitspraken die mij verbannen van mijn...'

'Ik heb er geen bezwaar tegen dat u langsrijdt, meneer Rutger. Maar probeert u alstublieft niet om te stoppen en binnen te dringen. En als u iets ongewoons opvalt, belt u me dan. Hier is mijn nummer.'

Rutger bekeek het visitekaartje alsof het besmet was.

'Meneer?' zei Milo.

'U dacht dat dat zo makkelijk ging?' Rutger knipte met zijn vingers. 'U beveelt en ik gehoorzaam?'

'Meneer Rutger, ik bepaal de grenzen om toekomstige misverstanden te voorkomen. U mag voorbijrijden zo vaak u wilt, maar probeer het landgoed niet te betreden.'

Charles Ellston Rutger hees zichzelf overeind. De knopen van zijn jas vochten met zijn buik. 'Voor het ogenblik zie ik geen reden om terug te keren.'

'Een verstandige keuze, meneer.'
'Dit is Amerika. Ik heb u niet nodig om mijn keuze te bepalen.'

13

Rutgers Town Car ratelde weg, piepend op zijn gammele onderstel en zwarte rook uitstotend.

Milo ademde uit. 'Nou, dat was weer eens wat anders.'

Hij belde om Rutgers naam door te geven. Verschillende verkeersovertredingen, niets crimineels. 'Een oude mafkees die erg gehecht is aan deze puinhoop, maar volgens mij heeft hij niet het uithoudingsvermogen om die trappen met een wapen te beklimmen, de anderen te overmeesteren en een dubbele moord te plegen.'

'Mee eens,' zei ik. 'En ondanks zijn leeftijd klinkt hij niet als onze tipgever.'

We reden terug naar het bureau, waar hij Doyle Bryczinski liet gaarkoken in een lege verhoorkamer en bij het kadaster navraag deed naar de vroegere eigenaren van het landgoed op Borodi.

Er was er maar één: de Lanyard A. Rutger Family Trust, die twintig jaar eerder was gesticht. De trust had de plek veertien jaar later verkocht, de transactie was afgehandeld door Laurence Rifkin, Esq., van Rifkin, Forward en Levitsky, Beverly Hills. Afgaande op hun website waren ze advocaten in fiscaal recht en onroerend goed.

Milo zei: 'Altijd bovenaan beginnen,' belde en vroeg naar Rifkin. Een zachte bariton kwam verrassend snel aan de lijn. 'Larry Rifkin hier. Politie? Wat is er aan de hand?'

Milo gaf een samenvatting.

Rifkin grinnikte. 'Ik lach niet om moord. Ik lach om het absurdistische theater. Die goeie ouwe Charlie.'

'U kent hem al lang?'

'Ik kan niet geloven dat hij nog steeds beweert dat hij bedrogen is. Hij was degene die aanstuurde op de hele verkoop, inspecteur. Hij was al gek, maar hij begint nu dement te worden.'

'Dus er is geen reden om te claimen dat hij bedrogen is.'

'Reden? Het is krankzinnig. Hier komt het op neer: Lanyard, hun vader – van Charlie en Leona, dat is Charlies zus – verdiende wat geld met het produceren van goederen en met investeringen, maar tegen de tijd dat hij stierf had hij flink wat verloren op de markt. En toen de schulden geregeld waren, bleef er niet veel over. U weet hoe de rijken zijn, míjn schatten, jóuw rommel? Schilderijen waarvan Charlie dacht dat ze van onschatbare waarde waren bleken broddelwerk, hetzelfde gold voor een lading zogenaamd zeldzame boeken, die geen eerste drukken bleken te zijn. De enige bezitting van gewicht bestond uit onroerend goed: drie huizen, misschien vijf miljoen dollar waard rond die tijd. De plek op Borodi had het hoogste prijskaartje. Lan liet het in de jaren veertig bouwen, kreeg Paul Williams zover dat hij het ontwierp, het was een schitterende plek. Er is ook nog een weekendhuis in chaletstijl met een haventje aan Lake Arrowhead, en een landgoed van drie hectare in Palm Springs. Lan overleed tien jaar geleden, bereikte de leeftijd van 91, maar Barbara – zijn vrouw – stierf toen ze veel jonger was, dus alles ging naar de kinderen. Leona is een dokter, oncoloog, schat van een vrouw. Lan had mensenkennis en benoemde haar tot executeur-testamentair. Technisch gezien was dat een logische beslissing, maar je kon erop wachten wat er ging gebeuren.'

'Mot in de familie.'

'Mot met Charlie. Wij – mijn vader leefde toen nog en leidde de firma – probeerden Lan ervan te weerhouden om Leona aan te wijzen, stelden voor dat wij executeur zouden zijn. Of dat Lan iemand zou zoeken bij een van zijn banken. Hij wilde er niets van weten.'

'En Charlie ontplofte.'

'Als een kernbom. Broer tegen zus is altijd een ramp en deze twee hadden sowieso niet veel gemeen. Al deed Leona wel haar best om Charlie te vriend te houden. Een redelijker mens kom je niet tegen. Maar Charlie is een ander verhaal. Je hoeft geen psycholoog te zijn om te snappen waarom hij wrok koestert tegen Leona. Ze is alles wat hij niet is: slim, geslaagd, gelukkig getrouwd, een juweel.'

'Charlie heeft nooit zijn weg gevonden.'

'Charlie heeft bijna zeventig jaar in een droomtoestand doorgebracht.'

'Waandenkbeelden?'

'Dat is een ander woord voor hetzelfde,' zei Rifkin. 'Ik kan u dit allemaal vertellen omdat we hem niet vertegenwoordigen, dus er hoeft niets vertrouwelijk te blijven. In feite is hij zelfs onze tegenstander geworden, heeft al een aantal keer gedreigd een proces tegen ons te beginnen.'

'Waarom?'

'Omdat hij geld nodig heeft en denkt dat Leona het hem zal geven als hij genoeg lawaai maakt.'

'Wie vertegenwoordigt hem?'

'Niemand. Hij regelt zijn eigen zaakjes, denkt dat hij slimmer is dan alle anderen. Onnodig te zeggen dat hij elke keer wordt weggeblazen.'

'Hij houdt zichzelf voor een advocaat.'

'En een handelaar in aandelen en een financieel adviseur en een freelance investeerder, noem maar op. Voor de verkoop van het huis probeerde hij de verkoop van een eiland vlak bij Belize te regelen, verloor alles wat hij erin stopte. Hij is vier keer getrouwd geweest, geen kinderen, is zo goed als bankroet en zit vast in een appartement met één slaapkamer in South Pasadena. Triest, maar hij heeft het aan zichzelf te wijten. Leona heeft geprobeerd om eerlijk te zijn, aangeboden om een fonds voor hem te stichten, beheerd door experts, zodat hij iets kan opbouwen. Hij beschuldigt haar ervan dat ze hem wil controleren. Ze heeft nooit een cent gezien voor haar werk als executeur, heeft er altijd scherp op toegezien dat alles eerlijk werd verdeeld. Daarmee ben ik terug waar ik begon: het was Charlie die vaart zette achter de verkoop van de goederen. Daarom is het zo idioot dat hij erover jammert.'

'Leona wilde niet verkopen?'

'Absoluut niet. Haar idee was om alles in trust te bewaren voor latere generaties. Heeft een aparte beheerrekening geopend om te voorzien in de kosten.'

'Maar Charlie heeft geen kinderen, dus hij dacht dat ze hem passeerde voor haar eigen erfgenamen.'

'Dat bezwaar kan ik begrijpen,' zei Rifkin. 'Maar je kunt niet zeggen dat Charlie zelf niks verdiende met Borodi. Het huis werd verhuurd voor twintigduizend per maand. Als je belastingen en beheerskosten aftrok, verdiende hij nog steeds in de zes cijfers.'

'Wie waren de huurders?'

'Verschillende mensen uit de filmindustrie, die gedurende de opnames een tijdelijk verblijf zochten. Geen sterren – producers, regisseurs. De betaling kwam rechtstreeks uit de filmbudgetten, alles liep op rolletjes, totdat Charlie bezoekjes aan het huis begon te brengen om na te gaan of ze het onderhielden zoals hij had gespecificeerd. U begrijpt dat niemand daar zin in had, dus dat was het einde van de huurovereenkomsten met studio's. Die Charlie veel harder nodig had dan Leona. Wat hij in zijn handen krijgt, is meteen weer verdwenen.'

'Dus hij deed alles om te verkopen.'

'Niet alleen Borodi, alle drie de gebouwen. Weer zo'n eis die uit de lucht kwam vallen. Hij is impulsief, dat is zijn grootste probleem. Onmiddellijk verkopen ging in tegen de letter en de geest van Lans trust, Leona had alle recht gehad tegen Charlie te zeggen dat hij kon opzouten, maar ze wilde geen ruzie, besloot tot een compromis. Ze hield haar poot stijf over Palm Springs en Arrowhead – ze gebruikt beide plekken graag in het weekend en haar kinderen ook. En ze schatte in dat de waarde van een stuk grond van meer dan een hectare in Holmby zou blijven stijgen, dat het de moeite waard was om te wachten. Maar Charlie bleef zeuren, dus gaf ze toe.'

'In de archieven die ik heb staat dat het voor acht miljoen dollar verkocht werd,' zei Milo.

'Ik weet wat u denkt,' zei Laurence Rifkin. 'Er is niks mis mee als je allebei vier miljoen krijgt, misschien was Charlie toch de slimste, helemaal als je rekening houdt met zijn leeftijd. Het probleem is, inspecteur, toen de trust werd opengebroken kwam er een aanslag van de erfbelasting. Doe er nog commissie en andere kosten bij en wat Charlie en Leona elk overhielden kwam dichter in de buurt van anderhalf miljoen.'

Milo zei: 'Daar haal ik nog steeds mijn neus niet voor op.'

'Nee, natuurlijk niet,' zei Rifkin, niet helemaal overtuigend. 'Maar op de lange termijn is dat niets voor iemand als Charlie, die nog steeds denkt dat hij een financieel genie is. Het duurde niet lang voordat hij het grootste deel erdoor had gejaagd en begon te jammeren dat we te goedkoop hadden verkocht. Helaas voor hem was hij er van meet af aan bij betrokken geweest en hadden we dat gedocumenteerd.'

'Hoeveel is het grootste deel?'

'Alles op een half miljoen na. En toen had hij het lef om ons te vragen hem te vertegenwoordigen, zodat we met zijn boeken konden knoeien en de aftrekposten vergroten. Ondertussen dreigt hij nog steeds een proces tegen ons te beginnen. Er was enige zelfbeheersing voor nodig om beleefd te weigeren.'

'Dus hij had een half miljoen over.'

'Hij gaat meerdere malen per jaar naar Europa, vliegt eersteklas, verblijft in het Crillon, eet in restaurants met een Michelinster. Het zou me verbazen als hij meer dan honderdduizend overhad. Ik kan er niet bij dat hij nog steeds jammert over de verkoop. Het is een tijdje geleden dat ik voor het laatst van hem hoorde en ik dacht dat hij het eindelijk had losgelaten.'

'Hoe lang?'

'Ik zou zeggen twee jaar... wacht even, dan kan ik het u precies... hier is het, achtentwintig maanden geleden. Charlie zegt dat hij een nieuwe auto nodig heeft en dat Leona er niet voor wil betalen. Waarom zou ze dat ook? Hij is een belabberde chauffeur, niet zo zinnig om hem nog een auto in puin te laten rijden. Maar het had niets uitgemaakt, al had Leona een gloednieuwe Rolls-Royce voor hem gekocht. Altijd als hij krijgt wat hij wil, wil hij alleen nog maar meer. Zoals ik al zei, hij leeft in een droomtoestand. Toen hij van die moord hoorde, begon hij waarschijnlijk te fantaseren dat hij de heer des huizes was. Of hij wilde voorkomen dat hij zichzelf een sukkel zou vinden, dus verdraaide hij de werkelijkheid. Want Leona had gelijk. Acht miljoen was destijds best een goede prijs, maar de waarde van het terrein is de lucht in geschoten. Als ze vandaag zouden verkopen, zouden ze waarschijnlijk vijfentwintig miljoen krijgen.'

'Met een mooi huis erop.'

'Zelfs zonder huis, inspecteur, is een stuk grond van die afmetingen heel begeerlijk.'

'De lui aan wie ze het verkochten, DSD,' zei Milo. 'Vertel me daar eens wat meer over.'

Stilte.

'Meneer Rifkin?'

'Ik heb openlijk geantwoord op uw vragen, inspecteur, binnen de beperkingen van mijn beroepsnormen.'

'Over Charlie kunnen we vrijuit spreken, maar over DSD niet?'

'Er is een overeenkomst.'

'Geheimhouding.'

'Bindende geheimhouding.'

'Kunt u vertellen waarom, meneer Rifkin?'

'Zeker niet, inspecteur. Daar gaat het juist om.'

'Iedereen die zaken heeft gedaan met DSD schijnt zich te hebben verplicht tot geheimhouding.'

Geen antwoord.

'Meneer Rifkin, hebben we het hier soms over grote jongens uit de politiek?'

Stilte.

'Buitenlandse intriges, meneer Rifkin?'

'Het spijt me, inspecteur.'

'Een strafrechtelijk onderzoek weegt zwaarder dan een civiele overeenkomst, meneer.'

'Hebt u rechten gestudeerd, inspecteur?'

Milo wiste zijn gezicht af. 'Laten we het even over een andere boeg gooien, meneer. Is er iets waarvan u vindt dat ik het zou moeten weten over Charlie of over iemand anders in relatie tot moord?'

'U denkt dat Charlie iemand zou kunnen hebben vermoord?'

'Twee mensen werden vermoord.'

'Mag ik vragen hoe ze gedood zijn?'

'Geweerschot en wurging.'

'Nou,' zei Rifkin, 'Charlie bezit vuurwapens maar ik ken alleen maar antieke exemplaren, die hij geërfd heeft van Lan. Zou hij ze gebruiken als hij kwaad genoeg werd? Waarschijnlijk wel. Hij wordt snel driftig en is nogal labiel.'

'En wat betreft wurging?'

'Is daar geen kracht voor nodig, inspecteur?'

'Kracht en vasthoudendheid.'

'Dan heb ik mijn twijfels. Charlie is niet in al te beste gezondheid. Lever, hart, prostaat, diabetes, artritis. Leona betaalt zijn ziektekosten en die lopen flink op. En ik moet eerlijk zeggen, hij blaast altijd hoog van de toren, maar ik heb nooit meegemaakt dat hij de daad bij het woord voegde.'

'Is er iets betreffende de verkoop aan DSD dat mogelijk betrekking zou kunnen hebben op de moord?'

Rifkin zei: 'Leuk geprobeerd, inspecteur.'

Milo zei: 'Al die geheimzinnigheid maakt dat DSD steeds verdachter wordt.'

'Het zij zo, inspecteur. Succes met de moorden.'

Doyle Bryczinski was bezig aan zijn derde blikje 7Up.

Milo kwam dicht bij hem zitten, schoof nog dichterbij. 'Oké, Doyle, wat is het verhaal?'

'Waarover?'

'Over terugkomen met een betonschaar.'

'Niks, meneer.'

'Een betonschaar en gepraat over misdaad en vuur is niet niets.'

'Het spijt me, meneer.'

Milo's grote hand landde op Bryczinski's broodmagere schouder. 'Doyle, als er iets is wat je wilt vertellen, is het nu het moment om jezelf een dienst te bewijzen.'

'Waarom moet ik mezelf een dienst bewijzen?'

'Denk er maar eens over na, Doyle.'

'Volgens mij hoef ik mezelf helemaal geen dienst te bewijzen.'

'Waarom ben je teruggegaan?'

'Het is mijn terrein, dat is alles.'

'Jouw terrein?'

'Mijn werk. Ik ken de plek beter dan wie ook.'

'Precies,' zei Milo.

'Huh?'

'Wat mij opvalt, Doyle, is dat het moeilijk zou zijn om daar een moord te begaan voor iemand die de plek niet goed kende. Het wordt er erg donker 's nachts, die achterste trap is verborgen. Je zou moeten weten waar je moest zoeken, heel voorzichtig die houten trap moeten beklimmen om niet gehoord te worden. Maar jouw schoenen zien er heel stil uit.'

'Het zijn prima schoenen. Maar ik heb niks gedaan. En de schoenen doen er niet toe, ze zouden me toch gehoord hebben.'

'Waarom?'

'Mijn been is verkloot, het sleept.'

'Zelfs met die stille schoenen?'

'Ze hebben zachte zolen,' zei Bryczinski, 'maar ook een stalen plaat in de zool, zwaar om op te tillen.'

Milo wierp een blik op het blikje frisdrank. 'Als je dorst hebt, ga je gang.'

'Niet nodig.'

'Laten we teruggaan naar de nacht van de moorden en waar je toen was.'

'Precies wat ik u verteld heb.'

'Aan het slapen en voor je moeder aan het zorgen.'

'Luiers voor mijn moeder aan het kopen. Deze keer heb ik het bonnetje bij me.'

Hij haalde een vodje uit zijn borstzak. '09.48 uur, zoals ik u al vertelde, was ik bij de drogist.'

Milo bestudeerde de datum. 'Heb je dat bonnetje gevonden omdat je naar een alibi hebt zitten zoeken, Doyle?'

'U stelde me de eerste keer al die vragen,' zei Bryczinski. 'Dus heb ik het bonnetje opgezocht. Nu hebt u het.'

Milo zwaaide met het papiertje. 'Niks mis mee, hoor, Doyle, maar het heeft niet veel te betekenen. Je had naar huis kunnen gaan om daarna weer terug te rijden.'

'Had ik misschien kunnen doen, maar heb ik niet gedaan.' Bryczinski's ogen bleven kalm.

'Monte,' zei Milo.

'Wat?'

'Wie is Monte, Doyle?'

'Is dat geen kaartspel?'

'Het is ook de naam van een man.'

'Geen man die ik ken.'

'Waarom de betonschaar, Doyle?'

'Zoals ik zei, een noodgeval.'

'Het is een plaats delict, Doyle.'

'Het is nu een plaats delict, maar het blijft niet voor altijd een plaats delict. U geeft me de sleutel niet van die ketting, ik moet toch naar binnen.'

'Noodgeval,' zei Milo. 'Zoals wanneer de hele zaak afbrandt.'

'Wat ik bedoelde was, voor het geval de zaak afbrandt. Ik heb de baan nodig, wil het goed doen.'

'Je beschouwt het als jouw terrein.'

'Ik ken de plek beter dan wie ook. Zij kenden hem niet.'

'Wie?'

'Die twee. Kijk wat er met ze gebeurd is,' zei Bryczinski. Hij strekte zijn hand uit naar het frisdrankblikje en nam langzaam een lange teug.

'Eigen schuld?'

'Dat zeg ik niet, ik zeg dat het stom was om daar 's nachts naar binnen te gaan.'

'Wat is jouw theorie over de moorden, Doyle?'

'Ze gingen naar boven om te rotzooien, weet ik veel, misschien kwam een of andere psychopaat het feestje bederven. Dat bedoel ik: zoals die ketting er toen bijhing kon iedereen naar binnen.'

'Dan zul je wel blij zijn dat ik een nieuwe heb opgehangen.'

'Als u de sleutel achterlaat, zeg ik dank je wel. Nu moet ik zien dat ik terugkom. Kan ik nog meerijden?'

'Ik regel het graag voor je, Doyle. Als je voor je vertrek een leugendetectortest ondergaat.'

Bryczinski sperde zijn ogen open. 'Ik moest een test doen voor het bedrijf, toen ze me aannamen. Ik slaagde met vlag en wimpel, vraag hun maar om een kopietje.'

'Dan vind je het vast niet erg om het nog eens te doen.'

Bryczinski dacht na. 'Ach, waarom niet? Als het niet te lang duurt.'

Rechercheur Delano Hardy kon van de hele dagploeg nog het beste doorgaan voor een specialist als het om de leugendetector ging. Hij had de test al meer dan een jaar niet afgenomen, wist niet eens precies waar de apparatuur was, maar hij beloofde ernaar te gaan zoeken.

Negentig minuten later was de procedure voorbij en stapte Hardy hoofdschuddend de kamer uit. 'De onderlijn is een beetje springerig, maar ik zie geen bedrog, niet in de verste verte, sorry.'

Milo pakte de print. 'Bedankt dat je het geprobeerd hebt, *amigo*.'

Milo en Del hadden lang geleden als partners gewerkt, totdat Dels toegewijde echtgenote er een probleem van begon te maken dat haar man samenwerkte met een homo.

Del zei: 'Geen moeite, ouwe reus. Succes.'

Een geüniformeerde agent reed Bryczinski terug naar Borodi. Ik keek de resultaten van de test door.

Milo zei: 'Valt je iets op?'

'Niets meer dan de waarheid,' zei ik. 'Helemaal als je de gespannen onderlijnen ziet. Hij is geen kouwe psychopaat die het apparaat kan bedriegen.'

Milo zei: 'Maar hij laat wel blijken dat hij zich overmatig betrokken voelt bij dat terrein. Net als Charlie Rutger trouwens. Is er geen freudiaans complex dat dat verklaart?'

'Wat dacht je van een complex van een slordige tweeduizend vierkante meter?'

We gingen terug naar zijn kantoor, waar hij een vers briefje opraapte. 'Kijk eens aan, professor Ned Holman wil praten.'

Hij belde terug. 'Professor? Inspecteur Sturgis... Ja, meneer, natuurlijk herinner ik me dat... is dat zo? Geen punt, ik ben bij u over... oké, ja, ik weet waar het is. Een uur zou prima zijn.'

Hij plaatste de hoorn terug en zei: 'De eerste keer dat we hem spraken was hij de vriendelijkheid zelve. Nu het tegenovergestelde, er zit hem duidelijk iets dwars. Benieuwd hoe het met zíjn onderlijn staat.'

14

Ned Holman had ervoor gekozen om af te spreken op een openbare parkeerplaats in Playa Del Rey, het meest westelijke puntje van het district, waar de buurt in een dorpje verandert en de oceaan dromerig voorbijkabbelt.

Het was maar een paar kilometer voorbij het Bird Marsh, waar vorig jaar de lichamen van vier vrouwen waren gevonden, zonder hun rechterhanden, en met hun gezicht naar het oosten. Milo en Moe Reed hadden die zaak opgelost en in het voorbijgaan twee andere moorden opgehelderd.

Geen woord daarover toen we er langsraasden. Zoals veel gedreven mensen geeft hij de voorkeur aan de kwellingen van een leven in het hier en nu.

Net toen we aankwamen, stopte het busje van Holman op een parkeerplaats voor gehandicapten. Afgezien van het busje waren er geen andere voertuigen. De deur van het busje gleed open, een hellingbaan klapte naar buiten. Toen wij uit de onopvallende auto waren gestapt, was Holman al omlaag gerold in zijn stoel om naar de golfbrekers te kijken.

Hij droeg een grijs trainingspak, dat de omvang van zijn bovenlichaam accentueerde en hetzelfde probeerde te doen voor zijn weggekwijnde benen. Zijn baard was netjes verzorgd, zijn haar stevig tegen zijn hoofd geplakt, om weerstand te bieden aan de bries.

We stelden ons op tussen zijn stoel en het zand.

'Bedankt voor uw komst, heren. Dit is een plek waar ik naartoe ga om tot rust te komen.'

'Wat scheelt eraan, professor?'

Holman keek naar een eenzame strandjutter, die parallel met het getij liep en het zand doorzocht met een metaaldetector. De man stopte om iets glinsterends te inspecteren en wierp het toen terug.

Holman zei: 'Ik zie ze hier altijd. Niemand vindt ooit iets.' Hij glimlachte. 'Misschien is alles al ontdekt.'

'O, dat weet ik niet, meneer,' zei Milo. 'In mijn baan ontdek ik voortdurend nieuwe dingen.'

'Dat is mooi voor u.' Holman likte zijn lippen. 'Dit is buitengewoon moeilijk, maar ik voel dat het nodig is.'

Dikke vingers trommelden op de wielen van zijn stoel. 'Ik wil één ding duidelijk maken: ik hou van mijn vrouw. Ze zorgt goed voor me.'

Hij verstrakte bij de laatste woorden. 'Waarom zou ik me beklagen als zij haar behoeften heeft?' Holmans buik, rond als een ton, zwol op. 'Zoals veel mensen in onze situatie maken Marjie en ik ons schuldig aan wederzijds bedrog. Zij doet alsof ze niet mist wat we hadden, ik doe alsof ik niet weet dat ze doet alsof.' Hij ademde in. 'Achtendertig jaar heeft onze relatie een stevig fundament gegeven.'

'Kan ik begrijpen,' zei Milo.

'Dus ik beschuldig haar niet,' zei Holman. 'Ik zal niet beweren dat het me niets kan schelen, maar ik ben er niet kapot van.'

De strandjutter raapte iets anders op. Hield het omhoog naar het licht. Wierp het weg.

Holman keek voldaan toe. Kreeg toen een grimmige trek op zijn gezicht. 'Waar ik me aan erger, dat zijn mijn zogenaamde vrienden. En zelfs daar besef ik dat ik niet redelijk ben. Twee jongens in het bijzonder, die bij onze sociale kring horen. Na mijn ongeluk veranderde mijn relatie met hen, omdat die gebaseerd was geweest op tennis, basketbal, squash, al die goede dingen.'

Een reiger zweefde naar het westen. Een snavel als een naald, een blauwgrijze pterodactylus met een vleugelwijdte van twee meter. Bij mijn vijver vol koikarpers zou deze vogel de vijand zijn, hier buiten was het een magnifiek schepsel.

Ned Holman zei: 'Ik ga daarover door, omdat ik wil dat u Marjie begrijpt. Ze is niet een of andere slet, ze is een goede vrouw.'

Door een druk op de knop draaide de stoel van ons weg. We veranderden van positie om hem te kunnen zien. Het licht uit het westen omhulde zijn massieve gestel met een stralende, zilveren aura.

'Soms volg ik haar, als ze naar buiten gaat,' zei hij. 'Niet elke keer, de meeste tijd niet. Ik weet niet waarom ik het doe. Misschien omdat als ze weggaat, het huis stil wordt op een nogal afstotelijke manier. Zoiets als een lijkenhuis, zou ik zeggen, en als ik alleen ben ga ik me een stervende voelen. Marjie maakt het makkelijk, ze is een gewoontedier, komt altijd op dezelfde plek terecht. Plekken.'

Milo keek naar mij.

Ik zei: 'Waar is dat, professor Holman?'

'In Motel Je-weet-wel, zoals de mensen dat noemen,' zei Holman. 'Washington Boulevard, vlak bij de Marina, in een van vier stijlvolle etablissementen. Ik posteer mezelf aan de overkant van de straat. Ooit maakte ik mezelf wijs dat ik het voor Marjie deed. Zodat ze veilig zou zijn. Natuurlijk is dat onzin, ik doe het om de schijn van controle te hebben, al moet ik zeggen dat ik er moe van begin te worden. Misschien wordt Marjie er op een dag ook moe van.'

Ik zei: 'Vier motels, maar er was een uitzondering.'

Holman richtte zijn helderblauwe ogen op de mijne. 'Ik praat maar door en u kent het einde van het liedje al. Ja, er was één uitzondering, ik had besloten om er niets over te zeggen, maar toen begon het me dwars te zitten en ik voelde dat ik het moest vertellen.'

'Dat stellen we op prijs.'

'Dat hoop ik. Ik wist al van hem en Marjie. Ik heb het over Backer, natuurlijk. Hoe wist ik het? Omdat ik geen sukkel ben die zijn ogen in zijn zak heeft. Er was een borrel op het kantoor van de firma, goedkope wijn en oudbakken crackers. Marjie dacht dat het goed voor mij zou zijn om er eens uit te zijn. Terwijl ik knabbelde, onderschepte ik een blik tussen haar en Backer. Niets wat je flagrant zou kunnen noemen, maar ik ben erin getraind nuances op te merken en mannen die met Marjie hebben geslapen, krijgen een zekere blik in hun ogen. Klinkt dat paranoïde?'

Ik zei: 'Je hebt paranoia en je hebt redelijke bezorgdheid.'

'Ja. Nou, ik ben niet bezorgd. Niet meer. Het spel is een vast onderdeel van onze huiselijke routine geworden en ik merk dat het me kalmeert – de troost van het vertrouwde. In elk geval, ik herken een betekenisvolle blik als ik er een opvang. Ik zal niet zeggen dat het me niet verrastte, Backer was jonger dan Marjie's gebruikelijke... metgezellen. Dat vond ik een beetje verontrustend, maar toen ik erover nadacht, wat maakte het eigenlijk voor verschil? Dit heeft niets te maken met haar gevoelens voor mij, daar heeft het nooit iets mee te maken gehad, het gaat over het lichamelijke en wat is er dan beter dan een jongere man? Dus toen ze me de week daarop vertelde dat ze moest overwerken op kantoor, zei ik tegen mezelf: aha, en volgde haar. En ja hoor, Backers auto stond aan de achterkant en zij had er pal naast geparkeerd. De parkeerplaats was klein, ik kon duidelijk niet blijven en het valt ook niet mee om parkeerruimte te vinden op Main Street, zelfs niet met een gehandicaptensticker. Bovendien is mijn strijdwagen niet echt onopvallend – zou een van jullie water voor mij uit het busje willen halen? Het zit in een houdertje net rechts van de handrem.'

Ik liep erheen en vond een knijpfles van zwart plastic. Het interieur van de bus was brandschoon, maar er hing een oudbakken lucht. Geen in het oog springende bewijzen van buitengewoon schoonmaakwerk. Toen ik terugkwam, was Holman aan het vertellen: '… dus besloot ik rond te rijden – bedankt.' Hij nam een grote slok en likte zijn lippen af. 'Het duurde niet lang of Backers BMW kwam naar buiten rijden en ging in noordelijke richting. Ik volgde, waarbij ik ervoor zorgde dat er een paar wagenlengtes tussen zaten – iets wat ik geleerd heb van politieseries. Klopt dat?'

Milo glimlachte. 'Goede techniek, professor Holman.'

'Professor met emeritaat, inspecteur. Dat is Latijn voor iemand die er geweest is. Hoe het ook zij, toen Backer bij Wilshire kwam en doorreed, was ik verrast. Hij draaide naar het oosten en reed verder, voorbij Westwood, nam geen afslag tot aan Comstock, ging toen weer naar het noorden, naar Sunset. U begrijpt waar ik naartoe wil.'

Milo zei: 'Borodi Lane.'

'Toen ik vanmorgen het nieuws zag, was ik verbijsterd. Heb er een tijdje over zitten broeden en besloot dat ik u moest bellen. Burgerplicht en dat soort dingen.'

'We stellen het echt op prijs, meneer.'

'Krijg ik bonuspunten voor zelfvernedering? Een psychisch lintje, misschien?'

Geen van beiden antwoordden we.

Holman zei: 'Terug naar Borodi Lane. U wilt natuurlijk weten wanneer dit precies gebeurde, of niet?'

'Ja, meneer.'

'En ik kan het u precies vertellen. 2 april. Meteen na 1 april, het was om 21.28 uur. Ik hou Marjie's avontuurtjes bij. Maar dit bleek geen avontuurtje van Marjie te zijn. Ik had het moeten weten, ze is echt een gewoontedier, geen reden waarom zij het patroon zou doorbreken.'

Dat had ze al gedaan, achter een bouwkeet in Santa Monica. Maar er was geen reden het laatste restje waardigheid van haar man te vertrappen.

Milo zei: 'Backer was daar met een andere vrouw?'

'Met díé vrouw,' zei Holman. 'Die met haar gezicht op het nieuws was. En ja, ik weet het zeker, omdat zij en Backer daarna iets gingen eten en ik haar goed te zien kreeg.'

'Niet uw vrouw, maar u bleef ze toch volgen.'

'Omdat ik er in het begin vrij zeker van was, maar ik kon er niet helemaal zeker van zijn. Het was donker toen ze weggingen, ze kropen snel in Backers auto. De vrouw leek korter dan Marjie, ander haar, een andere manier van lopen, maar ik was niet dichtbij genoeg om op mijn oordeel te vertrouwen, dus bleef ik ze volgen.'

'Waar gingen ze naartoe om te eten?'

'Beverly Hills. Kate Mantilini, Doheny en Wilshire. Gelukkig kregen ze een tafeltje bij het raam, zodat ik een enorme opluchting voelde toen ik voorbijreed. Toen realiseerde ik me dat Marjie nog steeds daarbuiten was en plotseling móést ik weten waar ze was. Dus belde ik haar vaste telefoon op kantoor en ze nam op, zei dat ze werkte aan een voorstel dat waarschijnlijk niks zou worden, omdat Helga nooit iets in praktijk bracht.'

Milo zei: 'Backers auto stond bij het kantoor, maar u zag de vrouw daar niet.'

'Ze moet vlakbij geweest zijn, inspecteur, want ze was niet in het kantoor met Backer en Marjie.'

'Hoe weet u dat?'

'Vanochtend keken Marjie en ik naar het nieuws en toen het gezicht van de vrouw te zien was, gaf Marjie geen enkele reactie. Ik ken mijn vrouw, heren. Als ze haar had ontmoet, zou ze iets gezegd hebben en ze zou het u ook verteld hebben, toen u haar ondervroeg. Dus ik vermoed dat de vrouw ofwel buiten het kantoor wachtte, niet op het parkeerterrein of vlak daarbij, ofwel dat ze al op Borodi was toen Backer aankwam.'

'Was er een andere auto vlakbij geparkeerd?'

'Als dat zo was,' zei Holman, 'heb ik het niet gezien. Maar ik lette niet op auto's.'

Hij draaide zich om en zag de gestalte van de strandjutter, die steeds kleiner werd.

Milo zei: 'Wat kunt u ons nog meer vertellen over Backer en het gedrag van deze andere vrouw?'

'Niets.'

'Weet u zeker dat het de vrouw was die u op televisie zag?'

'Honderd procent zeker. de afbeelding op televisie was een potloodtekening, maar naar mijn idee een vrij goede gelijkenis – ze was een goed uitziende vrouw. Jong – dertig, vijfendertig, voor mij is dat jong. Een goed figuur. Ik zou zeggen ongeveer één meter zestig, veel minder dan Marjie's één meter zeventig.'

Ik zei: 'Toen u haar en Backer door het raam van het restaurant zag, hoe zaten ze erbij?'

'Ze leken niet bijzonder geboeid. Ze maakten ook geen ongelukkige indruk. Twee mensen die het menu lazen. Vlak, zou ik zo zeggen.'

'Hebt u de vrouw daarna nog gezien?'

'Nee.'

'En Backer?'

'Hem heb ik nog een paar keer gezien,' zei Holman, 'op kantoor, als hij kwam of ging.' Hij knipperde met zijn ogen. 'Ik moet zeggen dat het me verbaasde dat Marjie iets met hem had. Hij leek me niet haar type.'

'Waarom niet?'

'Oppervlakkig.'

'Hoezo?'

Holman's kaak werd hard. Zijn baard ging ervan overeind staan. 'Ongetwijfeld wordt mijn mening beïnvloed door het feit dat ik vrij zeker weet dat hij het met mijn vrouw gedaan heeft. Maar ik maak mezelf sterk dat ik ook enige mensenkennis heb.

Van de doden niets dan goeds, maar om u de waarheid te zeggen, hij maakte op mij de indruk van een oppervlakkige kleine sufferd. Het type dat veel te veel tijd voor zijn spiegel doorbrengt.'

Milo zei: 'U mocht hem niet.'

'Ik kende hem niet goed genoeg om hem niet te mogen.'

Milo bestudeerde hem.

Holman trok zijn wenkbrauwen op. 'U maakt een grapje.'

'Waarover, professor?'

'Vraagt u zich werkelijk af of ik het zou kunnen hebben gedaan? Nou, mijne heren, ik ben gevleid. Dat u me tot zoiets in staat acht. Maar waarom zou ik de moeite nemen? In vijf jaar tijd zijn er negen man met mijn vrouw naar bed gegaan. Wat voor reden zou ik hebben om wraak te nemen op één tamelijk geile kleine sufferd?'

Holman perste zijn lippen op elkaar. 'Nee, ik moest niets van Backer hebben. Hij was een druiloor. Maar ik moet van de meeste mensen niets hebben. En wat ik voor hem voelde, bereikte nooit het niveau van geweld.'

Milo zei: 'Professor, we stellen het werkelijk op prijs dat u zich hebt uitgesproken, de meeste mensen zouden de makkelijkste weg hebben gekozen. Is er nog iets anders dat u ons zou willen vertellen?'

'Nee, meneer,' zei Holman. 'U vertrekt nu weer en ik blijf hier om naar de oceaan te kijken.'

Milo joeg de auto voorbij het moeras, ging verder in oostelijke richting op Culver. 'Wat was dat nou net? Een hulpvaardige, opofferende burger of een slimme jongen die met ons gespeeld heeft?'

'Misschien geen van beiden,' zei ik.

'Wat dan wel?'

'Professor Holman vond een manier om een hele lading opgekropte misère te lozen en zich er toch een beetje heldhaftig bij te voelen.'

'Gratis therapie? Dus wie stuurt hem de rekening, jij of ik?'

'Dat mag jij doen,' zei ik.

'Arme drommel. Maar hij heeft wel net bekend dat hij een chronische stalker is en dat past in ons scenario van jaloezie. Dat zijn vrouw zich afgeeft met een bende charmeurs van middelbare leeftijd is één ding, Backers jeugd en vitaliteit waren te veel voor hem, het bleef aan hem knagen, de razernij werd niet minder, dus nam hij een huurmoordenaar in dienst. Die hij als tip kon meegeven dat Borodi een scharrelplek van Backer was.'

'Waarom dan aandringen op een gesprek, waarbij hij zichzelf een motief geeft en zijn hekel aan Backer laat blijken?'

'Hij is een intellectueel, Alex, denkt dat hij slimmer is dan wij. Een taalkundige bovendien – wat doen die jongens? Ze manipuleren de taal. Maar misschien heeft hij zichzelf zojuist de das omgedaan door mij grond te geven voor een bevelschrift voor zijn financiële gegevens.'

Hij belde John Nguyen, vroeg de plaatsvervangend officier van justitie hoe hij erover dacht. Nguyen zei: 'Erg dubieus, maar je kunt het proberen. Aan wie dacht je?'

Milo zei: 'Rechter Ferencz heeft me afgewezen. Heb jij suggesties?'

'Niet echt.'

'Wat denk je van rechter Hawkins, John?'

'Hawkins is vorige maand overleden.'

'Shit.'

Nguyen zei: 'Ik ben geraakt door je medeleven met zijn nabestaanden. Als je wilt kan ik wat rondvragen.'

'Bedankt, John.'

'Ik heb het over een paar telefoontjes, dat is het bedanken niet waard.'

In Lincoln stemde Milo de politieradio af op de easy listening van de kleine criminaliteit. Het was nog te vroeg voor de gebruikelijke golven van geweld na zonsondergang, maar er waren genoeg kleine overtredingen om de blauwe dienst bezig te houden.

Ik zei: 'Als Holman niet de moordenaar is, heeft hij ons in elk geval iets nuttigs gegeven: Backer en Brigid waren twee maanden geleden op Borodi, wat duidt op een langere relatie en suggereert dat het een vertrouwde plek voor ze was. Misschien gebruikt ze een valse identiteit als zelfbescherming, niet met een

misdadig doel. Bijvoorbeeld omdat ze op de vlucht is voor een ziekelijk jaloerse ex.'
'Je bedoelt dat we haar niet moeten uitsluiten als hoofddoelwit. Oké, het is weer tijd voor Hal.'
'Wie is dat precies?'
'Binnenlandse Veiligheid, ik heb nog het een en ander van hem tegoed.' Toets toets toets, voicemail. Zijn tweede boodschap was uitgebreider, klik. 'Als we bij Holman geen vuile was vinden, blijft nog altijd het feit staan dat Brigid neusde in de dossiers van Masterson en dat ze Borodi op haar eentje verkende.'
Ik zei: 'Het ongrijpbare DSD Inc.'
'Waarvan iedereen denkt dat het Arabieren zijn en dat baart me zorgen. Het ontbreekt er nog maar aan dat ik straks de een of andere jaloerse emir als hoofdverdachte heb.'
Twee verkeerslichten verder: 'Afgezien daarvan heb ik meer dan genoeg laag-bij-de-grondse problemen op te lossen. Uitzoeken of er ook andere dan antieke geweren staan geregistreerd op de naam van Mafketel Charlie Rutger, geweren met kaliber 22. Verder de lijsten met aliassen naspeuren op buitengewoon gemene Montes, lijsten van onderaannemers zien te bemachtigen die op Borodi werkten, en hun achtergronden nagaan op gewelddadige delicten.'
'Wat een rijkdom,' zei ik.
'Doe mij maar geld.'

15

Reed en Binchy kregen hun instructies buiten in de hal, omdat er geen vier mensen in Milo's kantoor passen.
'Sean, jij moet een persoonlijk bezoekje brengen aan een bedrijf in het centrum dat Beaudry Construction heet. Het doel is om hun lijst van medewerkers van de laatste vijf jaar te bemachtigen. Ik heb het over de namen van elke boerenlul die voor ze gewerkt heeft, niet alleen op het Borodi-terrein. Als we in een volmaakte wereld leefden, zou je onze jongen Monte te-

genkomen. Beaudry gaat proberen om je met een kluitje in het riet te sturen, omdat iedereen die betrokken was bij het project een geheimhoudingsverklaring heeft ondertekend, maar Nguyen zegt dat die geen stand kunnen houden in een strafrechtelijke zaak.'

'Dus we kunnen ze dagvaarden,' zei Binchy.

'Dat kunnen we, zodra we een zaak hebben. Het probleem is dat we daar die lijst voor nodig hebben. Maar dreig ze maar met wat je maar kunt bedenken. Als ze dan nog niet in beweging komen, benader je de belastingdienst om hun belastingformulieren boven tafel te krijgen. Denk je dat je dat aankunt?'

Iemand anders had zich misschien beledigd gevoeld.

Sean kromde zijn tenen in zijn Doc Martens-schoen. 'Reken maar, chef.'

'Je kunt gaan, Sean.'

'Ik ben al weg, chef.'

Reed had uitdrukkingsloos meegeluisterd naar het gesprek. Zijn blonde stekeltjeshaar was pas geknipt, hij droeg de gebruikelijke blauwe blazer, khaki broek, wit overhemd en goedkope stropdas.

Milo wendde zich tot hem. 'Moses, enig idee hoe we dat geouwehoer over geheimhouding kunnen doorbreken om uit te vinden wie die heikneuters van DSD zijn? De overheersende indruk is dat het Arabieren zijn, maar niemand kan vertellen waarom. Ik heb het internet ook al geprobeerd. Nada.'

Reed zei: 'Ik zou alle consulaten van landen in het Midden-Oosten kunnen afbellen met de vraag of ik iemand te spreken kan krijgen die te maken heeft met DSD, kijken of iemand reageert. Als dat niet werkt, ga ik verder met de ambassades in D.C.'

'Waarom begin je niet met D.C., voor het geval een of ander figuur op een consulaat alarm slaat. Kijk of je oude telefoonboeken kunt vinden uit de tijd dat DSD daar zat, misschien word je dan doorgeschakeld naar een nieuw nummer.'

'Doe ik, chef. Wat betreft uw speurtocht op internet, hebt u websites van oliebedrijven nagekeken?'

'Nee. Doe maar. Hoe zit je met je tijd?'

'Tijd genoeg,' zei Reed. 'Maar één lopende zaak, die idiote schietpartij op Pico.'

'Twee sukkels in een kroeg? Ik dacht dat die zaak gesloten was.'
'Dat dacht ik ook, chef. Blijkt iets gecompliceerder. Ze hebben
het nagetrokken met de draad en de hoeken waaronder de kogels afgeschoten zijn kloppen niet echt. Ik ben niet zo'n voor-
stander van de draad, maar als het er wetenschappelijk uitziet
is de jury tevreden, hè? Ik heb de bekentenis er al uit, er is geen
enkele twijfel over wie het gedaan heeft, maar de officier van
justitie wil niet verder totdat alles vaststaat. Ik wacht op het
lijkschouwingsrapport om te zien hoe de kogels door het lijf
zijn gegaan. Mijn slachtoffer had vorige week op de snijtafel
zullen liggen, maar hij ligt nog steeds in de ijskast. Rij ik er
vanmorgen heen, denk ik dat ik het lijkschouwingsrapport kan
oppikken, krijg ik alleen maar excuses.'
'Ben je nu de boodschappenjongen van de officier van justitie
geworden?'
Reed haalde zijn schouders op. 'Als er maar beweging in de
zaak komt.'
'Het moet wel krankzinnig druk zijn in het lijkenhuis,' zei Milo.
'Ik heb moeite om voor elkaar te krijgen dat er lijkschouwing
op mijn vrouwelijke slachtoffer wordt verricht.'
'Ze hebben het al druk en het is net nog erger geworden, chef.
Een van hun onderzoekers is gisteravond vermoord, een paar
straten verder, terwijl ik daar was. De afdeling moordzaken
van het bureau van de sheriff was bezig met ondervragingen.'
'Ik ken een paar van die jongens. Wie was het?'
'Hij heette Bobby,' zei Reed.
'Bob Norchow?'
'Nee, iets Spaans.'
Milo schudde zijn hoofd. 'Wat gebeurde er?'
'Voor zover ik begrepen heb, was het een poging tot een overval
die verkeerd liep. Het is een ruige buurt, blijkbaar is er niemand
veilig... hoe dan ook, ik heb de tijd, chef. Nog iets anders?'
'Nu je het vraagt, ik probeer een tip na te trekken die binnen-
kwam vanuit een telefooncel op Venice Boulevard, jouw oude
stek. Wie zou ik moeten bellen op Pacific?'
'Brigadier Sunshine is oké.'
'Sunshine,' zei Milo. 'Hoop dat hij wat zonneschijn brengt op
deze verdomde dag.'

Brigadier Patrick Sunshine raadde Milo aan om te spreken met de wagen die dat deel van Venice bestreek.

Een agent op patrouille met de naam Thorpe nam op. 'Dat is een van de laatste munttelefoons die nog werkt, vooral gebruikt door zwervende junkies. En soms meisjes van de straat, als ze niet te veel uren willen maken.'

Milo zei: 'Mijn tipgever was een man. Ouder, of hij probeerde zo te klinken. Verwees me naar iemand die Monte heet.'

'Monte,' zei Thorpe. 'Nee, gaat geen belletje rinkelen. Hoe laat kwam de tip binnen?'

Milo controleerde het nog erg dunne moorddossier. 'Net na zes uur 's avonds.'

'Dat zou iedereen kunnen zijn. Wilt u dat ik rondvraag?'

'Dat zou geweldig zijn, bedankt.'

'Telefooncel,' zei Thorpe. 'Dat ding loopt op zijn laatste benen, wordt vast gauw gesloopt door de telefoonmaatschappij, net als alle andere.'

16

Ik werd wakker om vier uur 's ochtends, vol inspiratie. Een paar minuten later zat ik achter mijn computer.

Vijf uur later was ik op weg naar Milo's kantoor.

Hij zat niet achter zijn bureau. Een verslag van het laboratorium voor vingerafdrukken lag naast het moorddossier. Desmond Backers latente vingersporen waren aangetroffen op een muur van het torentje, net rechts van de bovenste trede en vlak bij de onderkant van een raamgat. Brigid Ochs, die nog altijd geregistreerd stond als Anonyma 014, had afdrukken van haar handpalm achtergelaten op de vloer.

Die van Backer konden verklaard worden als het zoeken naar houvast, terwijl hij de krakkemikkige trap beklom om van het uitzicht te genieten.

De enige verklaring die ik voor de hare kon vinden was een seksuele positie.

Milo sjokte naar binnen, met een beker koffie in zijn hand.
'Morgen.'
'Jij ook een welgemeend drie-keer-niks.' Hij ging zitten en dronk zijn koffie. 'Niemand toont de geringste bereidheid om me te vertellen wie DSD is en ik kan geen rechter vinden die daar iets aan wil doen. Hal belt niet terug, wat ik niet van hem gewend ben, geen wapens geregistreerd op de naam van Charles Rutger, behalve vuursteengeweren en musketten die in de categorie antiek thuishoren. Hij is misschien getikt, maar is nooit in criminele problemen geweest. Het lab heeft afdrukken van de plaats delict gestuurd, maar ze zeggen niet veel.'
'Ik heb net het rapport gelezen.' Ik stelde mijn interpretatie voor.
'Dat klinkt redelijk.' Zijn telefoon ging over en hij zette hem op speaker. 'Sturgis.'
Een vrouw zei: 'Dit is dokter Jernigan van de lijkschouwer. Ik moest u terugbellen.'
'Bedankt voor het terugbellen, dokter. Ik vroeg me af of u de kans heeft gehad om lijkschouwing te verrichten op mijn slachtoffers.'
'De dubbele moord in Holmby?' zei ze. 'Geweerschot voor de man, wurging voor de vrouw.'
'Dat was snel, bedankt.'
'Er is geen lijkschouwing verricht,' zei Jernigan. 'Was niet nodig. We hebben ook naar sporen van een seksueel delict bij de vrouw gezocht, niets gevonden.'
'Dus het sperma op haar been...'
'Welk sperma?'
'Er was een vlek op haar been. Ik zag het op de plaats delict.'
'Niet toen ik het lichaam onderzocht. Hoe weet u dat het sperma was?'
'Ik ben geen expert...'
'Precies.'
'Was het iets anders, dokter?'
Stilte. 'Er was geen enkele vlek, inspecteur. Het spijt me, maar ik moet nu verder.'
'En een lijkschouwing vond u niet nodig,' zei Milo.
'Ik doe dit werk al heel wat jaren, inspecteur, dus u weet dat

we niet snijden als het niet nodig is. Ik heb van allebei röntgenfoto's gemaakt. Er zit een kogel in zijn hoofd die we zo snel mogelijk zullen verwijderen, geen metaal in haar en scheuren op alle voor de hand liggende plekken. Wat er ook gezegd wordt over een afname aan criminaliteit, wij verdrinken hier in het werk, omdat de hoge heren weigeren meer personeel aan te nemen en de lichamen nog altijd sneller binnenkomen dan we ze kunnen verwerken. Twintig minuten geleden kreeg ik vier kinderen van een brand in een huis in Willowbrook. En die moeten wel geopend worden om te controleren of er roet in de longen zit. Je kunt erop vertrouwen dat we uw zaak serieus opvatten en de kogel zal verwijderd worden.'

'Oké, bedankt. Het spijt me van Bobby.'

'U kende Bobby?'

'De enige Bobby die ik ken is Bobby Norchow.'

'Norchow is vorig jaar met pensioen gegaan, dit is Bobby Escobar. Slimme jongen, was een paar jaar bij ons en vertrok toen om een diploma biologie te halen aan de California State University.'

'Ik hoorde dat hij vlak bij het lijkenhuis werd neergeschoten.'

'Een paar straten verder, een stuk braakliggend terrein dat in feite eigendom is van de provincie,' zei Jernigan. 'Hij was hier om te werken, we gaven hem wat ruimte zodat hij rust had. Hij had drie kleine kinderen, er was ook een baby bij.'

'Klote.'

'Klote, inderdaad. Drie jaar lang doorzoekt hij hier de broekzakken van de lijken, nu is hij er zelf een.'

'Hoe verloopt het onderzoek?'

'De sheriff heeft een paar nieuwe rekruten met de zaak belast en ze houden het op een verkeerd gelopen overval – zeg, kunnen we geen deal maken? U lost Bobby op en dan krijgt u de komende vijf jaar alle lijkschouwingen die u wilt, zelfs als het lichaam het niet waard is.' Haar stem werd zachter. 'Ik wou dat ik geen grapje maakte. Tot ziens, inspecteur.'

Hij hing op, rekte zijn nek uit en bracht geknap en gekraak voort. 'Welkom in mijn wereld.'

Ik zei: 'Misschien kan ik je opvrolijken. Sranil.'

'Wat is dat?'

'Een eiland vlak bij Indonesië waar veel olie zit.'

'Nooit van gehoord. En?'

'De regering is een van de cliënten van Masterson – een belangrijk medisch centrum is op dit moment in de ontwerpfase. Aangezien iedereen geïntimideerd blijkt te zijn door de geheimhoudingsverklaringen en de geruchten dat DSD uit het Midden-Oosten komt, ben ik gaan zoeken naar oliebaronnen die in de laatste tien jaar in Los Angeles hebben gewoond, met Masterson als tweede zoekterm. Er kwamen geen Arabieren bovendrijven, maar wel Aziatische royalty: prins Tariq van Sranil, ook wel bekend als Teddy. Volgens de laatste telling van Forbes is zijn oudere broer, de sultan, twaalf miljard waard. Het is een moslimland, dus misschien is dat de oorzaak van de verwarring. Volgens de verhalen op internet kwam Teddy hier vijf jaar geleden om rechten te studeren, werd ongeveer twee jaar geleden teruggeroepen naar Sranil. Dat correspondeert precies met het bouwplan van Borodi.'

'Waarom werd hij teruggeroepen?'

'De meeste verhalen vertellen dat hij te veel feestvierde, te veel van het geld van zijn broer uitgaf. En wat dacht je hiervan: de naam van de sultan is Daoud – hij is de zesde van zeven Daouds in de Koninklijke lijn – en de officiële naam van zijn paleis is Dar Salaam Daoud.'

'DSD. Heb je een volledige officiële naam voor Teddy?'

Ik haalde mijn aantekeningen tevoorschijn. 'Tariq Bandar Asman Ku'amah Majur.'

Hij draaide rond in zijn stoel en logde in in de database van de politie. 'Alsof we hem hier zouden gaan vinden – kijk nou eens! Hij staat nog altijd in de boeken voor... ik tel zesentwintig parkeerboetes en drie snelheidsovertredingen. De meeste op de Strip... hier is er een in Beverly Hills – North Beverly Drive, nog een op Rodeo, Dayton, het winkelcentrum... vijf verschillende voertuigen: Ferrari, Lamborghini, Rolls-Royce... vraag me af waarom hij er niet onderuit probeerde te komen door te schermen met diplomatieke onschendbaarheid.'

'Misschien vond hij het niet de moeite waard. Of misschien werd hij teruggeroepen naar huis voordat de verkeersnazi's achter hem aan kwamen.'

'Te veel speelgoed, hè? En de sultan beheert zijn portemonnee?'
'Zo lijkt het, en er is misschien ook een botsing van karakters. De sultan is erg gelovig, legt een zekere matigheid aan de dag voor iemand die zo rijk is.'
'Maar zes Rolls-Royces?'
'Drie, volgens de koninklijke website,' zei ik. 'En twee ervan zijn oldtimers die hij geërfd heeft van zijn grootvader. Maar we hebben het hier niet over een sober leven. Het koninklijke paleis is iets uit een sprookjesboek – een soort van Taj Mahal met anabole steroïden.'
'Dus met een torentje?'
'Een heleboel torentjes. Volgens de koninklijke website opent de sultan het paleis meerdere keren per jaar voor het publiek. Hetzelfde geldt voor zijn jacht – wordt gebruikt voor benefietfeesten voor liefdadigheidsacties. En een flink percentage van de oliewinsten wordt teruggesluisd naar infrastructuur en ziekenhuizen. Het waarheidsgehalte daarvan kan ik niet beoordelen, omdat de persvrijheid er nul is. Maar de sultan zou goede redenen kunnen hebben om zijn rijkdom te delen. Twee concurrerende rebellengroepen kamperen in de jungle van Indonesië en proberen allebei zijn fossiele brandstoffen in handen te krijgen. De ene bende denkt dat hij niet religieus genoeg is, de andere bestaat uit maoïsten. Tot dusver zijn ze vooral bezig geweest om elkaar te onthoofden, maar het kan geen kwaad om voorzichtig te zijn.'
'Brood en spelen,' zei hij. 'De losbandigheid van broer Teddy zou wel eens slecht kunnen zijn voor de beeldvorming.'
'Vandaar dat ze aandrongen op geheimhouding. Het is duidelijk in het belang van Masterson de sultan tevreden te houden. Het project in Sranil is een van hun allergrootste: een enorm medisch complex, een medische school, de meest vooraanstaande onderzoekslaboratoria, luxe woontorens voor geïmporteerde dokters en verpleegkundigen. In feite een complete stad die draait om medische zorg. De eerste fase is een oncologisch centrum. Ik heb het oude hoofd van mijn departement bij Western Pediatric gebeld en hij is toevallig naar Sranil geweest als adviseur. Beschreef het eiland als een vreemde plek – wolkenkrabbers die oprezen uit het zand, alles angstaanjagend

schoon en strak georganiseerd, maar in de jungle in het binnenland leven nog altijd betrekkelijk primitieve stammen. Hij vertelde me ook dat de sultan persoonlijke motieven heeft voor dat kankercentrum: bij een van zijn kinderen is kort na de geboorte een neuroblastoom geconstateerd. Het werd naar Engeland gestuurd voor behandeling, maar overleed. Er is geen reden om te denken dat een van zijn andere kinderen ziek zal worden, maar de sultan is voorzichtig.'

'Steun je familie, koop meteen wat internationaal aanzien, hou de wilden weg van je drempel,' zei hij. 'En wat doet prins Teddy tegenwoordig om zijn tijd te vullen?'

'Sinds hij is teruggekeerd, is er niets meer van hem vernomen.'

Is er nog iets van een verklaring gevonden waarom het landgoed op Borodi niet verkocht is?'

'Misschien is de sultan er nog niet aan toegekomen.'

'Als je twaalf miljard hebt,' zei hij, 'wat doet twintig miljoen er dan nog toe?' Hij zwaaide zijn voeten van het bureau. 'Interessant, Alex. Bedankt, ik stel het op prijs. De vraag is – '

'Heeft het iets met de moorden te maken?'

Een klop op de deurstijl maakte dat we ons allebei omdraaiden.

Moe Reed zei: 'Ik heb misschien iets gevonden over DSD.'

Milo zei: 'Dar Salaam Daoud.'

Reeds ogen werden groot. 'Dus je weet al van de moord.'

'Welke moord?'

'De vent die het landgoed op Borodi bezat.' Hij bladerde door zijn blocnote. 'Tariq Asman zou iemand hebben vermoord. Als mijn bron betrouwbaar is.'

Milo wierp een blik op de jonge rechercheur. 'Ik zou je bijna vragen om binnen te komen, maar je hebt te veel aan gewichtheffen gedaan en jouw biceps passen er niet meer in.'

Met z'n drieën gingen we naar een lege verhoorkamer, waar nog steeds een geur van intimidatie hing. Milo controleerde of het opnameapparaat uitgeschakeld was, schoof de tafel naar het midden van de kamer, trok de gordijnen dicht voor de spiegel.

'Laat maar horen, Moses.'

Reed zei: 'Ik heb ambassades gebeld in DC en kwam geen stap verder, totdat ik de Israëlische ambassade belde, waar iemand blafte: 'DSD? Dat is niet Arabisch, dat is Sranil.' Toen ik vroeg wat Sranil was, hing hij op. Dus zocht ik op het internet, ontdekte wat Sranil was. En dat de Indonesiërs er niet van houden, zich zorgen maken dat het ooit als basis voor opstandelingen zou kunnen worden gebruikt. Dus ik bedacht dat ik daar misschien mijn voordeel mee kon doen en ging naar het Indonesische consulaat. Ze hebben kantoorruimte in een gebouw in Mid-Wilshire, je ziet er aan de buitenkant niets van. Achter de balie zaten allemaal leuke meisjes, vriendelijk, glimlachend, een en al attentie, beweerden dat ze nooit van Sranil hadden gehoord. Ik ga weg, ik kom bij mijn auto, rent een van die meisjes naar buiten en zegt tegen mij: 'Ik zal je er iets over vertellen, maar kom niet terug.' Heel zenuwachtig, ze had haar identiteitsbadge afgedaan. Hoe dan ook, ze maakte duidelijk dat ze niet van de Sranil-stam hield, het waren barbaarse heidenen voordat het moslims werden, de sultan doet alsof hij een of andere rechtschapen religieuze vent is, en ondertussen verdoezelt hij het gedrag van zijn broer Tariq, die een enorme klaploper is. Daarvoor bent u toch hier, zei ze. Dat verraste me, maar ik zei dat ze gelijk had. Toen kreeg ze echt de smaak te pakken, vertelde me dat er een gerucht was dat Tariq een of ander buitenlands feestmeisje in Los Angeles heeft vermoord, het werd in de doofpot gestopt, hij ging ervandoor. Ik probeerde meer details te weten te komen, maar ze zei dat ze niets uit de eerste hand wist, alleen geruchten die ze gehoord heeft.'
'Waar gehoord?'
'Hier en daar,' zei Reed. 'Dat was alles wat ze wilde zeggen.'
'En ze hield niet van Sranil.'
'Dus het zou kunnen dat ze hen belastert, zeker. Op het internet kon ik niets over een moord vinden.'
'En met een buitenlands meisje wordt niet-Aziatisch bedoeld?' zei Milo.
'Europees, ze dacht Zweeds, maar kon het niet zeker zeggen. Denkt u dat het iets betekent, chef?'
Milo bracht hem op de hoogte van mijn onderzoek.

'Interessant,' zei Reed. 'Maar ik zie nog geen opvallend verband met de moorden op Borodi.'

'Ik ook niet, Moses, maar dat ons vrouwelijke slachtoffer neusde in de dossiers van Masterson en dat Masterson onder één hoedje speelt met de regering van Sranil is een begin. Laten we proberen uit te vinden of er iets van waarheid steekt in het gerucht over prins Tariq. Eens kijken naar onopgeloste moorden gedurende de periode dat hij in Los Angeles woonde. We moeten het net wijd uitspreiden, maar ons richten op buitenlandse vrouwelijke slachtoffers.'

Ik zei: 'Ons vrouwelijke slachtoffer zag er goed uit. Ze had best een feestmeisje kunnen zijn.'

'Een vriendin van het slachtoffer,' zei Reed. 'Misschien is ze zelf buitenlands en heeft ze daarom een valse identiteit aangenomen – het zou iets met immigratie te maken kunnen hebben.'

Milo zei: 'Afgaande op haar goedkope kleren was het feestje misschien voorbij, of misschien probeerde ze een grote slag te slaan. Het terrein op Borodi had in elk geval haar belangstelling. Ze ging er niet alleen met Backer naartoe, maar ze is ook gezien terwijl ze daar alleen rondhing.'

'Wat als het bouwterrein een voormalige plaats delict was, chef? Tariq bracht er een meisje naartoe en er ging iets mis – zou zelfs een ongeluk hebben kunnen zijn, ze valt van de trap of uit een van de raamgaten. Of hij is echt een klootzak. Hoe dan ook, hij is ervandoor, maar Brigid weet wat er gebeurd is, besloot om er haar voordeel mee te doen.'

'Als ze wist waar het gebeurd was, waarom moest ze dan in de dossiers neuzen?'

'Oké, misschien wist ze wel van het terrein, maar had ze meer details nodig,' zei Reed. 'Of ze was op zoek naar ander onroerend goed dat Tariq bezat, omdat ze dacht dat hij terug zou kunnen komen en ze hem dan zou kunnen benaderen.'

Ik zei: 'Het zou met chantage te maken kunnen hebben, maar ook met persoonlijke redenen. Het wreken van een vriendin. Dat zou kunnen verklaren waarom ze Backer meenam daarnaartoe om seks te hebben.'

Milo zei: 'Fuck you, Tariq. Bij wijze van spreken. Maar ze werden gezien. Met twaalf miljard moet het niet moeilijk zijn om een tophuurmoordenaar in dienst te nemen. De sultan heeft zijn kleine broertje al uit één moordzaak gered, dus wat doen nog een paar moorden op tienduizenden kilometers afstand ertoe?'

Reed zei: 'Bovendien is hij een dictator, gewend om zijn zin te krijgen.'

Ik zei: 'Een dictator die zijn paleis opent voor de boeren, omdat hij weet dat zijn macht op drijfzand is gebaseerd. Als er een schandaal zou komen over de moord van Teddy op een meisje, een moord die in de doofpot werd gestopt, zouden de fundamenten van zijn paleis wel eens snel kunnen verzakken.'

Milo stond op en beende rond. 'Het is een geweldig verhaal en ik hoop van harte dat het niet klopt, want hoe zouden we ooit zo iemand kunnen pakken? Bovendien blijft de grote vraag: als Borodi een plaats delict was, waarom heeft de sultan het dan niet van de hand gedaan? En waarom zou hij het dan parttime laten bewaken door een lamme, ongewapende sul?'

Reed zei: 'Wat als het lichaam daar begraven ligt?'

'Des te meer reden, Moses. Graaf het op, dump het, ga ervandoor. Waarom zou je dat landgoed nog aanhouden?'

Reed had daar geen antwoord op en ik ook niet.

Ik haalde mijn mobiele telefoon tevoorschijn. Een paar seconden later hing ik op, na een kil gesprekje met Elena Kotsos. 'Ze weet zeker dat Brigid niet Europees was. Door en door Amerikaans. Blijkbaar bedoelt ze dat als een belediging.'

Milo ging weer zitten. 'Moses, spreid het net maar uit naar de gehele staat. En bedankt dat je hiermee gekomen bent. Je hebt goed werk geleverd.'

'Gewoon mijn baan, chef.'

'Hé, jongen, vergeet niet wat ik altijd zeg.'

'Accepteer alle complimenten en negeer de verwijten.'

'Beter dan prozac, jongen. En nu aan de slag.'

17

Milo zocht op internet naar afbeeldingen van de sultan en prins Tariq.

Twee tamelijk kleine mannen die op elkaar leken, met jongensachtige gezichten, een kuiltje in de kin en dunne, precieze snorren. In vol ornaat, allebei glimlachend. Vastberadenheid in de ogen van de sultan. Onrust in die van zijn broer, ondanks de volmaakt witte tanden die hij tentoonstelde.

Milo maakte een print en ging verder met surfen. *vrouwelijk scandinavisch moord slachtoffer v.s.*

Een jonge vrouw uit Göteborg, die al drie jaar vermist was, zag er veelbelovend uit. Inge Samuelsson had gewerkt als een barmeisje in verschillende Europese en Aziatische steden, probeerde Las Vegas, verdween. Maar de laatste meldingen bevatten goed nieuws: ze was opgedoken in Nieuw-Zeeland, woonde in een commune en paste op de schapen.

'Die heeft mazzel,' zei Milo. 'De South Pacific en al dat wolvet erbij.'

De telefoon ging. Sean Binchy zei: 'Hé, chef, eindelijk werknemerslijsten losgekregen bij Beaudry. Ik liep tegen een muur op, totdat ik dreigde met naar de pers te stappen en de hele zaak Constructiongate te noemen.'

'Creatief, Sean.'

'Eigenlijk maakte ik een grapje, maar ze hapten toe. Een paar mannen in pakken verdwenen in een kantoor en zij moeten een advocaat gebeld hebben, want toen ze naar buiten kwamen verklaarden ze dat de geheimhoudingsovereenkomst niet gold voor onderaannemers. Ze zouden me namen geven als ze die vonden, maar het zou even duren, er was geen centrale lijst. Ik zei: jullie doen projecten voor de regering, ik heb vrienden bij de belastingdienst die erg geïnteresseerd zijn in illegalen die in de bouw werken. Toen gingen ze terug om het nog eens na te kijken en zeiden ze: kijk nou eens, we hebben toch een lijst. Het probleem is dat ze al hun oude archieven bewaren in Costa Mesa. Ik ben daar nu naartoe op weg, maar met dit verkeer gaat het even duren.'

'Tijd voor wat ska punk, Sean.'

'Sorry?'

'Draai een cd'tje, ga terug naar je roots. Maakt het werk wat lichter.'

'Ik heb een heleboel gedownload. Third Day, MercyMe, Switchfoot. Dat is allemaal gelovige muziek, chef.'

'Ik zou zelf nu wel wat geloof kunnen gebruiken, Sean.'

Milo ging terug naar het scherm en breidde zijn zoekvraag uit naar vrouwelijke slachtoffers in heel Europa, had vergeefs een hele lijst doorgeploegd toen Delano Hardy zijn hoofd om de deur stak en hem een briefje overhandigde. 'Zat in mijn bakje.'

'Bedankt, Del.'

'Waarom ik jouw troep krijg snap ik niet, we zitten in alfabetische volgorde niet echt naast elkaar.'

'Het gebeurt vaker?'

'Vorige week,' zei Hardy. 'Een stapel verzoekbrieven voor die fictieve liefdadigheidsfondsen die doen alsof ze geld inzamelen voor agenten en brandweermannen. Direct weggegooid.'

'Nogmaals bedankt, Del.'

'Hé, jij zou toch hetzelfde voor mij doen!'

Hardy ging weg en Milo las het briefje. Ging overeind zitten, stompte in de lucht en zei: 'De oogsttijd is begonnen! Backers zus Ricki is terug uit Yosemite en wil praten.'

Ik zei: 'Ah, het reces is voorbij.'

Aan de stem van Ricki Flatt was te horen dat ze slecht nieuws had verwacht, maar niet zo slecht.

Milo probeerde zo meelevend mogelijk te zijn, maar er is geen gemakkelijke manier en ze huilde lange tijd. Hij strekte zijn arm uit om het volume omlaag te draaien van de luidspreker, maar die stond al op laag.

Ze zei: 'O, god, Desi. Ik begrijp het niet. Was het een overval? Iets toevalligs?'

Ik was er zeker van dat ze gespannen raakte bij het woord 'toevallig'.

Milo hoorde het ook; hij trok zijn wenkbrauwen op. 'We proberen de zaken nog steeds op een rij te zetten, mevrouw Flatt,

dus alles wat u ons zou kunnen vertellen zou erg welkom zijn.'
'U bent in Los Angeles. Wat zou ik u kunnen vertellen?'
'Had uw broer vijanden, mevrouw?'
'Natuurlijk niet.'
Haar stem ratelde de hoogte in bij 'niet'.
'Mevrouw Flatt, uw broer stierf niet alleen. Er was een vrouw bij hem en we hebben haar nog steeds niet geïdentificeerd. Als we zouden weten wie ze was, zou dat het onderzoek versnellen. Ik weet dat dit een moeilijke tijd voor u is, maar als ik haar foto zou kunnen scannen en naar u mailen, dat zou zeker helpen.'
'Natuurlijk, doe maar,' zei Ricki Flatt. 'Ik zit hier en verroer me niet. Zelfs niet om uit te pakken.'

Tien minuten later: 'O, mijn god, dat is Doreen!'
'Doreen wie?'
'Wat was haar achternaam... Doreen... Fredd. Met twee d's, geloof ik. Hoewel ik u niet zou kunnen vertellen waarom ik me dat herinner. Zij en Desi kenden elkaar nog van school. Toen we in Seattle woonden, waar Desi en ik opgroeiden. Haar neus is anders – kleiner – maar ze is het echt.'
'Was er iets van romantiek tussen hen?'
'Ze waren eerder vrienden, maar ik zou het eigenlijk niet kunnen zeggen. Ik ben drie jaar ouder dan Desi, bemoeide me niet met zijn persoonlijke zaken.'
'Doreen Fredd.' Milo toetste de naam in in de databases. 'Wat kunt u me nog meer over haar vertellen, mevrouw Flatt?'
'Zij en Desi gingen vaak samen wandelen. Dat deden ze allemaal – een groep jongelui, ze gingen er graag op uit. Op een keer, toen ik al studeerde en thuis was voor de vakantie halverwege het semester, kwam Desi binnen met zijn wandelgroep en Doreen had gifsumak, of een of andere hele erge uitslag. Onze vader verzorgde haar, hij was brandweerman en getraind in eerste hulp – maar dat wilt u allemaal niet weten. U zegt dat Desi iets met haar had in Los Angeles?'
'Er lijkt een romantische connectie te zijn.'
'Doreen,' zei ze. En ze is ook... mijn god.'
'Nog iets anders dat u ons zou willen vertellen, mevrouw Flatt?'

'Niet echt.' Een gespannen stem, voor de derde keer.

'Helemaal niets, mevrouw?'

Stilte.

'Mevrouw Flatt?'

'Wat is er met Desi gebeurd, had het iets met politiek te maken?'

Milo ging rechtovereind zitten. 'Hoezo politiek?'

'Laat maar, ik klets maar wat. Hebt u me nodig om het lichaam te identificeren, inspecteur?'

'Nee, mevrouw, we weten dat het uw broer is en we kunnen het verifiëren aan de hand van foto's, maar ik zou graag willen dat u nog iets meer vertelde over...'

'Ik kom wel,' zei ze. 'Om dingen... te regelen. Ik heb het eerder gedaan. Mijn ouders. Ik had nooit gedacht dat ik het voor mijn kleine broertje zou moeten doen – hoe hebt u Desi met mij in verband gebracht?'

'Ingesproken berichten, mevrouw.'

'O. Dat moet gebeurd zijn op de momenten dat Desi belde om met Sam te spreken – mijn dochter. Als ik een vlucht kan krijgen, vertrek ik vanavond, inspecteur... ik moet even nagaan of Scott daarmee akkoord is. O, god, ik zal het aan Sam moeten uitleggen. Dit is zo onwerkelijk.'

'Mevrouw Flatt, zoudt u misschien uw laatste opmerking over het politieke karakter kunnen toelichten?'

Stilte.

'Mevrouw?'

'Laten we dat bespreken als ik er ben, inspecteur. Ik moet nog zoveel dingen doen.'

NCIC had niets te zeggen over Doreen Fredd. Net zomin als DMV, de sociale dienst of enige andere haven in cyberspace.

'Nog steeds een spook.' Milo logde uit. 'En zus Ricki begint zich in allerlei bochten te wringen bij iets politieks. Dit begint allemaal heel erg te stinken, Alex.'

Hij pakte zijn telefoon en toetste de cijfers zo hard in, dat het apparaat wegsprong. 'Hal, dit is Milo. Voor de derde keer. Ligt het aan mijn adem of ben jij op kosten van de belastingbetaler een of ander peperduur snoepreisje aan het maken en heb je geen tijd om de lokale bevolking te helpen? Ik heb eindelijk

een naam voor mijn Anonyma, niet dankzij jou. Doreen *Fredd.*'
Hij speldde de naam met intense, razende articulatie. 'En je
raadt het nooit, Hal, zelfs nu is ze nog steeds een spook, we
hebben niet eens een burgerservicenummer. Dus nu begin ik
me af te vragen of het alleen maar slordigheid is dat je me niet
terugbelt of dat het een zaak is van proactief bedrog. En dat is
flauwekul, Hal. Ik heb nog heel wat van je tegoed vanwege die
Aeromexico-zaak en ik heb je nu nodig. Alles in de naam van
God, het vaderland, en mijn goede relatie met het hoofd, Hal.
Dat niet graag zal horen hoe goede daden weer eens niet on-
bestraft zijn gebleven.'
Bam. Hij zakte ineen. 'Klaar voor mijn close-up, regisseur.'
Ik zei: 'Goede relatie met het hoofd?'
'De federale regering weet iets van toekomende rechten. Het
doel heiligt de middelen. Politiek... de voor de hand liggende
connectie is Teddy, maar wat zou een pas afgestudeerde ar-
chitect in godsnaam te maken kunnen hebben met Sranil?'
'Misschien deed hij vroeger iets anders.'
'Wat dan, superspion?'
'Iets politieks,' zei ik. 'Of misschien, gezien zijn libido, had hij
feestgevierd met de vrouw die Teddy's slachtoffer zou zijn geweest, een vrouw die hij ontmoette via Doreen. Samen bedachten ze het chantageplan, oefenden een beetje te veel druk
uit en betaalden er een hoge prijs voor.'
'Nogal stom om te denken dat ze iemand konden aanpakken
die zo machtig was.'
'Hoe vaak heb jij in je baan te maken met slimme mensen, ouwe reus? En de betrokkenheid van Backer zou kunnen verklaren hoe Brig... Doreen bij Masterson terechtkwam. De naam
van Teddy verschijnt nergens in de papierwinkel van Borodi,
maar dat designblad had het over de betrokkenheid van de firma bij een pied-à-terre voor een buitenlandse eigenaar. Backer
was een architect, dat is zijn soort van blad.'
'Hij trekt de achtergrond na, Doreen werkt zich naar binnen
om de details te krijgen. Op de een of andere manier zenden
ze samen een boodschap naar Tariq of naar de sultan, een van
die twee pakt de telefoon en een lokale huurmoordenaar kan
aan het werk.'

'Of misschien zelfs iemand die voor die klus wordt ingevlogen.'
'Wat een domheid,' zei hij. 'Om te denken dat ze met de grote jongens konden spelen. En dan hebben ze het lef om daar nog eens naartoe te gaan om plezier te maken onder de sterren. En daarmee het nest van de rijke stinkerd nog wat te bevuilen. Freud heeft daar waarschijnlijk wel een naam voor, of niet?'
'Die Revanche.'
Zijn strakke lippen weken van elkaar, vormden iets wat op een glimlach leek. Hij toetste zijn mentale deleteknop in en werd weer bloedserieus. 'Desi en Doreen die bomen knuffelen. En een plannetje bedenken.'

18

Om tien voor halfzeven, net toen we weggingen om te eten, kwam John Nguyen binnenvallen.
De plaatsvervangend officier van justitie was gekleed voor de rechtbank in een marineblauw krijtstreeppak, wit overhemd, blauwe das en een speldje van de Amerikaanse vlag op zijn revers. Vier bewijsdozen waren opgestapeld op een steekwagentje. Nguyens postuur was even recht als altijd, maar hij keek terneergeslagen.
'John, wat is er aan de hand?'
Nguyen maakte de bovenste doos open, haalde een stapel prints tevoorschijn en liet die op Milo's bureau vallen. 'De financiële gegevens van meneer en mevrouw Holman. Ik heb wat van je tegoed.'
Milo bekeek het bovenblad. 'Hoe heb je dat voor elkaar gekregen?'
'Ben al drie dagen achter elkaar met een overval annex groepsverkrachting bezig, gloednieuwe rechter, met een absolute voorkeur voor onze kant, dus ik gokte dat ze met jouw vergezochte logica zou meegaan.'
Hij likte aan een vinger en trok een verticale streep door de

lucht. 'Eén punt voor John Nguyen. Ik heb een van mijn gewillige nieuwe stagiaires zover gekregen om alles erdoor te drukken bij de bank. Ik wil er wel even op wijzen dat dat normaal gesproken jouw verantwoordelijkheid is, niet de mijne en dat het bovendien ver beneden mijn salarisschaal ligt. Maar jij hebt extra tijd gestoken in het proces rond de moerasmoorden, dus beschouw het maar als een vroeg kerstcadeau.'

Milo bladerde erdoorheen. 'Jouw surprise is onderweg, John. Zie nog niets interessants.'

'Omdat dat er ook niet is,' zei Nguyen. 'Hij is een professor met pensioen, zij is een onbekende architect, hun inkomen, uitgaven, pensioenregeling enzovoort. Ze zijn allemaal in overeenstemming met een voorzichtige, verantwoordelijke levensstijl. Dat betekent dat ze waarschijnlijk hun huis en hun ziektekostenverzekering kunnen behouden als ze niet *echt* ziek worden of te vaak buiten de deur eten.'

'Is dit echt alles, John?'

'Bedoel je of er nog een geheime bankrekening is om huurmoordenaars van te betalen? Hun budget is strakker dan dat van mijn ex-vrouw… laat maar.' Nguyen liep naar de deur. 'Ik kan een rechter wel naar een dwangbevel leiden, jongen, maar ik kan niet voorkomen dat het stinkt.'

We liepen een paar straten verder naar Café Moghul, de Indiase tent die dient als uitbouw van Milo's kantoor. Hij geeft er enorme fooien, eet dramatische hoeveelheden en gedraagt zich over het algemeen als een humeurige waakhond, maar de eigenaars zijn ervan overtuigd dat dat een beschermende werking voor de zaak heeft. De bebrilde vrouw die bedient, straalt altijd als hij naar binnen sjokt. Ze begint het eten al op te stapelen voordat zijn stoel opgewarmd is.

Vanavond was er lam, rund, kreeft, drie soorten *naan*, een hele moestuin aan groenten.

Hij boog zich erover alsof hij een enorme culinaire puzzel ging oplossen.

Ik zei: 'Gegroet, o Sultan van West Los Angeles.'

Hij veegde de saus van zijn gezicht. 'Je moet beter op je topografie letten, radja. Voor een kort assepoester-moment.'

'En dan verschijnt de pompoen?'
'En dan zijn we weer terug bij paria.'

Halverwege zijn vierde kom zoete *kir*-rijstpudding liep Sean Binchy naar binnen, even stralend en vrolijk als altijd.
'Geef me wat goed nieuws, jongen, dan mag je mee-eten.'
'Nee, bedankt, chef, Becky kookt vanavond en dat is altijd een traktatie. Het is meer een geval van goed en slecht nieuws. Ik heb een heleboel namen gekregen van bouwvakkers, maar geen Monte of iets wat daarop lijkt.'
'Wat is het goede nieuws?'
'Ik ga het met uiterste zorg analyseren.'
Gezegd met absolute oprechtheid.
'Dat is geweldig, Sean.'
Binchy zei: 'Om te beginnen alles met een M en als dat niets oplevert, controleer ik elke naam op een strafblad. Zoals u altijd zegt, de schildpad is sneller dan de haas.'
Hij vertrok.
Milo zei: 'De schildpad wordt soms geplet door een tientonner op het midden van de weg, maar zorg vooral dat je dat geloof behoudt, jongen.'

Hij belde me om acht uur de volgende ochtend. 'Zus Ricki wordt over een uur in mijn kantoor verwacht.'
'Ik zal er zijn.'
'Ik dacht dat je misschien ook wel wilde weten dat Doreen Fredd een echt bestaand persoon is. Ik heb gisteravond stamboomsites doorzocht, vond een verre neef in Nebraska, e-mailde de foto. De familie heeft Doreen al jaren niet gezien, maar bevestigde dat ze naar Seattle werd gestuurd toen ze een tiener was. Stout meisje, kwam uiteindelijk op een internaat terecht.'
'Waarom Seattle?'
'De familie komt oorspronkelijk uit Tacoma, waar Doreens vader werkte bij een benzinepomp en moeder bediende was in een winkel in levensmiddelen. Aardige mensen, volgens de neef, maar enorme zuipschuiten, geen sprake van ouderlijk toezicht. Doreen begon al heel jong met weglopen. Uiteindelijk verklaarde de rechtbank dat ze onverbeterlijk was. Het internaat

werkte een tijdje, maar daar ging Doreen er ook vandoor. Ze verdween van de kaart, niemand heeft in al die tijd van haar gehoord, ze was enig kind en allebei de ouders zijn dood.'

'Bestaat het internaat nog?'

'Het is er nog, maar het is een stuk of zes keer van eigenaar veranderd, er is geen personeel meer uit de tijd dat Doreen er was, alle oude bestanden zijn vernietigd. Dat ze optrok met Des Backer snap ik trouwens wel. Ik heb de woonplaats van zijn ouders getraceerd: in het zuiden van Seattle, maar een paar straten van het internaat. Leuk meisje, leuke jongen, chemie, kaboem.'

'Een chemie die jaren later nog werkte,' zei ik. 'Maar die toen het verkeerde soort van explosie voortbracht.'

Ik was op tijd voor de ontmoeting met Ricki Flatt, trof haar in gesprek met Milo.

De zus van Des Backer leek overmand door verdriet en vermoeidheid. Lang, krullend haar was zonder zorg achter haar hoofd samengebonden. Ze droeg een te grote grijze sweater, die niet paste bij het weer, een spijkerbroek met hoge taille, witte tennisschoenen. Haar rechterschouder hing omlaag door het gewicht van een enorme, rookkleurige canvas handtas. Een weekendtas in een bijpassende tint stond op de grond.

Milo tilde de koffer op en leidde haar naar dezelfde kamer die we hadden gebruikt voor de krijgsraad met Moe Reed. Hij bood haar koffie aan, iets te eten.

Ze beroerde haar buik. 'Ik zou niets binnen kunnen houden. Vertel me alstublieft wat er met mijn broer gebeurd is.'

'Meneer Backer en Doreen Fredd zijn vermoord gevonden in een onafgebouwd huis in een buurt die Holmby Hills heet. Ooit van gehoord?

'Nee.'

'Uw broer heeft Holmby Hills nooit genoemd?'

'Nooit. Waar is het?'

'Het is een buitengewoon chique buurt, net ten westen van Beverly Hills. Er is een aanwijzing dat uw broer en mevrouw Fredd eerder op die locatie waren geweest.'

'Een onafgebouwd huis?'

'Een bouwproject.'

'Waar Desi aan werkte?'

In plaats van te antwoorden, zei Milo: 'Dus uw broer en mevrouw Fredd trokken samen op op school?'

Hoofdknik. 'En tijdens mijn vlucht herinnerde ik me iets anders. Op een keer toen ze bij ons thuis was, maakte mijn vader een opmerking tegen mijn moeder dat ze persoonlijke problemen had, en dat het goed was dat ze zich richtte op gezonde bezigheden. U hebt nog niet gezegd of Desi bij dat project betrokken was.'

'Het lijkt er niet op, mevrouw. Dit was wat je een megavilla zou noemen.'

'Dan zou Desi er zeker niets mee te maken hebben.'

'Hij hield niet van dat soort dingen?'

'Hij zou het grotesk hebben gevonden. Maar als hij er niet aan werkte, waarom zou hij er dan zijn?'

'Dat proberen we uit te vinden, mevrouw Flatt. Die wandelgroep die Desi en Doreen hadden, over hoeveel mensen hebben we het dan?'

'Niet meer dan een paar andere jongelui, ik lette er niet echt op.'

'En voor zover u weet, was er geen sprake van liefde tussen Desi en Doreen.'

'Ik heb daarover nagedacht,' zei Ricki Flatt. 'Misschien, ik zou het echt niet kunnen zeggen. Des had zoveel meisjes die hem leuk vonden. Ze belden hem de hele tijd. Pa grapte altijd dat hij een persoonlijke secretaresse nodig had.'

'Weet u iets van andere vriendinnen van de laatste tijd?'

Ze schudde met haar hoofd. 'Sorry, ik was niet betrokken bij het persoonlijk leven van mijn broer, toen niet en dat is nadat we opgroeiden niet veranderd.'

'Wist u dat Doreen in een internaat woonde, niet ver van uw huis?'

'Nee, maar u bedoelt waarschijnlijk Hope Lodge. De hele buurt had het over die plek. Mijn vrienden maakten er grappen over, noemden het 'De Matras', omdat de meisjes nogal wild waren. Ik zeg niet dat ze dat waren, maar u weet hoe kinderen praten. Dat is waarschijnlijk waarom mijn vader zei dat ze problemen had.'

'Was hij bang dat ze een slechte invloed op Desi zou hebben?'
Ricki Flatt glimlachte. 'Mijn ouders hamerden er altijd op dat
Desi en ik ons eigen besef van goed en kwaad moesten ont-
wikkelen. Maar zelfs als ze geprobeerd zouden hebben om Desi
te beteugelen, zou het niet gewerkt hebben. Mijn broer deed
precies waar hij zin in had.'
Milo zei: 'Leidde Desi's sterke wil ooit tot – ik moet hier echt
naar vragen – raar gedrag?'
'Wat bedoelt u?'
'Iets ongewoons.'
'Als u het ongewoon noemt om na school uit huis te gaan en
tien jaar onderweg te zijn, dan zeker.'
'Tien jaar,' zei Milo.
'Tien verloren jaren,' zei Ricki Flatt. 'In feite verdween Desi
gewoon. Eens in de zoveel tijd kregen we ansichtkaarten.'
'Waarvandaan?'
'Vanuit het hele land. Nationale parken, dat soort plekken.'
'Niet van overzee?'
'Nee.'
'Wat deed Desi om zichzelf te onderhouden?'
'Hij had het over losse klusjes, tijdelijk werk dat hem de tijd
liet om de natuur te verkennen en uit te zoeken wat het leven
inhield.'
'Ansichtkaarten,' zei Milo. 'Nooit meer thuis geweest?'
'Eenmaal, tweemaal per jaar dook hij op – Kerstmis, Thanksgiving, verjaardagen. Hij zag er geweldig uit, echt gelukkig en
dat stelde mijn ouders gerust. Hij bracht de hele jaren zestig
weer tot leven – lang haar, baard, espadrilles. Maar altijd
schoon en goed verzorgd, Pa zei dat hij eruitzag als Jezus door
de ogen van Hollywood.'
'U zei iets over het afhandelen van de zaken van uw ouders,
dus ik neem aan...'
'Overleden, inspecteur. Vier jaar geleden waren ze op vakantie vlak bij Mount Olympia. Ze besloten op ontdekkingstocht
te gaan en reden over een zandweg door een gebied waar veel
bomen omgehakt werden. Een lading enorme pijnbomen raakte los uit een vrachtwagen en verpletterde hun auto. We wilden er een zaak van maken – Scott en ik en Des – maar vol-

gens de advocaten stonden we niet sterk, omdat de weg met een ketting afgesloten was geweest en er overal waarschuwingsborden hingen. Pa had de ketting opgetild en was gewoon doorgereden. Uiteindelijk namen we genoegen met honderdduizend. De advocaten kregen veertig procent en wij deelden zestig met Des. Hij had zijn wilde haren verloren en was begonnen om architectuur te studeren, zei dat het geld zou helpen met het betalen van collegegeld en de kosten van het levensonderhoud. Wat het vreselijk ironisch maakt is dat ze uit een oude houthakkersfamilie komen, vier generaties. Mijn grootvader was een meesterzager en Pa heeft ook nog hout gehakt voordat hij brandweerman werd.'

'Het spijt me, mevrouw.'

'Het gebeurde voordat Sam geboren werd, dat doet nog het meest pijn. Pa en Ma zouden dol geweest zijn op Sam.' Tranen. 'Ze aanbad Desi en nu is hij verdwenen.'

'Hoe reageerde Desi op het verlies van zijn ouders?'

'Heel slecht,' zei Ricki Flatt. 'Hij kreeg een lege blik in zijn ogen, liep weken rond alsof hij in trance was. De lopende patiënt, noemde Scott hem. Ik heb mijn broer nooit zo gezien, over het algemeen is hij open en zacht en toegankelijk.'

'Hij trok zich in zichzelf terug.'

'Ik weet nog dat ik dacht dat het niet gezond was, dat hij er iets mee moest, aan echte rouwverwerking beginnen, omdat hij anders zou instorten. Ik was er zeker van dat hij de school zou laten vallen maar dat deed hij niet, hij hield vol en behaalde zijn diploma cum laude.'

Milo tikte met zijn pen op een hoek van de tafel. 'Mevrouw Flatt, die opmerking die u gisteren maakte aan de telefoon, over dat het iets politieks kon zijn. Daar zijn we nog steeds nieuwsgierig naar.'

Ricki Flatts ogen schoten alle kanten op. 'U moet dat vergeten, dat was dom van me. Ik had niets moeten zeggen.'

'Maar u hebt wel iets gezegd, mevrouw.'

Ze haalde haar haar los, schudde het uit, bond het strakker vast.

'Ricki, wij hebben geen enkel ander belang dan het oplossen van de moord op jouw broer.'

Ze liet beide ellebogen op de tafel vallen en drukte haar handpalmen tegen haar wangen. Haar vingertoppen hingen boven haar oren, als om lawaai buiten te sluiten. Horen, zien en zwijgen.

Milo zei: 'Het enige wat we gehoord hebben over uw broer dat je een klein beetje politiek zou kunnen noemen is dat hij zich bezighield met groene architectuur, de hele kwestie van het milieu.'

Een spier trok samen in de linkerwang van Ricki Flatt.

Milo kwam iets dichter bij haar zitten. 'Is hij daarin geradicaliseerd? Heeft hij gedurende die tien jaar misschien dingen gedaan die je illegaal zou kunnen noemen?'

'Ik weet niet hoe hij ze heeft doorgebracht.'

'Maar u maakt zich zorgen.'

'Desi kon soms dingen zeggen.'

'Waarover?'

'*Burning down the house*,' zei ze. 'Dat was de titel van een nummer waar hij van hield. Als hij langskwam, begon hij soms hele toespraken. Over de ongerepte schoonheid van de wildernis. Over gulzige mensen die het land verkrachtten en monumenten bouwden voor hun ego. Volgens hem moesten die mensen nodig een lesje leren.'

'Monumenten,' zei Milo. 'Zoals dat bouwwerk waar hij in stierf. En nu maakt u zich zorgen dat hij zichzelf in problemen had gebracht.'

Ricki Flatt keek omhoog. 'O, god, ik had moeten weten dat er iets ergens ging gebeuren toen hij het geld gaf. Desi heeft nooit geld kunnen vergaren, hij heeft zich nooit zelfs maar druk gemaakt om geld.'

Milo wist dat het niet nodig was om aan te dringen. Hij gaf haar een tissue, wachtte tot ze haar ogen had drooggedept.

'Oké,' zei ze. 'Dit is wat er gebeurde: Des dook zes maanden geleden op met vijftigduizend dollar cash bij zich. Twee grote koffers vol. Hij vroeg me om er voor hem op te passen. Ik gaf hem een reservesleutel van de goederenopslag.'

'We hebben het over afgelopen januari,' zei Milo.

'Het weekend van nieuwjaar, Scott en ik stonden op het punt om op reis te gaan naar New Mexico en Des dook op, zonder enige waarschuwing.'

'Zei hij waar hij het geld vandaan had?'

'Ik weet het, ik had ernaar moeten vragen. Scott was woest op mij, zei dat het drugsgeld moest zijn of iets anders illegaals, en dat we er door mijn schuld met huid en haar bij betrokken waren geraakt. Ik zei dat dat nergens op sloeg, Desi had nooit dope of alcohol gebruikt, zorgde goed voor zichzelf. Scott zei dat ik naïef was, dat Desi al jaren onderweg was, dat we geen idee hadden wat hij allemaal had gedaan. We kregen een enorme ruzie, Scott eiste dat ik Desi zou terugroepen, dat ik erop moest staan dat hij de koffers weer meenam.' Een schrille lach. 'Het was allemaal nogal dramatisch. Natuurlijk ging ik uiteindelijk overstag.'

'Dus u belde uw broer.'

Ricki Flatt liet haar hoofd hangen. 'Ik loog tegen Scott – de enige keer dat ik dat ooit heb gedaan. Waarom? Ik wou bij god dat ik het u zou kunnen vertellen. Ik kon mezelf er gewoon niet toe brengen om Desi aan te pakken. Mijn broer heeft iets waardoor je gewoon ja tegen hem wilt zeggen. Hij is zo lief en zo direct – op school werd hij uitgekozen tot de meest populaire jongen. Het waren niet alleen meisjes die van hem hielden, iedereen deed dat.'

Ik zei: 'Charisma.'

'Ja, maar voor mij was het meer dan dat. Toen Pa en Ma overleden waren, was er verder niemand meer. Ik denk dat ik bleef hopen dat we weer contact zouden krijgen, een soort van familie zouden vormen. Het leek alsof Sam dat mogelijk zou kunnen maken.' Ze begroef haar gezicht in haar handen en mompelde iets.

Milo zei: 'U hebt het geld nog steeds. U bent bezorgd dat het politiek is.'

Ricki Flatt keek op. 'Toen Desi het naar me toe bracht, leek hij nerveus, ik moest beloven dat ik geen vragen zou stellen. Ik bleef maar denken dat het een betaling was voor iets slechts.'

'Burning down the house.'

'Misschien niet letterlijk,' zei ze. 'Maar iets in die geest… waarom zou hij anders het geld verbergen? Ik beloof het u te sturen zodra ik thuis ben, maar vertelt u alstublieft niet aan Scott dat ik het gehouden heb.'

'Waar is het?'

'Onze opslagplaats. Scott en ik hebben er een gehuurd nadat Pa en Ma stierven. Voor hun spullen, ik kon het niet over mijn hart verkrijgen om iets weg te gooien. Ik stopte de koffers ergens achterin, achter ma's piano. Scott komt daar nooit.'

'Dus Desi had een sleutel van de opslag?'

'Ik gaf hem er een. Het waren ook zijn ouders.'

'Wanneer is de laatste keer dat u het geld daadwerkelijk gezien hebt?'

'De laatste keer,' zei ze, 'dat moet geweest zijn... een paar weken nadat ik het daar opsloeg, dus ongeveer vijf maanden geleden. Ik ben naar binnen gegaan en heb het geteld. Aanvankelijk had ik het niet geteld. Waarom niet? Ook dat weet ik echt niet.'

'Vijftigduizend.'

'In biljetten van vijftig dollar, netjes samengebonden. Denkt u werkelijk dat het iets te maken heeft met wat er met Desi is gebeurd?'

'Geld is het motief dat we het vaakst tegenkomen, Ricki.'

'O, god, ik vertelde Scott dat hij paranoïde was, maar nu word ik zelf misselijk.' Ze greep Milo's pols vast. 'Is mijn gezin in gevaar?'

'Ik zou hopen van niet,' zei Milo. 'Maar we moeten het geld wel naar een veilige plaats brengen.'

'Ik beloof dat ik het rechtstreeks naar u toestuur. Ik zou hier eigenlijk een paar dagen blijven, om te regelen dat Desi teruggevlogen wordt, maar ik vertrek vandaag en zorg dat de koffers morgen verzonden worden.'

'Raakt u ze alstublieft niet aan,' zei Milo. 'We moeten ze eerst onderzoeken.'

'Onderzoeken?'

'Vingerafdrukken, dat soort dingen. Ik zal het allemaal regelen, nadat u een paar formulieren hebt ondertekend waarin u de inhoud van de opslagplaats voor inspectie vrijgeeft. Is er nog iets anders in de opslag dat aan Desi toebehoorde?'

'Nee,' zei Ricki Flatt. 'Ik vul alle formulieren in die u maar wilt, ik zal een schets maken van waar ze staan. Ik wil ze daar gewoon weg hebben.'

'Ik los het op, Ricki.'

'Zijn Scott en Sam in gevaar? Alstublieft, ik heb een eerlijk antwoord nodig.'

'Ik heb geen aanwijzingen dat uw gezin een doelwit is.'

'Echt niet?'

'Echt niet.'

'Godzijdank.' Ze staarde omhoog naar het plafond. 'Waar heb je me in meegesleept, Desi?'

19

Ricki Flatt vulde de machtiging voor huiszoeking in.

Milo vroeg haar waar ze verbleef.

'Ik kom rechtstreeks van het vliegveld.'

'Heb je een auto gehuurd?'

'Ik heb de shuttle genomen naar Westwood, toen een taxi.'

'Ik regel wel een overnachtingsplaats voor je. Er is een fonds voor de compensatie van slachtoffers, maar dat betekent nog meer formulieren en het zal ook even duren voordat je die compensatie krijgt.'

'Dat maakt me niets uit.' Ze zwaaide rusteloos met haar handen.

Milo belde Sean Binchy in de grote rechercheurskamer en vroeg hem te komen. Binchy was nog steeds ondergedompeld in lijsten van bouwvakkers en had niets te melden.

'Zorg dat mevrouw Flatt een schone, veilige plek krijgt om even bij te komen.'

Binchy tilde haar bagage op. 'De Star Inn op Sawtelle heeft drie sterren, kabeltelevisie en draadloos internet en er is een pannenkoekenrestaurant even verderop.'

'Doe maar,' zei Ricki Flatt.

Nadat de twee vertrokken waren, zei ik: 'Iets politieks, dat lijkt dus te betekenen dat broertjelief een eco-terrorist was. Ze maakt zich niet alleen zoveel zorgen omdat Backer van die tirades hield.'

'Ja, ze weet meer,' zei Milo, 'maar het voelde niet goed om haar nu onder druk te zetten. Ik zal zorgen dat Sean haar in de gaten houdt, om er zeker van te zijn dat ze in de buurt blijft.'

'Het verloren decennium van Backer ging vooraf aan de dood van zijn ouders, maar dat ze werden verpletterd door omgehakte bomen zou zijn motivatie kunnen hebben versterkt.'

'Vijftigduizend om iets op te blazen. Iets als een groot huis, maar hij kwam er nooit aan toe. Aan de andere kant zou het geld ook van dope kunnen zijn of betaling voor chantage. Of hij won flink in het casino en gaf het aan Ricki om de belasting te ontduiken.'

We gingen terug naar zijn kantoor, waar Milo agent Chris Kammen belde. De agent van Port Angeles zegde toe om het huis van de familie Flatt te bewaken 'voor zover we kunnen' en om ervoor te zorgen dat de opslagplaats doorzocht werd zodra de benodigde papieren binnenkwamen. 'Twee koffers? Wat voor kleur?'

'Kijk maar achter de piano, twee koffers vol geld.'

'Vijftigduizend,' zei Kammen. Zijn fluitje klonk door de hele kamer. 'En de echtgenoot is erbuiten gehouden, hè?'

'Flatt weet niet dat zijn vrouw het geld gehouden heeft. Ze werkt nu braaf mee en ik wil haar graag even zo houden.'

'Huiselijke problemen,' zei Kammen. 'Dat kan leuk worden.'

Na een vierde poging bij Hal van de FBI had Milo een rood gezicht gekregen. 'Telefoon afgesloten? Ik begin dit zo langzamerhand persoonlijk op te vatten.'

Ik zei: 'Dat kan, maar misschien gaat het niet om jou. Misschien gaat het om Doreen Fredd.'

'Waar was dat meisje allemaal mee bezig?'

'Ze kende Backer jaren geleden. Als hij met slechte dingen bezig was, zou zij de aangewezen persoon zijn om informatie te geven.'

'Een probleemkind wordt een spion voor de FBI?'

'Of ze kwam door haar problemen in een situatie waar ze moest kiezen of delen. Ik zou een kijkje nemen in serieus eco-vandalisme in de Pacific Northwest gedurende de jaren dat Backer rondzwierf.'

'Ze verlinkt Backer en ze gaat gewoon met hem naar bed? Dan heeft ze hem dubbel genaaid.'

'Het zou kunnen dat hun chemie nog altijd heel sterk is,' zei ik. 'Of dat ze qua techniek helemaal tegemoetkomt aan Backers neigingen.'

'Die vent blaast dingen op, wordt dan een architect, leert om dingen te bouwen. Je gaat me niet vertellen dat Freud daar geen woord voor had.'

Moe Reed stak zijn hoofd om de deur. 'Iemand voor jou, chef.'

'Als het maar wel iets belangrijks is.'

'FBI belangrijk genoeg?'

'Hangt ervan af wat ze te zeggen hebben,' zei Milo. Maar hij was in een flits overeind.

Een kleine, stevig gebouwde vrouw met donker haar verscheen een moment later. 'Inspecteur? Gayle Lindstrom. Ik werd naar u doorverwezen door een gemeenschappelijke vriend.'

Grijs broekpak, lage zwarte schoenen, stroperig accent met een scherp randje. Misschien uit het noorden van Kentucky of het zuiden van Missouri. De lichte huid en blauwe ogen waren helder, ze had een prominente en vierkante kin.

'Aangenaam u te ontmoeten, *special agent* Lindstrom.'

Lindstrom grijnsde. 'Mijn moeder zei altijd dat ik speciaal was. De werkelijkheid is een beetje anders.' Haar tas was net zo groot als die van Ricki Flatt. Zwart leer, met gezag inboezemende riemen en gespen.

'Een gemeenschappelijke vriend,' zei Milo. 'Wie zou dat nou kunnen zijn?'

'Gisteren heette hij Hal. Vandaag?' Ze haalde haar schouders op.

'Jullie zijn daar echt dol op, hè?'

'Waarop?'

'Geheime clandestiene hocus pocus.'

'Alleen als het werk erom vraagt.' Ze bestudeerde mij. 'Wij moeten elkaar onder vier ogen spreken, inspecteur.'

'Dit is dokter Delaware, onze psychologisch adviseur.'

'U hebt nu uw eigen profiler?'

'Beter,' zei Milo. 'We hebben iemand die weet wat hij doet.'

'Volgens mij heb ik u op een verkeerde dag getroffen,' zei Lindstrom.

'Dat is niet zo moeilijk.'

Ze gaf me een koele, stevige hand. 'Aangenaam kennis te maken, dokter. Niets persoonlijks, maar ik wil inspecteur Sturgis graag onder vier ogen spreken.'

Milo zei: 'Dat is niet hoe we het gaan doen.'

Er was een lang, gefluisterd telefoongesprek voor nodig voordat ik mocht blijven.

Gayle Lindstrom tuurde in Milo's kantoor. 'Wel erg knus voor drie.'

Milo zei: 'Ik vind wel ruimte.'

'Ik houd van Indiaas eten, inspecteur.'

Hij wierp haar een donkere blik toe.

Lindstrom zei: 'Sorry, ik kon het niet laten.'

'Geen honger.' Hij marcheerde door de gang.

'Goed dan,' zei Lindstrom en ze volgde hem.

Terug naar dezelfde verhoorkamer. Ik vroeg me af of hij ooit voor verdachten werd gebruikt.

Gayle Lindstrom snoof de lucht op.

Milo zei: 'Frisser dan dit gaat het niet worden. Ik heb het druk. Vertel op.'

Lindstrom zei: 'Dat zijn wel genoeg vriendelijke woorden, jongens. Jullie hoeven me nu ook weer niet te vertroetelen omdat ik een meisje ben.'

Ze kreeg een glimlach uit Milo, die hij verborg met de rug van zijn hand. Geeuwde.

'Oké, oké,' zei ze. 'Wat weten jullie over eco-terrorisme?'

Milo zei: 'O nee, dit wordt niet een of andere theoretische discussie. Als u wilt horen wat wij weten, dan kunt u beter open kaart spelen. Het verloren decennium van Desmond Backer ziet er erg onfris uit. Doreen Fredd was een stout meisje, dat eindigde als ofwel een FBI-agent, ofwel uw informant. Steek dus maar van wal.'

Lindstrom duwde met een voet tegen haar tas. 'Ik ben hier omdat de FBI vermoedde dat het maar een kwestie van tijd zou zijn voordat u iets zou begrijpen van wat er aan de hand is.'

'Iets? U bent te genereus.'

'Als u alles zou weten, zou u niet proberen om Hal te bereiken. Die u trouwens niet kan helpen. Hij werkt voor Binnenlandse Veiligheid, dus hij richt zich op mensen met een donkere huid en met gekke namen. Maar dat geldt in feite ook voor de FBI en dat is een deel van het probleem. Vóór 11 september waren we er volledig op ingesteld om tijd en geld te investeren in gekken van eigen kweek, die naar mijn bescheiden mening net zo'n groot gevaar vormen voor de openbare veiligheid als een vent die Achmed heet.'

'Iedereen stopte met zijn werk om naar Achmed te zoeken.'

'Het is net als bij u, inspecteur. We krijgen chronisch te weinig geld en houden onze handen op bij politici met de aandachtsspanne van muggen die aan de crack zijn. Aan het hete hangijzer van het moment worden alle gelden toegewezen en al het andere wordt naar de onderste plank verschoven. Ecoterroristen hebben honderden geweldsdelicten gepleegd, met meer dan genoeg fatale slachtoffers. We hebben het hier over etters die geloven dat de mensheid een plaag is en er geen probleem mee hebben om spijkers in bomen te slaan, zodat houthakkers verminkt raken. Fanatiekelingen, die de huizen van andere mensen platbranden omdat ze het niet eens zijn met het aantal vierkante meters. Er is nog niks gebeurd op grote schaal en ze hebben de geheime sympathie van sommige gevestigde milieugroeperingen, die geweld veroordelen maar ondertussen gewoon knipogen en knikken. Maar naar mijn inschatting is het slechts een kwestie van tijd voordat het land er spijt van krijgt dat het de zaak niet heeft aangepakt.'

'Was Desmond Backer een echte eco-terrorist?'

Lindstrom duwde weer met haar teen tegen haar tas. 'Het is een precaire toestand. Niet voor mij persoonlijk. We hebben het hier over gebeurtenissen die voorafgaan aan mijn aanstelling bij de FBI.'

Ze maakte de tas open, haalde er lippenbalsem uit, vertrok haar mond tot een afkeurend knopje en smeerde hem in. Een doorzichtige vertragingstactiek. Ik had er een heleboel leren kennen door mijn werk als psycholoog.

Milo zei: 'Ik ben het script kwijt, wat is mijn volgende regel?'
'Het overzicht dat ik u nu ga geven, inspecteur, is gebaseerd op samenvattingen van dossiers die aan mij zijn overgedragen door voorgangers die overgeplaatst zijn.'
'Allemaal overgeplaatst naar Achmed. Maar u houdt u nu bezig met plaatselijke stouteriken waar niemand in geïnteresseerd is.'
De halve glimlach van Gayle Lindstrom zou Da Vinci hebben geïntrigeerd.
Milo zei: 'U ligt niet goed bij de anderen, dus hebben ze u een time-out gegeven.'
Ze lachte. Laten we maar zeggen dat ik de opdracht heb om jaren van eco-misdaden te onderzoeken en rapporten te schrijven die waarschijnlijk niet gelezen worden. Mijn instructies zijn om me te richten op de Pacific Northwest, want dat is waar aaibare beestjes en boompjes de meeste passie genereren. Zo kwam ik bij uw slachtoffers terecht. Desmond Backer en Doreen Fredd ontmoetten elkaar in Seattle. Hij groeide daar op, en zij was er naar een opvanghuis voor probleemmeisjes gestuurd. Als ze legitiem verlof kreeg van het huis of als ze ontsnapte, was ze bij Backer en zijn vrienden.'
'Ze klom uit het raam,' zei Milo.
'Of glipte gewoon door de achterdeur, het was niet echt een maximaal beveiligde gevangenis. Zoals veel tieners lijken Fredd en Backer en hun vrienden hun vrije tijd deels te hebben gevuld met verschillende plantaardige hallucinogenen, alternatieve muziek, computerspellen. Ze brachten ook tijd door met ogenschijnlijk gezonde bezigheden als wandelen, kamperen, opruimen, werk in de natuur, vrijwilligerswerk met wilde dieren. Helaas lijkt het erop dat dat voor een deel een dekmantel is geweest voor brandstichting en andere daden van vandalisme.'
'Zijn ze ooit gearresteerd?'
'Onvoldoende bewijs,' zei Lindstrom. 'Maar dat ze in de buurt waren van verschillende verwoeste woningen zegt in feite genoeg.'
'Wat hebt u precies voor bewijsmateriaal tegen hen?'
'Het enige wat de plaatselijke politie had waren geruchten. En toen een dode jongen.'

'Ze hebben iemand gedood?'

'Niet rechtstreeks, maar ze dragen morele schuld.'

Zijn blocnote kwam tevoorschijn. 'De naam van het slachtoffer?'

'Vincent Edward Burghout, beter bekend als Van. Hij was zeventien toen hij levend verbrandde in een half afgebouwd landhuis in Bellevue, Washington. Nu hebt u waarschijnlijk ook wel gehoord van Bellevue, omdat het de plek is waar hightechmiljonairs kastelen bouwen. Destijds was dat net begonnen en eigenlijk was het gewoon een mooie buitenwijk van Seattle met weinig misdaad. Een van de eerste hightechkoningen die de mogelijkheden onderkende van wonen aan het meer kocht vijf hectare en begon met de bouw van een monster van tweeduizend vierkante meter. Het skelet was net klaar in de nacht dat Van Burghout naar binnen glipte en verschillende vuren aanstak. Hij verwoestte een groot deel van het huis, maar stak ook zichzelf in brand. Wij – mijn voorgangers – waren met name geïnteresseerd in zijn techniek. Hebt u ooit gehoord van veganistische instantpudding?'

'Klinkt walgelijk gezond.'

'Niet als je van hout gemaakt bent,' zei Lindstrom. 'Of van vlees en bloed. Het is in feite niets anders dan zelfgemaakte napalm – zeep met petroleum, tot ontploffing gebracht door een vertraagde ontsteking. Elke idioot kan het recept op internet vinden of in een van die verraderlijke handboeken voor mafkezen die paranoïde uitgevers drukken. Gelukkig komen maar weinig idioten ertoe om het spul werkelijk te bereiden, maar door de jaren heen zijn er incidenten geweest en de sterfte is hoog, meestal onder de daders. Het gaat hier om een zeer brandbaar mengseltje en als de timing niet klopt, ben je de sigaar. Of een hoopje as, in het geval van Van Burghout. Er was niets van de jongen over, ze konden hem identificeren omdat hij tanden was kwijtgeraakt bij basketbal en een deel van zijn bovenbrug de brand doorstond.'

Ze speelde met de tube lippenbalsem. 'Meneer High-Tech ontving het geld van de verzekering, schonk het land aan de stad voor een park, verhuisde naar Oregon en bouwde een nog groter monster op vijfhonderd hectare.'

'Iedereen tevreden,' zei Milo. 'Behalve de ouders van Van.'
'Die een beschuldigende vinger uitstaken naar zijn vrienden. Misschien omdat ze niet konden aanvaarden dat hun zoon een solopyromaan was. Maar ze hadden niet per se ongelijk.'
Ik zei: 'Van was het slachtoffer van verkeerde invloeden?'
'Precies, maar zoals ik zei, daar zat een zekere logica achter. Van had moeite met leren en de plaatselijke autoriteiten hadden een duidelijk beeld van hem als een beïnvloedbare jongen. Maar ze kwamen nergens en haalden de FBI erbij. Zo maakte de FBI kennis met Desmond Backer en Doreen Fredd en hun vriendjes.'
'Hoeveel vriendjes?'
'De familie Burghout gaf de lokale politie nog vier namen: Backer, Fredd, een jongen die Dwayne Parris heette, een meisje dat Kathy Vanderveldt heette. We hebben geprobeerd om met hen te praten en ook met hun docenten en vrienden.'
'Geprobeerd?'
'Het ging om kinderen uit de middenklasse met bakken steun van ouders en van de gemeenschap, dus we kregen geen rechtstreekse toegang tot ze, alles werd gefilterd door advocaten. We hebben het over rechtschapen mensen, gerespecteerd in hun gemeenschap, die beweerden dat hun kinderen engeltjes waren.'
Ik zei: 'Meldden de ouders van Doreen zich ook?'
'Nee, zij was de uitzondering. Haar ouders waren dronkenlappen. Ze woonden buiten de staat en leken nauwelijks te beseffen waar Doreen mee bezig was geweest. En Doreen was verdwenen tegen de tijd dat we ons onderzoek begonnen.'
'Nog een weggetoverd konijn,' zei Milo.
Lindstrom zei: 'Wij kregen natuurlijk achterdocht door het moment dat ze koos, maar weglopen was haar vertrouwde patroon. En met wie we ook spraken, iedereen zei dat ze zich niet konden voorstellen dat Doreen bij iets gewelddadigs betrokken was. Het tegenovergestelde, ze was attent, vriendelijk, hield van poëzie, blauwe lucht, groene bomen en kleine, knuffelbare zoogdieren. De lui in Hope Lodge – het opvanghuis – hadden ook niks slechts over haar te zeggen. De arme Doreen was een slachtoffer van een disfunctioneel gezin, geen wilde meid.'
Ik zei: 'Veranderden ze van mening toen ze ontdekten hoe ze

telkens weer was ontsnapt om de anderen te ontmoeten?'
'Afgaande op wat ik gelezen heb niet, dokter. Mijn voorganger beschreef de mensen die die plek bestierden als idealisten. Dat is de term van de FBI voor naïeve sukkels met goede bedoelingen. We slaagden erin om een huiszoekingsbevel te krijgen voor de kamer van Doreen, omdat de fondsen van Hope Lodge voor een groot deel uit overheidssubsidies kwamen. Helaas konden we niets geks vinden. En we hadden nog wel honden meegebracht, de hele rataplan.'
Milo zei: 'Geen huiszoekingsbevelen voor de anderen?'
'In de verste verte niet. We gingen rondwinkelen om een bruikbare rechter te vinden, maar degene waarvan we dachten dat hij met ons zou kunnen meewerken zei dat hij geen 'heksenjacht' wilde autoriseren. We lieten een nationaal opsporingsbevel uitgaan en plaatsten de andere jongeren voor een paar maanden onder toezicht. Het leverde niets op, er waren geen branden meer in Bellevue of waar dan ook in de omgeving van Seattle. We gingen verder met andere zaken.'
'Maar op een bepaald moment vond u Doreen en slaagde erin om haar voor u te winnen.'
Lindstrom kneep in haar bovenlip. Balanceerde de tube lippenbalsem tussen twee wijsvingers. 'Moet ik nu zeggen "O, Sherlock!" en grote ogen opzetten?'
Milo zei: 'Waarom zou je anders hier zijn, Gayle?'
Lindstrom trok haar grijze jasje uit. Eronder droeg ze een rood haltertopje. Vierkante schouders, dikke maar stevige armen. 'Het is hier nogal droog, vinden jullie niet? Ligt vast aan jullie airconditioning. Zou ik misschien een kopje koffie kunnen krijgen?'

20

Het brouwsel van de rechercheurskamer heeft de verfrissende geur van een geteerd dak en net als methamfetamine het vermogen om je zenuwen kaal te schrapen.

Special agent Gayle Lindstrom goot een halve kop naar binnen zonder te klagen, wreef in haar ogen, rekte zich uit, geeuwde en rekte zich nogmaals uit. Milo heeft precies zo'n soort van act als hij doet alsof er niets aan de hand is. Lindstrom kon nog iets meer oefening gebruiken.

Ze nam nog een slokje, maakte toen de verwachte grimas en zette het kopje weg.

'Ja, Doreen kwam uiteindelijk boven water. Ik had er niets mee te maken, maar ik krijg er nog steeds de kriebels van.' Ze strekte haar hand uit naar de kop, overwoog nog een slok, besloot van niet. 'Ze werd niet binnengehaald door iets wat de FBI deed, maar door haar eigen stupiditeit.'

'Ze deed iets slechts en werd betrapt,' zei Milo.

'Ze werd vijf jaar geleden opgepakt voor prostitutie en drugs, je mag één keer raden waar.'

'Seattle.'

'In het hart van de stad, het centrum. Het zou me niets verbazen als ze nooit was weggegaan. Ook al verzon ze allerlei verhalen over liften door het hele land, overleven met wat ze maar kon plukken, de details klopten nooit en wat me duidelijk wordt uit haar dossier is dat ze sinds haar geboorte een dwangmatige leugenaar is.'

Ik zei: 'Des Backer trok tien jaar rond door het land. Beweerde ze dat ze met hem was?'

'In feite wel, dokter. Niet als voortdurende metgezel, maar af en aan. Ze maakte er een prachtig verhaal van over leven in de bossen, wortels en scheuten eten, wilde paddenstoelen plukken enzovoort. Maar zoals ik al zei, als het erom ging de puntjes op de i te zetten voor wat betreft data, dorpen, steden, staten, was het afgelopen. De psychiaters van de FBI bestempelden haar als een theatrale persoonlijkheid.'

Milo zei: 'Hebben ze haar onderzocht?'

'Ik heb geen klinisch rapport gezien.'

Ik zei: 'Dat betekent dat de diagnose waarschijnlijk voortkwam uit een bestudering van het dossier.'

'Bent u het niet eens met die diagnose, dokter?'

'Ik weet niet genoeg om het ermee eens te zijn of niet.'

Lindstrom fronste haar voorhoofd. 'Als ik zo vrij mag zijn, het maakt toch niet uit welk etiket je erop plakt? Dat geldt ook voor Fredds bewering dat ze een natuurmeisje was. Misschien was het gedeeltelijk waar, misschien was het dubbele, drievoudige of viervoudige bluf. Het punt is dat er geen eco-misdaden aan haar kunnen worden gelinkt gedurende die periode. Dus ofwel ze was er heel erg goed in om haar sporen te verbergen, ofwel zij en de andere jongeren uit Seattle hadden nooit veel te betekenen gehad.'

Ik zei: 'Vijf jaar geleden studeerde Des Backer architectuur. Als Doreen rond die tijd in de prostitutie terechtkwam, geeft dat aan dat hun wegen zich waarschijnlijk lang daarvoor al hadden gescheiden.'

'En?'

'Ik probeer gewoon de tijdsbalk helder te krijgen.'

'Daar zal ik niet over in discussie gaan.'

Milo zei: 'Dus ze wordt gearresteerd voor tippelen. Hoe is ze daarna een klikspaan van de FBI geworden?'

Lindstrom zei: 'Ik zei niet dat ik haar voor mij liet werken.'

'Haar identiteit is gewist, dus hou op met die flauwekul.'

Lindstrom speelde met een bandje van haar haltertopje. 'Ja, we hebben haar binnengehaald, maar ze was niet bang voor een aanklacht wegens prostitutie, maar voor de drugs. We hebben het hier over kilo's wiet, pillen die netjes per zakje verpakt waren en een paar grote brokken coke. Genoeg om voor een hele lange tijd achter de tralies te belanden.'

'Ze was een van de grotere dealers?'

'De stuff werd gevonden in de kelder van een pension waar ze haar klanten vaak mee naartoe nam. In het centrum van Seattle, niet ver van de Pike-markt.'

'Ze had het toevallig allemaal in huis?'

'Ze zat erbovenop,' zei Lindstrom. 'Letterlijk. Een van die luikjes onder het bed, precies onder het matras waarop zij haar geld verdiende. De pech van Doreen was dat ze binnen iets slikte voor de ogen van een klant, die een stille van de zedenpolitie van Seattle bleek te zijn. Ze beweerde dat het Advil was en dat bleek later te kloppen. Maar ondertussen werd de hele kamer ondersteboven gehaald. De stad was net begonnen met een van die kortdurende morele kruistochten – te veel toeristen werden lastiggevallen door het tuig – dus je kreeg al een huiszoekingsbevel als je alleen maar met je vingers knipte. Doreen beweerde dat ze geen idee had dat dat luik überhaupt bestond, dat ze zelfs nooit onder het bed had gekeken. Misschien is dat ook waar. Veel meisjes gebruikten dezelfde kamer en het gebouw was eigendom van een paar Cambodjaanse restauranthouders, die ervan verdacht werden dat ze allerlei soorten slecht spul importeerden. Tegen de tijd dat de FBI gebeld werd, waren ze verdwenen en omhuld door bergen papier die uitliepen op niets in Phnom Penh. Ons plan was om het hele pand te confisqueren onder de RICO-wetten, maar de politie van Seattle eiste deze trofee voor zichzelf op. Er is nu een aardig klein winkelcentrum. Trendy koffiezaak, sushibar, Italiaans restaurantje met geweldig gebak, een sportschool voor yuppies. En een zonnecentrum, dat goed van pas zou kunnen komen in Motregenstad.'

'Je bent er pas nog geweest.'

'Ik was er gisteren. Om te kijken wat ik over Doreen te weten kon komen. Nadat we hoorden wat er hier met haar was gebeurd.'

'Wat ben je te weten gekomen?'

'Helemaal niks.' Glimlach. 'Alleen dat ze goede panini hebben in dat Italiaanse zaakje.'

'Wanneer heb je voor het laatst contact gehad met Doreen?'

'Ik heb nooit contact met haar gehad,' zei Lindstrom, 'ik heb haar geërfd. En nog een stel anderen zoals zij. Als dat defensief klinkt, dan klopt dat.'

'Een stelletje klikspanen die van belastinggeld leven en je daarna een loer draaien. De gewone gang van zaken, Gayle.'

De huid in Lindstroms hals kleurde langzaam rood. 'Alsof dat nooit met jullie gebeurt. Ik weet toevallig dat zes jaar geleden een van jullie beste vrouwelijke zedenrechercheurs als pooier werd geïnstalleerd in een appartement in Hollywood. Niet een beetje doen alsof, een echte rechercheur van de politie van Los Angeles wierf en bestierde echte hoeren op straat, handelde de zaken af alsof het een echte onderneming was, deed de boekhouding, hield de inkomsten bij. Allemaal zodat jullie gewichtige klanten konden vangen, omdat een feministe in de gemeenteraad luid genoeg schreeuwde om gehoord te worden. En wat gebeurt er met jullie grote plan? De meisjes van de straat waar jullie rechercheur de baas over moet spelen gooien een rohypnolletje in haar borrel, kleden haar uit, nemen foto's terwijl ze gepakt wordt door een hele bende van hun foute vriendjes, zetten de foto's op het internet en verdwijnen naar Mexico met het geld. Dat is nog eens politiewerk.'

Aan Milo's uitdrukking was te zien dat hij er nooit van had gehoord.

Gayle Lindstrom zei: 'Dat is nieuw voor jou, hè? Daar kunnen we dan de afdeling obstructie van de politie van Los Angeles voor bedanken. Mijn punt is, Milo, we winnen allemaal wel eens en we verliezen ook wel eens. En we proberen allemaal ons collectieve hachje te redden. Ja, de FBI dacht dat Doreen nuttig zou kunnen zijn omdat, in dezelfde tijd waarin ze beweerde dat ze een "natuurlijk" leven leidde met Backer, die hele eco-idiote beweging op een bijzonder akelige manier was opgelaaid. Ik heb het over twee kleine kinderen van een genetisch onderzoeker – ik bedoel, kleuters, alsjeblieft – met derdegraadsverbrandingen nadat mafkezen van de dierenbevrijding het huis van het gezin in brand staken, omdat papa onderzoek deed op ratten. Ik heb het over een stel houthakkers vlak bij de Canadese grens in Washington die blind werden en ledematen verloren vanwege spijkers in bomen. Een Ronald McDonald Huis dat eerst volgespoten werd met bedreigende graffiti en daarna bestormd door levende ratten, terwijl daar hele gezinnen woonden. Gezinnen van kinderen met kanker, verdomme. Allemaal omdat iemand niet van Big Macs houdt. Deze mensen zijn gestoord en ze zijn meedogenloos. En bovendien waren minstens zes woonprojecten in houtskool veranderd, dus waarom zouden we niet proberen om Doreen te gebruiken? Iedereen wist dat de drugs niet van haar waren, waarom zouden we geen deal maken?'

Ik zei: 'Waarom dacht je dat Doreen iets aan te bieden had?'

'Dat vertelde ze mijn voorgangers. Ze begon te praten zodra ze opgesloten zat, beweerde dat ze van binnenuit kennis had van het meest radicale deel van de beweging. Mensen waar ze mee in contact was gekomen gedurende haar jaren in de wildernis. Wat haar geloofwaardig maakte was dat ze erop stond dat ze niet zelf veroordeeld zou worden voor de dingen waar ze over zou spreken. Wat betekende dat ze meer dan eens onverstandig was geweest.'

Milo zei: 'Maar...'

Lindstrom wendde zich tot hem. 'Je geniet hier veel te veel van, maar goed, ik zal het je vertellen: we hebben haar beschermd en ze heeft ons genaaid. Bent u nu tevreden, Vader O'Shaugnessy? Hoeveel weesgegroetjes moet ik bidden?'

Milo antwoordde niet.

Ze zei: 'Als je terugkijkt, is het altijd makkelijk om het patroon te zien, maar op het moment zelf?'

'Wat was het patroon?'

'Toen de aanklacht wegens drugs tegen Fredd was komen te vervallen, stelde ze het praten uit door te beweren dat ze voor haar leven vreesde, een nieuwe identiteit nodig had, een veilig huis in een andere stad, zakgeld. Dat duurde maanden. Toen ze geïnstalleerd was, wendde ze depressie voor, zei dat ze geen energie had om het leven onder ogen te zien, liet suïcidale geluiden horen. De FBI wees een dokter toe die haar grondig moest onderzoeken en vroeg een psychiater om een oordeel.'

Ik zei: 'Toch niet de psychiater die zei dat ze theatraal was?'

'Nee, een dokter die dacht dat ze een psychopaat was. Maar we moesten erin meegaan, geen conflict aangaan. Na nog een paar maanden kwam ze met een nieuwe medische kwestie...'

'Plastische chirurgie,' zei Milo.

Lindstrom wierp hem een donkere blik toe. 'Geen geintjes. Ben ik dingen aan het herhalen die jullie allang weten?'

'Het bleek bij het uitwendig onderzoek in het lijkenhuis. Waarom wilde Doreen ineens dat er aan haar neus gesleuteld werd?'

'Wat denk je? Ik ben bang, ik moet mijn uiterlijk veranderen.'

'De zus van Des Backer herkende haar zelfs met de nieuwe neus.'

'Dus waarom probeerde ze niet iets wat echt zou werken? Zoals ik al zei, als je terugkijkt is het makkelijk. Volgens mij wilde ze er gewoon leuker uitzien op kosten van de belastingbetaler.'

Ik zei: 'Chirurgie, daarna herstellen. Weer een paar maanden uitstel.'

'Tegen de tijd dat ze begon te praten, was er een jaar voorbij-gegaan. Het begon veelbelovend, ze spuide de meest angst-aanjagende verhalen. Inclusief een hoop nonsens over een ver-binding tussen eco-idioten van hier en buitenlandse terroristen, een of andere gewelddadige samenzwering van apocalyptische proporties. Maar zoals ik al zei, het liep allemaal op niets uit.'

Milo zei: 'Gaf ze jullie iets wat betrouwbaar was?'

'Zoals de meeste leugenaars kruidde ze haar onzin met stukjes realiteit. Kleinigheden, maar net genoeg om onze aandacht vast te houden.'

'Zoals wat?'

'Valse getuigenissen over observaties van bedreigde diersoor-ten, om zo openbare projecten lam te leggen – vals DNA aan bomen gesmeerd, dat soort dingen. Vredelievende vissenknuf-felaars die er in kano's op uit trokken om netten te vernielen, groenen die in oude, eerbiedwaardige bomen gingen zitten zo-dat ze niet omgehakt konden worden voor de bouw van win-kelcentra. Waar ik – om even vrijuit te spreken – niet heel veel op tegen heb. Als een Californische sequoia zo oud wordt, laat hem dan alsjeblieft zijn gouden jaren in vrede doorbrengen. En als ik door kilometers afgeperkte stukken grond rijd waar eerst een bos stond, dan ga ik me daar niet heel erg vaderlandslie-vend door voelen. Hoe dan ook, Doreen klikte over kleine din-gen, er kwam niets uit, maar het kostte ons wel wat tijd om al haar valse tips na te trekken.'

'Heb je haar nog wel eens uitgehoord over de dode jongen in Bellevue?'

'Reken maar,' zei Lindstrom. 'Ze week nooit af van haar oor-spronkelijke verhaal: dat ze lekker lag te dromen in Hope Lodge in de nacht dat het gebeurde, dat ze er zeker van was dat haar vriendjes daar niet bij betrokken waren, dat ze nooit zoiets zou-den doen.'

'Ze zei wel dat Backer haar reisgezel was,' zei ik.

'Maar ze legde geen belastende verklaring over hem af, dok-ter. Het was zelfs zo dat elke keer als wij over hem begonnen, zij een soort van joris-goedbloed van hem maakte in plaats van een maniakale brandstichter. Natuurlijk hebben we hem nagetrokken en zoals je al zei, hij studeerde voor architect en vond een sociaal aanvaardbare uitlaatklep voor zijn groene driften.'

Milo zei: 'Hoe snel verdween ze nadat jullie haar volledige bescherming boden?'

'Ze is nu dertig maanden, twee weken en drie dagen van onze radar verdwenen,' zei Lindstrom. 'Als je ook de uren en minuten wilt, ga ik terug naar mijn FBI-bureautje om mijn rekenmachine te pakken. Ik kreeg haar dossier – en dat van anderen – iets meer dan een jaar geleden toegewezen, heb naar haar gezicht gestaard zonder iets te kunnen beginnen. En dan is ze daar ineens op het nieuws en ik verslikte me zo ongeveer in mijn dieetmenu. Jullie tekenaar heeft het heel aardig gedaan.'

'Mijn naam was ook op het scherm te zien, Gayle. Maar in plaats van de telefoon te pakken, zeg je tegen Hal dat hij zich doof moet houden.'

'Geen keuze, de beslissing kwam van hogerop.'

Toen Milo niet antwoordde, zei ze: 'Is het bij jullie soms anders?'

'Ik begin een patroon te herkennen, Gayle. Het excuus dat alle anderen het ook doen.'

'Wat wil je van mij?' zei Lindstrom. 'Denk nog maar eens aan jullie rechercheur uit Hollywood, onder de rohypnol, met haar benen wijd en wat niet al, je vindt geen spoor meer van die vieze plaatjes waar dan ook op het internet. Geen enkel geschreven verslag van de hele operatie, punt uit. Wat van hogerop komt, sijpelt door naar het gewone volk. Ons werk is het om de bende op te ruimen.'

'Prima,' zei Milo. 'Kafka is god en we zijn allemaal kakkerlakken. Maar zelfs ongedierte heeft nog een sociaal besef. Waarom wilden jouw bazen mij de voet dwars zetten?'

'Ze wilden er zeker van zijn dat alles strak was voordat wij contact hadden.'

'Je bedoelt dat Doreens dossier gezuiverd moest worden van alle nuttige informatie, zodat jullie geen stomme indruk zouden maken?'

'Ik bedoel dat ik mijn feiten helder moest krijgen. Ik bedoel dat ik gistermorgen plotseling naar Seattle moest, in een vliegtuigstoel naast een snurkende dikzak.'

'Als ik Hal niet op zijn zenuwen had gewerkt, zouden we hier dan zitten, Gayle?'

'Ik kan geen theoretische vragen beantwoorden,' zei Lindstrom. 'Waar het om gaat is dat ik hier ben en dat ik je alles verteld heb wat ik weet over Doreen. Als dat jou helpt om haar als verdachte te schrappen, dan ben ik net zo blij als jij. Want een van mijn opdrachten is om haar zo snel mogelijk van mijn bureau te vegen.'

'Schrijf dan een verslag vol flauwekul. Ik ben de steun en toeverlaat van kakkerlakken.'

'Steun me eerst dan nog maar wat meer. En vertel me wat je hebt over de moord op Doreen.'

'Doreen en Backer beleefden een coïtus in een groot huis en werden tijdens de hete daad verrast.'

'Au,' zei Lindstrom. 'Op welke manier?'

'Hij werd eenmaal in het hoofd geschoten, waarschijnlijk een kaliber 22, zij werd gewurgd.'

'En welke sporen zijn er gevonden?'

'Zijn afdrukken en die van haar stonden waar je ze zou verwachten, verder van niemand anders, ook niks bij Backer thuis. Helemaal geen thuis voor Doreen, omdat een of andere niet nader genoemde overheidsdienst haar hielp om foetsie te gaan en haar ondergronds liet blijven, zelfs nadat zij hen genaaid had. Waarom hebben jullie haar gegevens niet weer teruggeplaatst, toen jullie beseften dat ze jullie had bedrogen?'

'Zo werkt het niet.'

'Ze bracht jullie in verlegenheid, dus wilden jullie liever geen aandacht totdat jullie weer wat geld bijeen hadden gebedeld bij het Congres.'

'Wat je maar wilt,' zei Lindstrom. 'Ik zou willen dat je ophield met zeuren, want ik heb dit allemaal niet veroorzaakt. Het enige wat ik zoek zijn de gegevens waarmee ik eindelijk haar grafschrift kan schrijven. Wat heb je nog meer?'

'Nada.'

Ze tikte nog eens met haar voet tegen haar tas. 'Ik heb het een en ander uitgezocht en de eigenaar van het landgoed zou misschien interessant kunnen zijn.'

'Werkelijk,' zei Milo. Hij grijnsde, maar zijn handen waren opgerold tot massieve honkbalhandschoenen van vlees, roze en glimmend en trillend. Als een paar kersthammen, opnieuw tot leven gebracht door een gestoorde geleerde.

Gayle Lindstrom keek er gefascineerd naar.

Milo stond op. 'Special agent Lindstrom, volgens mij zijn we klaar.'

'O, jezus,' zei ze. 'Wat is er met jou?'

'Eerst zeg je dat je me alles verteld hebt, dan kom je zelf met een klein hapje om de flauwekul op smaak te brengen. In tegenstelling tot de FBI heb ik geen jaren de tijd om me met spelletjes bezig te houden.'

De kaak van Lindstrom stak scherp naar voren. 'Ik heb nooit gezegd dat ik je alles verteld had.'

'Nou, dan is de zaak opgehelderd,' zei hij en liep naar de deur.

Gayle Lindstrom zei: 'Ik speel geen spelletjes. Ik heb aanvankelijk niks gezegd omdat ik ervan uitging dat je van de eigenaar wist. Toen je niets zei, dacht ik dat je niets wist dus besloot ik je het te vertellen, oké?'

Stilte.

'Ik dacht niet dat ik je alles met de paplepel...'

'Wie is de eigenaar van het landgoed, Gayle?'

'Weet je het echt niet?'

Milo glimlachte.

'Kom op,' zei Lindstrom. 'Net als jij ben ik een betaalde werknemer die bij lange na niet boven aan de voedselketen staat. Als je door wilt gaan met op mij te vitten moet je dat zelf weten, maar daarmee los je je dubbele moord niet op. Wil je dat ik begin? Prins Tariq van Sranil, ook wel bekend als Teddy.'

Milo ging weer zitten. 'Nog een kop koffie, Gayle? Niemand kan zeggen dat we niet gastvrij zijn.'

De mond van Lindstrom viel wijd open. 'Niet dat het ertoe doet, maar ik hoorde pas van hem net voordat ik hiernaartoe kwam. Jullie beschouwen hem niet als verdachte. Niet direct, bedoel ik. Hij zit weer in Sranil.'

Milo zei: 'Er wordt gezegd dat hij een ander meisje heeft gedood.'

Lindstrom ging rechtovereind zitten. 'Wie, waar, wanneer?'

'Weet ik niet, weet ik niet, ongeveer twee jaar geleden. Het is niet meer dan een gerucht, iemand uit het buitenland, misschien een feestmeisje, misschien Zweeds.'

'Wie is je bron?'

'Iemand die een gerucht hoorde.'

'Wie?'

Milo schudde zijn hoofd. 'Wij moeten ook onze geheimen bewaren. Het zou net zo goed onzin kunnen zijn, maar de timing klopt wel: net toen de bouw werd stilgelegd bij Teddy's hutje. En meteen daarna verdween hij als een haas naar huis.'

'En daarna komt Doreen daar terecht.' Lindstrom schudde haar hoofd. 'Ik zie nog geen voor de hand liggend verband.'

'Was er ooit iets in de verhalen van Doreen dat met Sranil te maken had?'

'Nee. En daar kan ik zeker van zijn, want zodra ik ontdekte dat Teddy de eigenaar van het landgoed is, ben ik elk woord in haar dossier gaan herlezen.'

'Maar ze had het wel over buitenlandse terroristen die samenspanden met plaatselijke eco-idioten.'

'Er kwam nooit iets van, bovendien had ze het nooit over Aziaten of Zweden of Oegandezen of Litouwers.'

'Alleen Achmed,' zei Milo.

'Al Qaida-types, tussen aanhalingstekens.'

'Sranil is een moslimland, Gayle. En de sultan heeft twee groepen van extremisten die staan te popelen om zijn hoofd af te hakken en zijn olie in handen te krijgen. Een van die groeperingen is fundamentalistisch.'

'Interessant,' zei Lindstrom. 'Denk je echt dat dit politiek van aard zou kunnen zijn?'

'God, ik hoop van niet. Is Doreen ooit naar het buitenland afgereisd?'

'Ze heeft zelfs nooit een paspoort gehad.'

'Dezelfde vraag, Gayle.'

'Ik heb je net verteld – o. Nee, inspecteur Sturgis, voor zover ik dat in mijn hoedanigheid van knecht kan zeggen, heeft de FBI of een andere dienst haar niet van valse reisdocumenten voorzien.'

Milo zei: 'Dus iemand hogerop zou dat best hebben kunnen doen.'

'Natuurlijk, maar waarom zou de FBI haar helpen te ontsnappen, terwijl we haar betaalden om te praten en ze nog niets had opgeleverd? De enige keer dat ze naar het buitenland had kunnen reizen zou zijn in de tijd tussen het moment waarop ze er bij ons vandoor ging en nu.'

'Precies,' zei Milo.

Lindstrom dacht daarover na. 'Oké, ik zal wat rondbellen, ik beloof dat ik je betrouwbare informatie zal geven. Goed genoeg?'

Hij knikte. 'Nadat Doreen vroeg om overgeplaatst te worden vanuit Seattle, waar boden jullie haar toen een veilig huis aan?'

'Sorry, dat mag ik niet zeggen. Maar vertrouw me, het was niet buiten het vasteland van de Verenigde Staten.' Ze glimlachte. 'Denk maar aan hectares van vlak land, geen berg in zicht.'

'Niet hier in Los Angeles.'

'Niet eens in de buurt.'

'Aangezien je elk verdomd woord van haar dossier net hebt gelezen, staat daar soms iets in over een vriendin die wel naar het buitenland reisde? Of daarvandaan kwam?'

'Een Zweeds feestmeisje? Het antwoord is weer negatief,' zei Lindstrom. 'Je moet me maar op mijn woord geloven, maar in dat dossier is niets te vinden over internationale intriges die te maken zouden hebben met Doreen Fredd. En je hebt geen echt bewijs dat prins Teddy werkelijk iemand heeft omgelegd. Maar zelfs als hij dat gedaan had, wat zou dat te maken hebben met Doreen en Backer twee jaar later? Dat ze een groot en protserig huis platbranden kan ik geloven. Dat deden ze waarschijnlijk destijds ook in Bellevue en god weet hoeveel keren meer. Maar om nou juist Teddy als doelwit uit te kiezen? Moet dit soms een of ander James Bond-verhaal zijn? Ik zie het niet.'

Milo zei: 'Wat als Doreen en Backer iets te weten kwamen over de vermeende moord en probeerden om er geld uit te slaan? Zou dat overeenkomen met wat je van haar weet?'

'Chantage? Natuurlijk, waarom niet? Ze was geen vrouw met een buitengewoon welgevormd karakter.' Ze leunde naar voren. 'Je bedoelt dat zij en Backer samenkwamen voor iets meer dan alleen vroeger, besloten dat ze meer konden doen dan paar-

denbloemen eten en neuken? Nou ja, alles kan, maar er is niets in die geest waar ik je mee kan helpen.'
'Komt de naam Monte ergens voor in jouw dossiers?'
'Nee. Wie is hij?'
'Misschien niemand, Gayle.'
'Blijkbaar denk jij dat hij iemand is.'
'Wat is er gebeurd met die andere twee jongeren waar Doreen en Backer mee optrokken in Seattle?'
'Dwayne Parris en Kathy Vanderveldt? Ze zijn allebei gaan studeren en hebben het rechte pad hervonden. Zij kandidaats medicijnen, hij rechten. Vertel eens iets over Monte.'
'Gewoon een naam die opdook in een tip.'
'Je bedoelt...'
'Iemand die Doreen zou kunnen hebben gekend.'
'Zou kunnen? Je bedoelt dat je niet gelooft dat de tip betrouwbaar is?'
Milo gaf haar de details.
'Een oude zak zonder mobiele telefoon,' zei ze. 'Monte. Nee, er gaat geen belletje rinkelen, maar als ik terugkom zal ik het dossier nog eens doorlezen, voor het geval het mij is ontglipt. We hebben het hier over meer dan zevenhonderd pagina's.'
'Doreen was een kleine vis, maar er is een encyclopedie over haar geschreven?'
'Als er één ding is waar we goed in zijn, is het papier produceren.' Lindstrom glimlachte. 'Arme bomen.'

21

We stonden voor het bureau en keken toe hoe Lindstrom wegreed in een Chevrolet die de regering haar ter beschikking had gesteld.
Milo zei: 'Hoeveel daarvan was nou echt?'
'Wie zal het zeggen?'
Een vrouw verliet de parkeerplaats voor het personeel, stak de straat over en liep vlak langs ons, waardoor er een walm van

Chanel no. 5 bleef hangen. Dun, met een mager gezicht, een goed gemodelleerde bos vlammend haar, dat nog feller afstak door een donkergroen mantelpak en een gele sjaal met ratelslangpatroon. Ze droeg een tas die zelfs groter was dan die van Lindstrom, en vertraagde haar ferme pas niet terwijl ze de deur van het bureau opengooide.

Ik zei: 'Het is waarschijnlijk in het belang van Lindstrom om samen te werken. Als jij duidelijkheid schept over Doreen, maakt zij voortgang met haar stapel strafwerk.'

De deur van het bureau ging open en de vrouw met rood haar beende op ons af, met slingerende tas en dansend haar. 'Inspecteur Sturgis? Clarice Jernigan, van de lijkschouwer.'

'Dokter.'

'Ik moest een getuigenverklaring afleggen om de hoek, dacht dat ik u misschien wel even in eigen persoon zou kunnen spreken. De receptioniste vertelde me dat ik u net voorbij was gelopen.' Kakikleurige ogen namen mij op.

'Dit is dokter Delaware, onze psychologisch adviseur.'

'We kunnen soms hulp gebruiken bij zelfmoorden. Zou u het heel erg vinden als ik even met de inspecteur onder vier ogen zou spreken?'

Milo zei: 'Alles wat ik weet, komt dokter Delaware ook te weten.'

'Er is niets psychologisch aan wat ik te zeggen heb, inspecteur.'

'Sorry, dokter. Dat is niet hoe het hier gaat.'

Dokter Clarice Jernigan liet haar tas op het trottoir glijden. 'Prima, wat maakt het ook uit. Ik opende het hoofd van meneer Backer en haalde er fragmenten van kogels uit. Zonder twijfel kaliber 22. Het lab probeert ze ineen te passen zodat als u een wapen vindt, ze kunnen zien of het overeenkomt.'

'Bedankt.'

'Ik besloot uiteindelijk om toch een lijkschouwing te verrichten op uw Anonyma. Zoals ik al veronderstelde, geen grote verrassingen waar het de doodsoorzaak betreft. Wurging met de hand, de merktekens van de vingers zijn duidelijk te zien, maar geen afdrukken of DNA, dus misschien droeg uw schurk handschoenen. Dit was een gezonde jonge vrouw die een nogal onaangenaam einde vond, letterlijk in de handen van een ander.'

'We hebben nu een naam voor haar, dokter. Doreen Fredd. Met twee d's.'

Jernigan haalde een BlackBerry tevoorschijn, voerde de informatie in. 'Mijn verslag komt eraan. Dat wil zeggen, zodra ik eraan toekom.'

Milo zei: 'Was dat wat u me onder vier ogen moest vertellen?'

Jernigan trok haar schouders naar achteren. 'Wat ik u moet vertellen is dat ik een vergissing heb gemaakt, een feit dat ik liever niet over de telefoon wilde bespreken.' Ze keek naar mij. Ik richtte mijn blik op het parkeerterrein en deed alsof ik ergens anders was.

Milo wachtte.

'Ik zie het niet als een grote misstap, maar het kan geen kwaad dat u ervan weet, voor het geval het invloed heeft op de richting van uw onderzoek. Zoals ik zei was de uitslag van het onderzoek naar een seksueel delict negatief en mijn oorspronkelijke oordeel was dat er geen sprake was van een seksuele misdaad. Maar nadat ik haar opende, vond ik een schuurplek in de vagina, net iets minder dan tien centimeter naar binnen.' Ze wierp de slangensjaal over haar schouder. 'Dus waarom zag ik dat niet meteen? Omdat het aan de bovenkant van de vaginavoorwand was, min of meer verstopt. Een kleine maar nogal gemene wond die overeenkomt met het inbrengen van een hard object – geen grappen, alstublieft. Iets met een puntvormig uitsteeksel aan de bovenkant. Mijn vermoeden, dat bevestigd is door mijn analist van gereedschapsmarkeringen, is dat het de loop van een vuurwapen met vizier zou kunnen zijn. Aanvankelijk ging ik ervan uit dat het een .22 moest zijn, vanwege Backer. Maar nadat ik de lengte van de loop heb nagetrokken, kan ik me niet voorstellen dat een .22 zo diep binnendringt zonder ernstige uitwendige schade aan de schaamlippen toe te brengen. Dus wij neigen naar een groot kaliber revolver met een langere loop en een uitstekend vizier, zoiets als een Bulldog van Charter Arms. We hebben trouwens een Bulldog uitgeprobeerd en dat kwam netjes overeen met de schuurplek.'

'Twee vuurwapens,' zei Milo. 'Een kleine om mee te schieten, een grote om mee te verkrachten.'

'Wat mij betreft, inspecteur, riekt dat naar intimidatie, woede

of misschien gewoon sadisme. En bovendien moet u nu natuurlijk rekening houden met de mogelijkheid van twee misdadigers. Bent u het daarmee eens, dokter Delaware?'
'Dat klinkt redelijk.'
'Dan zitten we weer op één lijn.' Jernigan keek op haar horloge. 'Onnodig te zeggen dat mijn oorspronkelijke veronderstelling niet in het verslag komt en ik zou het op prijs stellen als dat ook voor uw verslag geldt.'
'Absoluut, dokter.'
'Om u gerust te stellen, heb ik ook nog een keer naar meneer Backer gekeken. Ik heb zijn anus en zijn mond onderzocht op sporen van aanranding met een vuurwapen of iets anders. Ongeschonden in alle opzichten, dus wat er verder nog voor toegevoegde psychopathologische driften meespeelden, daar lijkt alleen mevrouw Fredd met twee d's het slachtoffer van te zijn geworden. Nog een prettige dag, heren.'
'Hoe gaat het onderzoek naar Bobby Escobar?'
'Tot dusver, inspecteur, gaat het nergens naartoe.' Een boze glimlach. 'Biedt u uw diensten aan? Het aanbod geldt nog steeds.'
'Ik denk niet dat de hoofdcommissaris het op prijs zou stellen als ik me ermee bemoeide, dokter.'
'Daar twijfel ik niet aan,' zei Jernigan. 'Aan de andere kant, als de zaken slecht genoeg gaan wil iedereen wel geholpen worden.'
Toen ze weg was, zei hij: 'Toen ze bekende dat ze een blunder gemaakt had, verwachtte ik iets over die verdwenen zaadvlek.'
Ik zei: 'Misschien is er een grens aan wat ze kan bekennen.'
'Verkrachting met een vuurwapen,' zei hij. 'Twee misdadigers of een enkele dominante snelheidskunstenaar die erin slaagde Backer en Doreen in zijn eentje te koeioneren.'
'Iemand met veel geld zou een team kunnen inhuren.'
'Teddy en/of de sultan stuurde er een moordcommando op af.'
Hij drukte zijn handpalmen samen en keek omhoog naar de hemel. 'Wat heb ik gedaan om u te krenken, Herr Kafka?'
Sean Binchy verscheen in Milo's kantoor, zwaaiend met een lijst criminelen die hij had geschift uit de lijst van onderaannemers van Beaudry Construction.

Negen namen, geen Monte of iets wat daarop leek. Binchy had zeven van de ploerten nagetrokken en uitgesloten, was op weg naar Lancaster om de laatste twee na te trekken – twee broers die cementwerkers waren en bij een vorige klus gearresteerd waren omdat ze gereedschappen hadden gestolen.

Milo zei: 'Hoe gaat het met Ricki Flatt?'

'Ik heb haar geïnstalleerd in de Star Inn, betaald voor het totale kabelpakket en alle filmzenders.'

'Dat moet goed zijn, Sean.'

'Een vraag, inspecteur: mijn vader was een aannemer voordat hij bij Amway kwam, ik werkte in de zomer voor hem. Niks bijzonders, gewoon verbouwingen en uitbreidingen. Maar als de bewoners niet in het pand woonden, sloot mijn vader de zaak altijd secuur af, het was mijn klus om dat aan het einde van elke dag na te lopen. Maar die plek? Iedereen kon er naar binnen lopen, het was vragen om moeilijkheden. Niet dat er nog iets te stelen was, maar toch.'

'Ben ik met je eens, jongen. Heb je er een theorie over?'

'Het is bijna alsof degene die de eigenaar was geen belangstelling meer had voor de plek,' zei Binchy. 'Maar waarom zou je het dan niet gewoon verkopen en wat geld verdienen? Misschien zijn ze rijk genoeg dat een paar miljoen ze niets uitmaakt, maar ik zie er het nut niet van om het daar gewoon te laten staan. Hoe dan ook, ik weet zeker dat ik u niets nieuws vertel, laat mij die twee dieven maar natrekken.'

Toen hij weg was, zei Milo: 'Alsof wij daar nooit aan gedacht hadden. Hoe dan ook, voor de hand liggend is niet hetzelfde als irrelevant.'

Ik zei: 'Misschien ligt daar een lichaam begraven en heeft het iets te maken met de cultuur van Sranil.'

'Zoals?'

'Dat de natuur haar loop moet hebben, zoiets als Zen.'

'Het zijn moslims, Alex.'

'Misschien is er net zoiets in de islam.'

'Een lichaam te laten rotten totdat het niet meer geïdentificeerd kan worden? Het landgoed is een bedrag met acht cijfers waard. Zelfs voor een miljardair is dat iets meer dan een aandeeltje Lehman.'

'De sultan is een vroom man,' zei ik. 'De beginselen van het geloof kunnen ver strekken.'

Hij ging achter zijn computer zitten en hamerde op de toetsen. Vijf zoekresultaten verder lazen we allebei een essay van een geleerde van Yale, iemand die gespecialiseerd was in 'opkomende en afwijkende culturele krachten'. Iemand die Keir MacElway heette en het sultanaat noemde als een voorbeeld van

een postmoderne samenleving waar relatief verlichte islamitische zeden en wetten, inclusief een liberale en flexibele uitleg van de sharia, de plaats hebben ingenomen van een eeuwenoude, op de natuur gebaseerde animistische religie van de stam. Toch zijn er overblijfselen van vroegere overtuigingen en rituelen bewaard gebleven, soms versmolten met de moderne islamitische benadering. Daartoe behoren rituelen voor de zon en het water, de aanbidding van specifieke bomen en struiken, en visserijkalenders gebaseerd op astrologische constellaties, die bewaard worden als nostalgische legenden, maar nog altijd aanzien genieten. In sommige gevallen, zoals *sutma*, een samentrekking van het animistische *sutta anka enma* – letterlijk, het wegwassen van doodzonden – zijn oude gewoonten nog sterk aanwezig in de samenleving van Sranil.

De herkomst van sutma is nog steeds niet duidelijk. McGuire en Marrow (1964) veronderstellen dat een passieve benadering van de procedure van een 'verdiende dood' opkwam als een reactie op kannibalisme, meer specifiek als een manier om de consumptie van het vlees van de vijand na een veldslag te voorkomen, omdat was gebleken dat kannibalistische overwinningsfeesten tot ziekten konden leiden.

Ribbenthal (1969) probeert sutma te verbinden met boeddhistische invloeden, hoewel er nog altijd geen bewijs is gevonden voor een meer dan vluchtig contact tussen het animisme van Sranil en het boeddhisme. Wildebrand (1978) schrijft het geloof toe aan een veralgemeniseerde idealisering van de natuur en noemt als bewijs de overheersende rol van Salisthra, de beschermgeest van het bos, in het animistische pantheon.

Wat ook de wortels mogen zijn, sutma is veerkrachtig gebleken en dat maakt des te meer indruk in een tijd waarin andere animistische elementen de heerschappij hebben overgedragen aan monotheïstische religies. In tegenstelling tot westerse normen die een snelle begrafenis voorstaan, en het geloof van het hindoeïsme in een zuivering door verbranding, legt sutma de nadruk op een onbeperkte blootstelling aan de elementen van enig organisch materiaal waarvan vermoed wordt dat het verbonden is met kwaadaardigheid, onoprechtheid of zondigheid. Alleen op die manier zou de zondaar toegang tot het hiernamaals kunnen krijgen. Het wordt niet meer zoveel toegepast door de eilandstammen van Sranil als vroeger, toen alleen al een beschuldiging van immoreel gedrag kon leiden tot langgerekte, vaak vernederende openbare vertoningen na de dood, maar sutma duikt nog bij gelegenheid op als er een gewelddadige misdaad heeft plaatsgevonden, meestal in verafgelegen dorpen, wanneer de bewoners de vertroosting zoeken van *maranandi muru*, de Oude Weg.

Milo sloeg de tekst op, maakte een print. Hij zuchtte. 'Teddy vermoordt een meisje in dat huis, en de sultan ziet die verdomde berg hout als zondig organisch materiaal.'
'Hij zorgt ervoor dat zijn broer het hiernamaals kan bereiken.'
'Kreeg Teddy te maken met een geval van familierechtspraak?'
'Rechtspraak in deze wereld, medeleven in de volgende.'
Hij zocht het nummer bij Yale op van professor MacElway, sprak kort en amicaal met een verraste geleerde van opkomende en afwijkende culturele krachten.
MacElway bevestigde het: In sommige animistische culturen bleven de hutten van moordenaars braak liggen.
Milo zei: 'Blijkbaar is de sultan nogal traditioneel aangelegd.

En wat hebben Backer en Doreen daarmee te maken, met hun vijftigduizend?'

'Wat als Backer en Doreen werden betaald door iemand om de plek af te branden, om Teddy's hemelse reis in gevaar te brengen? Ze konden hem niet rechtstreeks aanpakken, want hij is ofwel dood ofwel staat hij onder koninklijke bescherming in Sranil. Maar kennis van sutma zou hun een gedeeltelijk alternatief kunnen verschaffen.'

'Om de klootzak weg te houden uit de hemel. Iemand die gelooft in de Oude Weg?'

'Of die zelf niet gelooft, maar die weet dat de koninklijke familie erin gelooft. Als er geen gelegenheid is om fysiek wraak te nemen, zou het psychologisch gezien een sterk alternatief kunnen zijn om Teddy de toegang tot het hiernamaals te versperren. En het zou verklaren waarom Doreen inbrak in de bestanden van Masterson.'

'Om aan te kunnen wijzen waar Teddy's onroerend goed was, zodat hij voor eeuwig zou bungelen boven de vuren van de hel. Als dat het geval is, zouden ze op de hoogte moeten zijn van de Sranilese cultuur.'

'Het kostte jou niet veel tijd om de belangrijkste gegevens te verzamelen.'

'Het informatietijdperk... oké, laten we even vasthouden aan deze hypothese: iemand betaalt Backer en Doreen vijftig pop om wat veganistische instantpudding te maken. Maar waarom voerden ze die klus dan niet gewoon uit? Waarom bleven ze terugkomen en maakten ze er hun liefdesnest van?'

'Misschien waren ze begonnen om zich een beeld van de klus te vormen,' zei ik. 'Te bepalen waar de explosieven moesten komen, hoeveel tijd ze nodig hadden om te ontsnappen. Maar toen ze er eenmaal waren, besloten ze de zaken met het plezier te combineren. Want daar liep Backer warm voor: liefde onder de sterren in het gezelschap van triplex, stapelmuurtjes en gewapend beton. Dat gaat misschien wel terug tot zijn jeugd. Als hij als tiener al een pyromaantje was, zouden seks en vuurwerk een boeiend mengsel kunnen hebben gevormd.'

'Een paar voormalige delinquenten die de barbecue voorverwarmden met de hitte van hun lichamen.'

'Delinquenten die ongestraft wegkwamen met iets spectaculairs,' zei ik. 'Dat is een duizelingwekkende trip. En mensen die enorm opwindende ervaringen hebben als ze jong zijn, ontwikkelen vaak een sterke band met die ervaringen.'

'Feromonen en aanmaakblokjes,' zei hij. 'En dan tien jaar van god weet wat. Wat maak je van het feit dat Backer op het oog een respectabel leven leidde, terwijl Doreen haar lichaam ging verkopen?'

'Misschien had hij minder last van een schuldgevoel en had zij een voldoende ontwikkeld geweten om zichzelf te willen straffen. Of hij was slimmer en beter opgeleid, kwam uit een gezin dat nog compleet was en hem ondersteunde, en nam hij slimmere beslissingen. Wat hen ook uiteendreef, hier in Los Angeles kwamen ze weer samen.'

'Chemie.' Een glimlach. 'Organische chemie.'

'Al had Backer dan een diploma behaald, er is geen enkele reden om aan te nemen dat hij zijn hobby had opgegeven en iemand die Teddy's slachtoffer wilde wreken maakte contact met hem. Helaas voor hem en voor Doreen kwam de sultan erachter. Die lichamen, achtergelaten in het torentje, zouden een waarschuwing kunnen zijn voor wie er ook maar van plan was te rotzooien met sutma.'

Hij stond op, hief zijn armen en raakte het lage plafond aan. 'Desi en Doreen spelen met de grote jongens, betalen ervoor met een kogel en een wurging. En er wordt ook nog tijd genomen om een groter vuurwapen ergens in te steken waar het niet hoort. Wat heeft dat te maken met de Oude Weg?'

'Dat was intimidatie, zoals Jernigan suggereerde, om ze eronder te houden – of om informatie te verkrijgen. Hoeveel Doreen en Backer wisten, wie er nog meer bij betrokken was. Het verrassingselement speelde een grote rol in de overval: die zaadvlek op de dij van Doreen suggereert dat Backer juist van haar werd afgetrokken toen hij klaarkwam. Ze werden allebei overweldigd, hij werd ondervraagd, neergeschoten. Doreen bleef alleen over, geïntimideerd en doodsbang. Voor het geval dat nog niet genoeg indruk op haar maakte, werd het grote vuurwapen erbij gehaald.'

'Het is een gave,' zei hij. 'Jouw vermogen om nare plaatjes te schilderen.'

Goed gezegd. Duizenden slapeloze nachten bewezen het. Ik glimlachte.

Hij pakte de telefoon. 'Moses? Druk? Mooi zo, kom maar hierheen. En werk alvast aan je charisma.'

22

'Geen punt,' zei Moe Reed.

Hij aanvaardde de opdracht om nog een bezoek te brengen aan het Indonesische consulaat zonder emotie.

Toen hij naar de deur liep, zei Milo: 'Wil je niet weten waarom?'

'Ik neem aan dat er iets meer bekend is geworden rond dat gerucht van een dood meisje, je wilt dat ik mijn bron onder druk zet voor de details.'

'Er is niets meer bekend geworden, Moses. Daarom wil ik dat je druk uitoefent.'

'Het consulaat sluit om vier uur, ik zal zorgen dat ik er om drie uur ben. Als ze alleen naar buiten komt, zal ik proberen om persoonlijk met haar te spreken. Anders volg ik haar tot ik een goede gelegenheid krijg.'

'Wat is de naam van je bron?'

'Wilde ze niet zeggen, inspecteur, en ik heb geen druk uitgeoefend. Ik dacht dat het belangrijker was dat ze me iets vertelde.'

'Oké, Moses, zoals ik zei, charisma. Als je haar een paar drankjes moet aanbieden, stuur je mij de rekening maar. En als het een intiem plekje is met schemerlicht, beloof ik dat ik niets aan dr. Wilkinson vertel.'

Het object van Reeds amoureuze gevoelens was een fysisch antropoloog in het bottenlab. 'Liz maakt er geen probleem van. En het meisje is waarschijnlijk moslima. Die drinken niet.'

'Goed,' zei Milo. 'Oké, dan probeer je het toch met snoep.'

'Wat wilt u, dat ik haar zacht of hard aanpak?' zei Reed.

'Ik wil dat je doet wat er voor nodig is om elk beetje informatie over prins Teddy en dat Zweedse meisje uit haar te persen.'

'Ik denk dat ik het heel langzaam zal aanpakken, niet bedreigen totdat ik vermoed dat ze flauwekul vertelt, dan krijgt ze de volle laag.'

'Blijf daarmee doorgaan, Moses.'

'Waarmee?'

'Met denken,' zei Milo. 'Blijf de jongen die uitsteekt boven de massa.'

Ik reed weg van het bureau met Milo naast me in de Seville, terwijl hij rommelde, in zijn gezicht wreef, mopperde over het verkeer van Los Angeles, al die onverbeterlijke idioten die mobiel bleven bellen. 'Kijk naar die sukkel die slingert, kijk naar die hersendode klootzak die stopt voor groen, wat nou, is er een kleur bij die je bevalt, loser?'

De Star Motor Inn bevond zich in een grijs gebouw in Sawtelle, tussen Santa Monica en Olympic. Ricki Flatt deed de deur open in dezelfde spijkerbroek met hoge taille en een te groot zwart T-shirt van Carlsbad Caverns. Haar haar hing los en was sterk gekruld, haar mond klein. Achter haar was het bed opgemaakt naar militaire maatstaven. Beelden flitsten voorbij op een tv-scherm dat niet veel groter was dan het beeldscherm van mijn computer.

'Inspecteur.'

'Mogen we binnenkomen?'

'Natuurlijk.'

De kamer rook naar lysol en pizza. Er kwam geen geluid uit de televisie. Er was een kookprogramma te zien, met een vrouw met lichtgevende ogen die zo dun was dat haar kleren als een zak om haar heen hingen, en die rondhupste van vreugde terwijl ze aan het roerbakken was. Wortels, selderij, en een homp die nog het meest leek op gele boetseerklei.

Een van Milo's leefregels is: vertrouw nooit een magere kok. Soms past hij die regel ook toe op rechercheurs. Of op elk willekeurig beroep, afhankelijk van wat voor dag het is.

Op een keer kon ik de verleiding niet weerstaan om te vragen hoe het stond met sporttrainers.

Hij zei: 'Ik heb het over echte banen, niet over sadisten.'

Zijn humeur was gedurende de rit steeds slechter geworden. Je zou het niet merken, als je zag hoe hij omging met Ricki Flatt. Hij schoof een stoel vlak bij de hare, waardoor ik op een hoek-je van het bed moest gaan zitten, hij haalde zijn zachtste glim-lach tevoorschijn – die hij gebruikt voor kleine kinderen en ou-de dametjes. En voor Blanche, als hij denkt dat er niemand kijkt.

'Heb je nog wat geslapen, Ricki?'

'Niet veel.'

'Heb je iets nodig, zeg het me dan.'

'Nee, bedankt, inspecteur. Is het u al gelukt om binnen te ko-men in de opslagruimte?'

'Nog niets gehoord van de politie van Port Angeles.'

'Ik hoop zo dat Scott er niet achter komt dat ik het geld heb gehouden.'

'Dat heb ik ze uitgelegd.'

'Ik word er zenuwachtig van – dat ik het in mijn bezit heb.'

'Het zal snel uit je leven zijn.'

'Is het drugsgeld, inspecteur?'

'Daar is geen bewijs van. Ik snap het gewoon niet. Desi had nooit iets met drugs te maken.'

Milo kwam iets dichterbij zitten. 'Ricki, we doen echt heel erg ons best om uit te vinden wie Desi vermoord heeft, maar om je de waarheid te zeggen, we staan met onze rug tegen de muur. Als ik je een paar vragen stel die je misschien verontrusten, kun je daar dan tegen?'

'Vragen waarover?'

'Desi's jeugdjaren. Toen hij zeventien was.'

'Zover terug?'

'Ja.'

De ogen van Ricki Flatt dansten een complete tango. 'U hebt het over de brand in Bellevue.'

Milo begon met zijn ogen te knipperen, slaagde er op de een of andere manier in om de reflex te onderdrukken. Hij schoof nog iets dichter naar het bed. 'We moeten het inderdaad over die brand in Bellevue hebben, Ricki.'

'Hoe bent u erachter gekomen?'

'We hebben ons huiswerk gedaan.'

'Als er iemand vermoord is, gaan jullie dan terug naar hun kindertijd?'

'We gaan zover terug als we moeten.'

Ricki Flatt plukte aan de lakens.

Milo zei: 'Je hebt aan die brand zitten denken. Dat bedoelde je met politiek.'

'Niet echt,' zei ze. Ze sloeg haar armen om zich heen. Wiegde heen en weer. 'Het spijt me, inspecteur, ik probeer uw vragen niet te ontwijken, maar ik kan het feit gewoonweg niet accepteren dat mijn broer een soort van betaalde brandstichter was. Maar vijftigduizend, dat is waar ik niet van kon slapen gisteravond. En het huis in Bellevue was enorm en dat gold ook voor het huis waar Desi werd... ik kan het niet eens zeggen. Waar het gebeurde.'

'Twee enorme huizen,' zei Milo.

'Ik ben er gisteravond langsgereden in een taxi. Langs die plek. Alleen al aan het skelet kon ik zien dat het ontzagwekkend groot was. Ik bleef tegen mezelf zeggen dat het niets kon betekenen, wat zou er voor verband kunnen zijn?'

'Vertel me wat je weet over de brand in Bellevue, Ricki.'

'Die jongen – Vince. Hij is niet vermoord, hij heeft zichzelf verbrand, het was eigenlijk een ongeluk.'

'Van Burghout.'

'Van,' zei ze, de naam in haar mond proevend.

'Je kende hem niet goed?'

'Ik weet zeker dat ik hem moet hebben gezien als hij met Desi naar huis kwam, maar hij heeft nooit veel indruk gemaakt. Desi was populair, er waren altijd kinderen bij ons. En toen die brand plaatsvond, studeerde ik.'

'Buiten de stad?'

'Nee, Universiteit van Washington. Geografisch gezien niet ver weg, maar ik had mijn eigen leven.'

'Het dossier van de brandstichting noemt Van als een van de metgezellen op de wandeltochten van Desi.'

'Dan zal hij dat wel geweest zijn.'

'Werd er in jullie gezin over de brand gesproken?'

'We hebben het er waarschijnlijk wel over gehad, het was lokaal een enorme gebeurtenis. Maar zoals ik al zei, ik woonde niet thuis.'

Ricki Flatt kneep haar lippen samen, vocht tegen haar tranen. Milo legde een hand boven op de hare. Ze verloor het gevecht en barstte in snikken uit.

In plaats van haar een tissue te geven, depte hij haar ogen droog. Ricki Flatt zei: 'Ik ben een verrader.'

'Wie heb je dan verraden, Ricki?'

'Mijn familie. Ik heb net gelogen, we spraken niet over de brand. Er mocht nooit over gesproken worden. Nooit meer.'

'Zeiden je ouders dat?'

'Een onuitgesproken regel, inspecteur. Iets waarvan ik gewoon wist dat ik er niet over moest praten. Dat was niet hoe mijn ouders het meestal deden. Dat is waarom ik altijd vermoed heb dat Desi er wel bij betrokken was.'

'Dat soort geheimen heb je in elk gezin,' zei Milo. 'Maar als je eerlijk bent, ben je nog niet meteen een verrader. En zeker nu niet.'

Stilte.

'Je wilt dat Desi recht wordt gedaan, Ricki. Zouden jouw ouders daartegen zijn geweest?'

Geen antwoord.

'Wat denk je, Ricki?'

Ze schudde langzaam haar hoofd.

'Vertel me wat je weet.'

'Weten doe ik niets,' zei ze. 'Ik voel het gewoon. Heb het altijd gevoeld.'

'Wat gaf je dat gevoel, afgezien van het feit dat je ouders dichtklapten?'

'Om te beginnen, de boeken van Desi. Hij had van die boeken van de tegencultuur in zijn kamer. Hoe je je eigen wapens moest maken, hoe je kon verdwijnen en je identiteit kon uitwissen, hoe je wraak kon nemen, *The Anarchist Cookbook*. Een hele plank vol, boven zijn computer.'

'Je ouders vonden dat geen punt.'

'Wat ik u vertelde was de waarheid. Voor Pa en Ma ging het erom dat we ons eigen moreel besef moesten ontwikkelen. Hoewel ik Pa een keer een opmerking hoorde maken, als brandweerman had hij nog wel iets met orde en gezag. Ik hoorde hem toevallig tegen Desi zeggen dat zulke boeken in andere samenlevingen als verraad zouden zijn beschouwd. En Desi antwoordde dat die samenlevingen terecht waren verdwenen, omdat niets ter zake deed zonder vrijheid van meningsuiting. En Pa wierp tegen dat vrijheid van meningsuiting belangrijk was, maar dat het eindigde als iemands kin botste met de vuist van iemand anders. Desi beëindigde de discussie zoals hij dat meestal deed. Met een charmeoffensief. "Je hebt helemaal gelijk, Pa." Pa lachte en het kwam nooit meer ter sprake. Zo was mijn broer, pure honing, geen drupje azijn. In tegenstelling tot mij verspilde hij nooit tijd aan ruzies met Pa en Ma. Hij was het gemakkelijke kind.'

'Geen openlijke rebel,' zei Milo. 'Dus hij mocht zijn verraderlijke boeken behouden.'

'En zijn posters uit *Hustler*, hoe gynaecologisch die foto's ook waren en hoezeer Ma zichzelf ook als een feminist beschouwde. En zijn poster van Che of wat hij ook maar wilde. Ik weet zeker dat Pa en Ma zich niet konden voorstellen dat hij ooit iets anders met die boeken zou doen dan ze te lezen.'

'Tot de brand.'

'Het weekend erna bracht ik thuis door. De onafhankelijke tante kwam even haar was laten doen. Pa en Ma waren aan het werk, maar Desi was thuis dus ik klopte op zijn deur. Het duurde heel lang voordat hij het slot opendraaide, hij leek niet blij om me te zien, geen spoor van warmte. Dat was vreemd, meestal knuffelden we elkaar stevig. Maar deze keer zag hij er verward en opgewonden uit, alsof ik iets had onderbroken. Mijn eerste gedachte was dat het met zijn leeftijdsfase te maken had – u begrijpt wel wat ik bedoel.'

'Die posters uit *Hustler*.'

'Hij was tenslotte zeventien.' Ze bloosde. 'Toen zag ik dat zijn kamer opnieuw was ingericht, zelfs het bed stond op een andere plek. Desi was altijd al netjes geweest, maar nu zag het er gewoon dwangneurotisch uit. Veel minder spullen in de kamer. Inclusief de boeken. Allemaal weg, en waar de poster van Che had gehangen had hij nu een foto van een eland in het bos opgehangen. Ik maakte een flauw grapje over de nieuwe inrichting, vroeg of hij homo was geworden of zoiets. In plaats van te lachen, zoals hij normaal gesproken zou hebben gedaan, stond hij daar gewoon. Toen drong hij me weg bij de deur. Niet door me aan te raken, maar door langzaam naar voren te komen, waardoor ik wel achteruit moest als ik niet tegen hem aan wilde botsen. Toen sloot hij de deur achter zich en we gingen allebei naar de keuken en hij was weer de goeie oude Desi, glimlachend en grappig.'

Ik zei: 'Hij richtte zich op jou in plaats van op zijn kamer.'

'Daar was Des goed in. Hij kon je laten voelen alsof je het centrum van het heelal was. Dan vroeg hij je ergens om en je zei gewoon ja, zonder te aarzelen.'

'Heb je het ooit over de brand gehad?'

'Niet met Desi, alleen met ma. Ze kreeg toen een vreemde blik in haar ogen, veranderde van onderwerp. Dat hele weekend was vreemd.'

'Ze waren alle drie nerveus.'

'Ik voelde me als een vreemde. Maar aanvankelijk verbond ik dat niet met de brand. Pas later, toen ik ontdekte dat Desi en sommige van zijn vrienden waren ondervraagd door de politie, begonnen de dingen op hun plaats te vallen.'

Milo zei: 'Ben jíj ooit ondervraagd?'

'Nee, en ik zou ook niets gezegd hebben. Ik had trouwens ook niets te vertellen.' Ze maakte een propje van een tissue, opende haar hand en zag hoe het propje zich opende als een bloem die versneld opengaat voor de camera.

Ik zei: 'Bewaarde Des iets wat verdacht leek in zijn kamer, afgezien van de boeken?'

'Als hij dat deed, zou ik het niet weten. Hij had een slot op zijn deur en dat gebruikte hij.'

'Hij hield dus van privacy.'

'Zeker, maar welke tiener niet? Ik dacht dat het was vanwege alle meisjes die hij meenam naar huis. Was Doreen er daar een van? Waarschijnlijk, maar slechts één, hij had er beter een draaideur in kunnen zetten. En nee, mijn ouders maakten daar nooit een probleem van. Desi draaide muziek om het geluid te maskeren, maar soms kon je horen hoe het bed tegen de muur

beukte. Pa en ma gingen gewoon verder met lezen of televisie-
kijken, deden alsof ze niets hoorden.'
'Dus je ouders waren gewend om de andere kant op te kijken.'
'U bedoelt dat ze daarom deden alsof er niets gebeurd was,
toen Desi iets deed wat echt slecht was?' Ze ademde langzaam
uit. 'Misschien.'
Milo zei: 'Nadat de FBI Desi kwam ondervragen, begon je jezelf vragen te stellen.'
'De FBI? Ik had alleen maar gehoord over de politie. Is de FBI
echt naar ons huis gekomen?'
'Echt waar, Ricki. Ze hebben met je ouders gesproken en ook
met Desi.'
'Ongelooflijk. De enige reden dat ik erachter kwam dat de politie erbij betrokken was, was dat ik de *Daily* las – het krant-
je van de Universiteit van Washington. Het kwam erop neer
dat er geen voortgang in het onderzoek was geboekt, maar dat
plaatselijke jongelui werden ondervraagd en Desi's naam werd
genoemd. Zei ik er iets over? Nee.'
Milo zei: 'Wat weet je over Desi's tien jaar in de wijde wereld?'
'Niet meer dan wat ik u gisteren vertelde.'
'Druk bezig om hippie te zijn.'
'Retro-hippie,' zei Ricki Flatt. 'De oorspronkelijke hippies waren van de generatie van mijn ouders. En dan plotseling scheert
hij zijn baard af, knipt zijn haar, koopt mooie kleren, schrijft
zich in voor een studie architectuur. Ik weet nog dat ik dacht,
nu wil hij gaan bouwen in plaats van te vernietigen.'
'Het vuur bleef in je gedachten.'
'Ik ben niet ethisch genoeg om er constant mee bezig te zijn,
maar af en toe kwam het in mijn gedachten. Omdat die jongen was gestorven en de politie genoeg verdenking tegen mijn
broer had gekoesterd om hem te ondervragen en omdat mijn
ouders zich zo vreemd hadden gedragen.'
'Heb je enig idee hoe Desi weer contact maakte met Doreen?'
'Geen enkel.'
'Hij heeft haar nooit genoemd.'
'Hij noemde nooit een vrouw, inspecteur. Ik ging er gewoon
van uit dat hij zichzelf was.'
'Dat betekent?'

'Hij hield zijn ogen open en zijn contacten oppervlakkig.'
'Heeft hij ooit vrouwen genoemd die hij leerde kennen in de jaren dat hij onderweg was?'
'Niet één. Wat die vijftigduizend betreft, bent u er echt van overtuigd dat hij bij iets illegaals betrokken was?'
'Het is een heleboel geld, Ricki.'
Ze werd stil.
Milo zei: 'Een paar andere jongelui in de wandelgroep van Desi werden ook ondervraagd na de brand: Dwayne Parris en Kathy Vanderveldt. Kun je je iets van hen herinneren?'
'Ik zou ze niet eens herkennen als u me een foto liet zien. Ik was drie jaar ouder. In mijn ogen was het een groep stomme kinderen.'
'Je zei eerder dat Desi erg met gezondheid bezig was. Heeft hij ooit iets gezegd over veganistische instantpudding?'
'Zeker.'
'Dat wel?'
'Waarom?' zei Ricki Flatt. 'Wat heeft eten ermee te maken?'
'Veganistische instantpudding is zelfgemaakte napalm, Ricki. Het is mogelijk gebruikt bij de brand in Bellevue.'
Ze werd spierwit. 'O, mijn god.'
'Wat zei Desi dan over veganistische instantpudding?'
'Ik... ik weet het niet, het is gewoon iets wat ik hem hoorde zeggen. Is het dat echt?'
'Ja, Ricki.'
'Eerlijk waar, ik dacht dat het eten was, een of ander idioot organisch product.'
'Sprak hij erover voor de brand in Bellevue of erna?'
'Laat me denken, laat me denken. Alles wat ik me kan herinneren is dat Desi met een paar vrienden in de keuken was, even snel iets eten voordat... misschien voordat ze gingen wandelen – ik denk dat ze eten meenamen voor onderweg, waterflessen, en toen zei iemand, misschien was het Desi, misschien was het iemand anders, ik weet het echt niet meer, waarom nemen we geen veganistische instantpudding mee? En iedereen begon te lachen.'
'Was Doreen daarbij?'
'Was ze daarbij? Waarschijnlijk. Ik kan het niet met zekerheid

zeggen, misschien niet, ik weet niet.' Ze huiverde. 'Veganistische instantpudding. Nu moet ik me ineens een heel ander beeld van mijn broer gaan vormen.'

23

Milo sloot de deur van de motelkamer en liet Ricki Flatt in foetushouding achter. 'Mooie dromen? Ik denk het niet.'
Terug in de auto zei hij: 'Die ouders moeten geweten hebben dat hun jongen betrokken was geweest bij brandstichting in dat huis.'
Ik zei: 'Vader was brandweerman, dat kon hij niet aan.'
'Backer doet god weet wat tien jaar lang, besluit dan om architect te worden? Waar slaat dat op – ik vernietig, ik schep? Het idee dat hij God zelf is?'
'Of een poging om boete te doen.'
'Vijftig mille zegt dat hij geen schuld voelde. Vraag me af of er nog andere gebouwen in San Luis behandeld zijn met vegapudding toen Backer aan de Cal Poly studeerde.'
'Robin komt ervandaan, ik zal het haar vragen.'
'Liefje bellen' droeg ik het spraakherkenningssysteem op.
Ze zei: 'Ik heb er nooit van gehoord, maar ik zal het aan ma vragen.'
De relatie van Robin met haar moeder is, zacht uitgedrukt, gecompliceerd. Ik zei: 'Wat een zelfopoffering voor de openbare zaak.'
Ze wachtte. 'Zolang we het over zware delicten hebben gaat het wel goed.'
Milo zei: 'Ik ben je wat verschuldigd, meid.'
'Breng maar een fles wijn mee, als ik de volgende keer voor je kook.'
'Wat heb ik de laatste keer meegebracht?'
'Een orchidee. Ook mooi, maar heb je niet liever iets wat je kunt delen?'
'Als je een brand in een landhuis in San Luis vindt in de laat-

ste twee tot zes jaar, breng ik je een kist met de beste pinot die er te vinden is.'

'Ik kom erop terug, ouwe reus.'

Drie minuten later belde ze terug. 'Ma heeft nog nooit gehoord van zoiets en mijn vriendin Rose ook niet, die daar haar hele leven heeft gewoond en alles weet. Als je wilt kan ik de kranten erop nazoeken.'

'Ik zou je vast op de loonlijst moeten zetten, kleine.'

'Zoals je altijd met Alex dreigt te doen?'

'Oké, je punt is duidelijk,' zei hij. 'In elk geval is het niet nodig, ik kan zelf wel een paar toetsen indrukken.'

'Wanneer komt mijn oogappel naar huis?'

'Nu, als je hem wil hebben.'

'Ik wil hem altijd hebben, maar laat me niet jullie onderzoek dwarsbomen.'

'Was er maar een onderzoek.'

'Gaat het zo slecht?'

'Ach,' zei hij, 'we lopen, praten, ademen, ik ben dankbaar.'

Robin zei: 'Zulke woorden hoor ik niet graag van jou.'

'Ik moet niet te filosofisch worden?'

'Niet met mij erbij.'

Milo gleed weg in die bekende, sombere stilte. Terug in zijn kantoor gooide hij zijn jas boven op een archiefkast en begon te zoeken naar branden in landhuizen door de hele staat. Elk spoor van eco-fikkers.

Een lange lijst. 'Er gingen flink wat grote huizen in vlammen op gedurende dat tijdsbestek – hier een compleet luxe woonproject in Colorado, een laboratorium voor onderzoek op dieren – dat ging om schooljeugd die bijtijds gestopt werd. Hij draaide zich weg van het scherm. 'Het is overal in het land te vinden, Alex, maar als er een patroon in zit, dan zie ik het niet. En als Backer een prof was, zou je verwachten dat er iets pyrotechnisch in zijn appartement te vinden zou moeten zijn. Maar de explosievenhonden vonden noppes. Dat betekent a: Backer was een architect en verder niets. Of b: Hij speelde graag met vuur maar stelde het aanschaffen van zijn benodigdheden uit tot vlak voor de happening. Of c: Hij had een opslagruimte vol brandbare goederen. En ga me alsjeblieft niet aan de genoemde mogelijkheden lopen herinneren.'

Sean Binchy belde vanuit Lancaster. 'Hé, inspecteur, die twee jattende broers hebben allebei een alibi voor Borodi. Ook al hebben ze volgens mij hun leven niet gebeterd. Er stond een vrachtwagen zonder nummerplaten op hun oprijlaan en ze wilden duidelijk niet dat ik er van dichtbij naar keek. Wat nu?'

'Ga naar huis.'

'En de vrachtwagen moet ik maar vergeten?'

'Licht de lokale politie in en zet er een punt achter. De groeten aan je vrouw.'

'Absoluut,' zei Binchy. 'Ik weet zeker dat ze de groeten terug zal doen.'

Milo zei: 'Kun je je voorstellen dat ik dit straks moet uitleggen aan de bazen: wraak door middel van sutma interruptus. Ervan uitgaand dat er ooit een vermoord Zweeds meisje is geweest. Ervan uitgaand dat iemand genoeg om haar gaf om het huis te willen verbranden. Ervan uitgaand dat Backer en Fredd iets met elkaar hadden en lagen te rotzooien alvorens de plek te verwoesten en dat ze om zeep werden geholpen voordat ze hun plan konden uitvoeren.'

Ik zei: 'Als er een Zweeds meisje was en iemand gaf genoeg om haar om haar te wreken, dan heeft die iemand misschien ook contact gezocht met het Zweedse consulaat over haar vermissing.'

Hij zocht het plaatselijke nummer op, voor een beschaafd gesprek met een man die Lars Gustafson heette, die geen kennis had van Zweedse burgers wier leven twee, drie jaar geleden op het spel zou hebben gestaan, maar die beloofde het na te kijken.

Milo belde Moe Reed. 'Heb je dat Indonesische meisje gevonden?'

'Ik ging u net bellen, chef. Ik was daar toen ze afsloten maar ze was vandaag niet op haar werk. Ik hoop dat ze er niet van geschrokken is dat ze met mij heeft gesproken, want ik heb nooit een naam of een adres gekregen. Stom, hè? Ik probeerde om haar te vriend te houden.'

'Een kwestie van inschatting, Moe, krijg er geen maagzweer van.'

'Ik zal er morgen zijn voordat ze opengaan. Nog iets anders nodig?'

'Ga naar huis.'

'Tuurlijk, is er echt niets wat ik kan doen?'

'Zorg dat je wat slaap krijgt voor het geval er wel iets te doen is, Moses.'

Hij hing op met een zucht.

Ik zei: 'Wat een goede vader.'

Mopperend surfte hij naar de Gouden Gids op internet, zocht naar opslagruimten in het district Los Angeles. Een minderheid weigerde om klanten informatie te verstrekken, maar de meesten werkten verrassend goed mee.

Na elk telefoontje begon zijn romp meer onderuit te zakken. Het eindtotaal: geen opslagruimte geregistreerd op de naam van Desmond Backer. Milo sloot zijn ogen. Zijn adem werd langzamer, oppervlakkig, zijn grote hoofd viel naar achteren in de stoel en zijn armen bungelden omlaag.

Toen het volume van het gesnurk in de buurt van een kernexplosie kwam, liet ik mezelf uit.

Robin zat achter haar laptop op de bank in de woonkamer. Blanche deed een tukje op de sofa, haar kleine ronde borstkas ging op en neer. Ze bereikte niet het niveau van Milo, maar met haar gesnuffel en gesnuif zou de volumemeter ook een flink stuk uitslaan.

Ze opende een oog, glimlachte en gleed toen terug in een wondermooie hondendroom.

Het scherm was vol met zoekresultaten op Google. *Landhuis brandstichting* waren de zoektermen.

Ik ging zitten. Robin kuste me en scrolde omlaag over de pagina. 'Ik was zelf detective aan het spelen. Kon niet bedenken wat ik zou maken. Kliekjes of uit eten?'

'Uit eten klinkt goed.'

'Twee zielen, één gedachte. Er is niets te vinden in San Luis, maar veel vuurwerk in andere steden. Iemand bouwt zijn droom, iemand anders kan niet wachten om het neer te halen. Deprimerend.'

Jaren geleden brandde een psychopaat ons eerste huis tot de

grond toe af. We hadden het herbouwd en waren het erover eens dat het resultaat een verbetering was, geen van beiden praatten we er nog over. Maar een klein stukje naar het noorden in Mulholland zit een brandweerkazerne en een andere in zuidelijke richting, vlak bij Beverly Glen en Sunset, dus nogal wat van onze nachten worden verstoord door sirenes.

Meestal duurt het spookachtige gejammer maar kort, onze voeten beroeren elkaar om onszelf gerust te stellen en we vallen weer in slaap.

Soms gaat Robin huiverend overeind zitten en dan sla ik mijn armen om haar heen. Dan kan zomaar ineens de ochtend aanbreken, een norse, stuurloze ochtend.

Ze sloot de laptop, stond op en aaide Blanche. 'Oké, ik zal me omkleden.'

'Chinees, Italiaans, Thais, Indiaas?'

'Wat dacht je van Kroatisch?'

'Hoe is de Kroatische keuken?'

'Laten we naar Zagreb vliegen om het uit te vinden,' zei ze. 'Italiaans is goed, schat. Alles is goed, als we hier maar wegkomen. Ik ga me even opfrissen.'

Uiteindelijk aten we vis met friet bij een kraampje op PCH in Malibu, keken toe hoe de lucht aarzelde tussen koraal en lila, en lieten ons onderdompelen in de laatste kleurverschuiving naar indigo toen de zon een punt achter zijn werkdag zette.

Toen we weer thuis waren, liet ik het bad vollopen. De kuip is niet bedoeld voor twee maar zolang je oppast dat je je hoofd niet tegen de kraan stoot gaat het best. Dat soort van nabijheid leidt soms tot meer. Vanavond niet, we lazen en keken televisie en gingen net voor middernacht naar bed.

Ik ontwaakte door een weerkaatsend gillend geluid, dacht eerst dat ik droomde en dat het lawaai zou verminderen naarmate ik wakkerder werd.

Het geluid werd alleen maar sterker toen ik bij mijn volle bewustzijn was. Robin zei: 'Dat is al de vijfde. Ze rijden naar het zuiden.'

03.17 uur in de nacht.

Sirene nummer zes huilde. Een dopplereffect.

'Iemands leven gaat veranderen, Alex.'

We gleden onder de dekens, onze voeten raakten elkaar en we deden wat we konden.

Kort daarna schakelde ik de televisie aan en we groeven naar het nieuws in een moeras van infomercials en herhalingen van troep die nooit zelfs maar voor de eerste keer had moeten worden vertoond. Als er iets nieuwswaardigs gebeurde aan de Westside, hadden de netwerken of de nieuwszenders van de kabel het nog niet opgepikt.

Het internet wel. Een blog met actuele gebeurtenissen in Los Angeles dat in realtime werd bijgehouden. Een of andere slapeloze had de noodfrequenties afgeluisterd.

Brand in Holmby Hills. Onvoltooid bouwproject.

Borodi Lane.

Robin hield haar adem in. Ik hield haar steviger vast en rekte me uit om de telefoon te pakken, toetste het nummer van Milo's mobiele telefoon in. Hij zei: 'Ik ben al onderweg daarheen, bel je wanneer ik je nodig heb.'

Wanneer, niet als. Ik kleedde me aan, zette koffie, zei tegen Robin dat ze moest proberen om wat te slapen.

'Ja, echt,' zei ze, terwijl ze aan mijn arm hing.

Met koffiemokken in onze handen sjokten we door het huis, stapten het terras aan de voorkant op. Een kille, donkere ochtend. Betrekkelijk warm voor het tijdstip, maar we huiverden. Boven de lijn van de bomen was de zuidelijke lucht vol grijs stof. De sirenes waren weggestorven tot muizengepiep, ver weg. Er hing een schroeilucht.

Robin zei: 'Slecht nieuws gaat als een lopend vuurtje.'

24

Borodi Lane was geblokkeerd door patrouillewagens en een puffende ladderwagen van de brandweer. Een agent keek afkeurend toen ik tot aan het trottoir reed, net voorbij Sunset. Een sceptisch telefoontje naar Milo leverde een schoorvoetende knik op. 'Maar u moet uw auto daar laten, meneer, en verder lopen.'

Ik ging door naar de plaats delict en ademde hitte, brandend hout en vlamonderdrukkende chemicaliën in, een koolwaterstofstank zoals je zou verwachten in het allergrootste pompstation van de wereld. Het asfalt was glad van het schuim. Gekraak en gezoem zorgde voor een achtergrondgeluid als van babbelende eksters. Rode machines en gehelmde brandweermannen waren overal. Ik moest me nog een paar keer legitimeren voordat ik toestemming kreeg om het landgoed te bereiken.

Wat er over was van de droom van prins Teddy was zwart en had geen toekomst. Waar de grond niet vol as lag, was er modder. Een wit busje van de lijkschouwer was tot aan de open poort gereden. De ketting die Milo had laten halen lag op de grond, gemarkeerd door een plastic bordje met een nummer, en netjes doormidden gesneden in twee stukken.

Terwijl brandweermannen naar binnen en naar buiten stroomden, reden een paar medewerkers van het lijkenhuis een trolley weg met daarop iets wat er klein en klonterig uitzag en dat in plastic gewikkeld was. Ik zocht Milo, vond hem vlak bij een ambulance van de politie van Los Angeles. Hij droeg een slappe zwarte regenjas, spijkerbroek en modderige sportschoenen en staarde naar de ruïne. Rechts van hem, op de grond, lagen verschillende objecten op een zwart zeil, maar het was te schemerig om ze te onderscheiden.

Toen ik naast hem kwam staan, haalde hij een zaklantaarn tevoorschijn en richtte die omlaag.

Een gedeeltelijk gesmolten glazen fles. Afgaande op de vorm van het verschroeide ijzerdraad rond de hals ging het waarschijnlijk om champagne. Een enkel ongeschonden wijnglas. Een botermes, waarvan het handvat tot een klodder was gesmolten. Een metalen blik met een versierd etiket.

Ik boog me om het te kunnen lezen. *Foie gras. Geïmporteerd uit Frankrijk.*

Milo's lichtstraal verplaatste zich naar een revolver met een lange loop, onmiskenbaar antiek, waarvan de houten handgreep door en door verschroeid was en het gegraveerde metaal zwart geworden.

Naast het wapen lag een betonschaar, tussen verschroeid en goed doorbakken.

Ik zei: 'Iemand heeft hier een feestje gebouwd.'

'Waarschijnlijk meneer Charles *Ellston* Rutger,' zei hij.

'Waarschijnlijk?'

'Het lichaam is onherkenbaar, maar de Lincoln van Rutger staat om de hoek geparkeerd en in de as lag een massief gouden visitekaartje met zijn naam erin gegraveerd. Bovendien zijn er een paar halfbakken bruggen van een gebit, evenals een gouden boordspeld en platina manchetknopen met initialen.' Hij vloekte. 'Helemaal gekleed voor de gelegenheid. De idioot knipte de ketting door, klom naar het torentje met zijn Dom god-weet-wat, zijn verdomde ganzenlever, en ongetwijfeld nog wat andere delicatessen die in rook zijn opgegaan.'

Ik zei: 'Een picknick onder de sterren.'

Hij schopte een kluit modder van de punt van een sportschoen. 'De stomkop overtuigde zichzelf ervan dat hij weer de eigenaar was. Wie zal zeggen hoe vaak hij daar naar boven is gegaan toen er geen ketting was. Ik waarschuwde hem nog, maar natuurlijk luistert hij niet, omdat ik een stomme ambtenaar ben en hij een verdomde aristopaat. Als er iemand een slechte timing had, dan was het Charlie met de drie namen.'

'Het verhaal van zijn leven,' zei ik. 'Het zou me niet verbazen als de brandstichter de gebroken ketting zag en er zijn voordeel mee deed. Hoe is het vuur begonnen?'

'Wat de jongen van brandstichting me tot dusver verteld heeft, is dat er iemand proppen heeft gemaakt met een uiterst brandbare lading, waarschijnlijk op basis van petroleum, en die methodisch heeft verspreid op minstens acht plekken over de hele benedenverdieping. Goed uitgedacht, was zijn beschrijving.'

'Op basis van petroleum, je bedoelt veganistische instantpudding?'

'De smaak van de maand. De buren hoorden maar één explosie, de hele zaak vloog in brand als aanmaakhout, dus het lijkt erop dat er maar één timer was. Het had rampzalig kunnen uitpakken als er een sterke wind had gestaan en de vlammen waren overgesprongen naar het nabije struikgewas. In feite was het maar goed dat het hele bouwwerk al bijna helemaal was ontmanteld.'

'De benedenverdieping vliegt in brand, vlammen schieten omhoog door al die open ruimte, de zuurstof voedt ze. Ondertussen zit Rutger vast op de bovenverdieping en is de trap weggebrand.'

'Het zou niets hebben uitgemaakt, Alex. Dit was een plotselinge, intense brand, geen kans om te ontsnappen. Rutger zit daar champagne te drinken en zich vol te stoppen, niemand speelt de baas over hem. En ineens is hij geroosterd. Ga er maar aan staan. Kruimels.'

Een gedrongen man met grijs haar en een gele helm, een blauw windjack van de politie van Los Angeles en een spijkerbroek kwam op ons af, terwijl hij een beroet en bezweet gezicht afveegde.

'We zijn hier nog wel even, Milo. Jij kunt gaan, tenzij je wilt blijven hangen.'

'Jij liever dan ik,' zei Milo. 'Dit is dokter Delaware, onze psychologisch adviseur. Dokter, dit is hoofdinspecteur Boxmeister van de afdeling brandstichting.'

'Don,' zei Boxmeister. 'Ik zou graag uw hand schudden maar de mijne is vies. Dit was me een vuurzee, doet me denken aan je weet wel welke jungle, Milo, of niet? Veganistische instantpudding, daar had ik al een tijd niet van gehoord, ja, het werkt inderdaad net als napalm. Als jij je nou richt op het moordaspect, dan concentreren wij ons op de brandstichting. Waarmee ik niet wil zeggen dat we niet zullen samenwerken.'

Milo zei: 'Klinkt goed, Don. Die FBI-agent waar ik het over had, zei dat instantpudding het favoriete feestartikel is van ecoterroristen.'

'Dat was het, Milo, maar dat soort waanzin op grote schaal zien we hier niet aan de Westside, afgezien van af en toe een dreigement aan onderzoekers die met dieren werken. Het enige wat we vorig jaar hadden was een zielig amateurvuurtje in een van de medische laboratoria van de universiteit en toen hadden we die sukkel snel te pakken. Hij werkte daar, veegde de vloeren en had geen band met enige groep – een van die jongens waar u meer van zult weten, dokter. De flapdrol dacht dat hij Mickey Mouse en al zijn broertjes had bevrijd, maar het enige wat zijn actie opleverde was geflambeerde knaagdieren en derdegraads brandwonden aan allebei zijn armen. Ik denk dat het hier rustig blijft omdat niemand verwacht dat de huizen in Holmby of Beverly Hills of Bel Air er ánders dan protserig uitzien. Als je de pronkzucht zou willen verwijderen van de goudkust, hou je de Gobi-woestijn over.'

'Hou je in, Don.'

Boxmeister grijnsde, haalde een blocnote en een pen tevoorschijn. 'Vertel nog eens welke oliefiguur de eigenaar was van deze barbecue.'

'Prins Tariq van Sranil. Niet in het Midden-Oosten, het Verre Oosten, het is vlak bij Indonesië...'

'Ik zoek het wel op,' zei Boxmeister. 'En jij denkt dus dat jouw oorspronkelijke slachtoffers ook van plan waren om de zaak in brand te steken, maar dat ze door iemand werden gestoord. En dat ze een medeplichtige hadden die de klus afmaakte en in het voorbijgaan meneer Rutger met al die namen roosterde.'

'Dat lijkt me een goede samenvatting, Don.'

'Politiek. Dat is klote. Als je het niet erg vindt zou ik dat deel van het verhaal het liefst stilhouden, we hebben er niets aan als de buren denken dat Al Qaida loert op hun tennisbanen.'

'Goed idee,' zei Milo, 'helemaal omdat ik niets meer heb dan giswerk.'

Ik zei: 'In welke positie is het lichaam aangetroffen?'

'Er was geen lichaam, dokter. Alleen botten en as en een paar gebitsplaten.'

'Heeft het vuur het lichaam verplaatst?'

Boxmeister dacht na. 'Op die hoogte lijkt me dat niet waarschijnlijk.'

'Waar in het torentje werd het gevonden?'

'Precies in het midden.'

'Niet vlak bij de trap? Alsof hij probeerde te ontsnappen?'

'Daar lijkt het niet op.'

'Een stille moordenaar,' zei ik. 'Rutger had geen flauw vermoeden.'

'Of wel, maar dan kon hij er niets aan doen. Er zijn geen resten van een mobiele telefoon gevonden.'

Milo zei: 'Een telefoon zou de explosie hebben doorstaan?'

'Een deel ervan waarschijnlijk wel,' zei Boxmeister. 'Ik zal je één ding vertellen, ik ga onderzoeken waar dat blikje lever van is gemaakt. Iets wat dit kan doorstaan, daar ga ik een voorraadje van aanleggen.'

Een ruziënde vrouwenstem maakte dat we ons alle drie omdraaiden.

Een jonge brunette, die werd vastgehouden door een vrouwelijke agent, wees naar Milo.

Ze was slank en had lang haar, de dochter die op het huis paste en die Doreen Fredd op Borodi had gesignaleerd.

'Amy... Thal.' Ze droeg een rode, zijden kamerjas over haar pyjama en wollige, roze pantoffels. Ze protesteerde terwijl de agent haar tegenhield.

Milo liep er op een sukkeldrafje naartoe, stuurde de agent weg en kwam terug met Thal. Onder de sterkere lampen zagen haar sproeten er als braillepunten uit.

'Don, dit is mevrouw Thal, een behulpzame buurvrouw. Amy, hoofdinspecteur Boxmeister van de afdeling brandstichting.'

Boxmeister zei: 'Ik zou graag uw hand schudden maar de mijne is vies.'

Amy Thal wreef over de arm die de agent had vastgehouden. 'Ik probeerde haar uit te leggen dat ik u kende, dat ik iets te zeggen had. Het is niet alsof ik een of andere pottenkijker ben, dit is verdomme mijn buurt.'

'Sorry,' zei Milo. 'Wat is er, Amy?'

'Ik zag nog een vrouw die ik niet herkende. Gisteren, ze jogde minstens drie keer langs deze plek.' Ze snoof de verbrande lucht op. 'Dit is waanzin, wat is er aan de hand, inspecteur?'

'Vertel me over die vrouw.'

'Blond, lang haar, strak kontje. Ze zag eruit als een echte hardloper, op dat moment dacht ik er niet over na, maar nu vind ik het raar. Want ze bleef heen en weer rennen en waarom zou je dat doen, als je hier allerlei interessante routes kunt kiezen? Ik bedoel, steek de straat maar over en ga voorbij het Playboy Mansion, of het oude huis van Spelling, loop helemaal door naar Comstock en draai dan om het park heen. Waarom zou je heen en weer blijven gaan? Ik bedoel, dat is verdacht, of niet?'

'Drie keer,' zei Milo.

'Drie keer voor zover ik het heb kunnen zien, inspecteur, het kan meer geweest zijn. Ik was in de woonkamer, uitgestrekt op de bank aan het lezen. Over het algemeen is het heel rustig, dus als er iets beweegt valt het op. Gisteren zag ik een grote coyote die op zijn dooie gemak voorbij kuierde, alsof hij hier de baas was.'

'Was er iets opvallends aan haar?'

'Ze leek nogal gespannen. Maar dat heb je met hardlopers, of niet? Ik stond er niet bij stil. Maar nu? Wat denken jullie ervan?'

'Wij denken dat we het op prijs stellen dat je hiermee bent gekomen, Amy.'

Boxmeister knikte. 'Kunt u nog iets meer vertellen over hoe ze eruitzag, mevrouw?'

'Zwarte legging, blote buik, sportbeha. Acceptabel gezicht, tenminste van een afstand. Misschien echte borsten, maar met een sportbeha ben ik daar nooit zeker van.'

Milo zei: 'Hoe blond?'

'Ultra,' zei Amy Thal.

'Platina?'

Ze knikte. 'Lang en glanzend – en geen paardenstaart, zoals de meeste meisjes hebben als ze hardlopen. Ze liet de hele handel gewoon fladderen in de wind. Zoiets van kijk naar mij, het is net zijde. Ze deed me denken aan die komische serie op televisie, een tijd geleden. Mijn vader keek er graag naar, mijn moeder werd er altijd pissig van, omdat ze dacht dat hij niet vanwege de humor keek. Het Zweedse Bikini Team. Volgens mij verkochten ze bier of zoiets.'

Don Boxmeister zei: 'Old Milwaukee.'

Amy Thal zei: 'Het was jaren geleden, ik was nog een kind. Vader was er dol op. Dit meisje was ook zo. Oké, ik kan beter even de telefoon pakken en mijn ouders vertellen dat ze maar van Parijs moeten blijven genieten.'

Milo bedankte haar. Ze gaf een plotselinge kneep in zijn pols, draaide zich om en vertrok.

Boxmeister zei: 'Leuk kontje, ik zou die sproeten graag eens met de hand tellen. Jammer dat we geen zier aan haar informatie hebben. Een hete blondine die hardloopt in Holmby, dat is niet echt iets bijzonders.'

'Don, het meisje dat deze prins om zeep zou hebben geholpen was Zweeds.'

'O.' Een schaapachtige glimlach. 'Spoel de band maar terug en wis die opmerking van mij. Onze pyromaan is een dame op zoek naar persoonlijke wraak? Wat hebben jouw eerste twee slachtoffers daar dan mee te maken?'

'Zoals je zei, misschien hadden ze allemaal hetzelfde doel. Of misschien was zij familie van het Zweedse slachtoffer, huurde hem in, zij werden gedood en zij besloot om de klus af te maken.'

'Je denkt dat zij de reden is waarom die lui vermoord werden? Dat lijkt mij een flinterdunne verklaring.'

Milo antwoordde niet.

Boxmeister klopte hem op de schouder. 'Bekijk het van de positieve kant, het zou aardig zijn om voor de verandering een verdachte in het bankje te hebben die er goed uitziet. Maar voor het geval Blondie er niets mee te maken heeft, zal ik de zaak op de oude manier aanpakken, de databases uitkammen om te zien of er recentelijk nog onverbeterlijke aanstekers voorwaardelijk zijn vrijgelaten of ontslagen uit de gevangenis. Ik laat het je weten als ik iets vind, en als jij iets vindt wat naar Anita Ekberg wijst, bel je me subiet.'

We keken toe terwijl hij vertrok.

Milo zei: 'Hoe vroeg denk jij dat die diplomatieke types aan het werk gaan?'

25

Het Zweedse consulaat huurt kantoorruimte op de zesde verdieping van een hoge flat in Wilshire, vlak bij Westwood. Consulair assistent Lars Gustafson zat om halfnegen achter zijn bureau, reageerde met verwarring op Milo's telefoontje, maar sprak af om hem een uur later te ontmoeten.

'Buiten aan de voorzijde, alstublieft, inspecteur.' Een heel vaag spoor van een accent.

'Is er een bijzondere reden waarom we niet naar boven kunnen komen?'

'Laten we van het mooie weer genieten. Ik zal er stipt op tijd zijn.'

'Hoe zal ik u herkennen?'

'Ik zal mijn best doen om er Zweeds uit te zien.'

Milo hing op. 'Balen, ik dacht dat ik het meubilair te zien zou krijgen. Durf te wedden dat het geen Ikea is.'

We waren om 09.25 uur op onze post en keken toe hoe de draaideur mensen ontving, die gekleed waren voor zaken.

Om 09.29 uur kwam er een menigte naar buiten, die zich verspreidde. De man die achterbleef was rond de dertig, lang, atletisch gebouwd en droeg een bruin maatpak, een geel overhemd en karamelkleurige schoenen.

Hij was blond en had blauwe ogen, maar zijn haar was kroezig, zijn huid had de kleur van melkchocolade, zijn trekken waren die van een Masaikrijger.

'Meneer Gustafson?'

'Lars.' Een energieke handdruk en een flits van diplomatieke tanden, precies gepast voor persconferenties of lunches met elegante oude dames. 'Ik heb naspeuringen gedaan in verband met uw kwestie, inspecteur. Er zijn geen klachten geweest van Zweedse burgers – thuis of hier – betreffende vermiste personen of moorden. Ik vond wel een zaak waar een Deense burger bij betrokken was, die zou zijn verdwenen in San Diego. Ze kwam echter later weer opdagen en de zaak was opgelost. Een driehoeksrelatie, waar geen islamitische of andere royalty bij betrokken was, godzijdank.'

'Dat met de islam zit u dwars.'

Gustafson glimlachte. 'Ons zit niets dwars, we zijn neutraal. Waar het echter de Denen betreft... Herinnert u zich die cartoons van Mohammed?'

'Daarom wilde u ons niet boven in uw kantoor hebben?'

'Nee, nee, god bewaar me, heren – vergeeft u me alstublieft als ik ongastvrij overkwam, maar naar de inschatting van de con-

sul-generaal zou de aanwezigheid van politieagenten voor afleiding kunnen zorgen.'
'Van de dagelijkse uitdaging van het stempelen van visa.'
Gustafson bleef glimlachen, maar de glans was eraf. 'We doen
ons best om nuttig te zijn, inspecteur. Volgende week organi-
seren we een diner voor meer dan twee dozijn Nobelprijswin-
naars. Hoe dan ook, ik kan er verder niets over vertellen. Veel
succes.'
Milo haalde zijn blocnote tevoorschijn. 'Misschien wat details
over die Deense zaak?'
'Een vrouw met de naam Palma Mogensen werkte als au pair
voor een gezin in La Jolla, toen ze een Amerikaanse marinier
leerde kennen in Oceanside. Helaas was ze al getrouwd met
een Deense man en toen ze diens e-mails niet meer beantwoordde, kwam hij zelf opdagen.'
'Het liep uit de hand?'
'O nee,' zei Gustafson. 'Ze praatten het samen uit en het paar
keerde terug naar Kopenhagen.'
'Beschaafd,' zei Milo.
'We proberen een goede invloed uit te oefenen, inspecteur.'
'U en de Denen.'
'Wij allemaal die moeten opboksen tegen de eindeloze nacht.
Het levert een bepaald soort van geduld op.'

Gustafson liep terug naar de draaideur, slaagde erin om naar
binnen te schieten terwijl het mechaniek bleef draaien.
Milo zei: 'Zweeds, Deens – tijd voor gebak.'
We vonden een koffieshop in de Village. Twee koffiebroodjes,
een moorkop en koffie voor mij. Even later waren we terug op
de parkeerplaats van het bureau.
'Hardlopen,' zei hij. 'Sportbeha. Deze dag wordt weer een flop.'
Hij vergiste zich.

Er lag een briefje op zijn computer. Nauwelijks leesbaar ge-
krabbel. Hij kneep zijn ogen samen, zette zijn leesbril op. Keek
bedenkelijk. 'Nu wil mevróúw Holman weer een gesprek.'
Toetste nummers in. 'Mevrouw Holman, inspecteur Sturgis, ik
heb u... daarover? Werkelijk. Waarom vertelt u me niet ge-

woon wat u... natuurlijk, we kunnen elkaar ontmoeten, maar als u me even op de hoogte zou kunnen... U klinkt van streek, mevrouw Holman... ja, natuurlijk waarderen we een nieuw perspectief, ik kan er over dertig, veertig minuten zijn, is dat oké? Goed dan. U weet zeker dat u niet vast iets... akkoord, mevrouw Holman, ik ben onderweg.'

Hij zette de telefoon terug alsof hij breekbaar was. 'Dat was een erg opgefokte architect en afgaande op haar stem is ze flink aan de gin.'

'Wist ze iets over de brand?'

'Dat beweert ze, maar ze wilde niet zeggen wat. Ik denk dat ik Boxmeister even moet bellen. Ik denk dat ik dat niet ga doen.'

Weer een mooie dag aan de grachten.

Marjorie Holman zat op haar veranda en droeg een zwarte sweater en pantalon. Ze zag eruit als een model voor een chic woonproject voor gepensioneerden.

Naast haar stond een lange man met wit haar en een sik, die tegen de zeventig was. Zijn magere gestel fungeerde als een klerenhanger voor een zwart pak en een coltrui.

Milo mompelde: 'Ziet eruit alsof er een begrafenis is.'

Geen spoor van professor Ned Holman.

Zijn vrouw gebaarde ongeduldig dat we boven moesten komen. De man in het zwarte pak verroerde zich niet, zelfs niet toen we voor zijn neus stonden. Zijn ogen waren blauw en vol levensmoeheid. Met stokjes als ledematen, een lange nek en een puntneus deed hij aan een zilverreiger denken. Een sombere vogel op een slechte visdag.

'Dit is Judah Cohen,' zei Holman. 'Mijn voormalige partner.'

Een hese stem, met een zweem van een dikke tong, zoals Milo aan de telefoon was opgevallen.

'Meneer Cohen.'

'Inspecteur.' Cohen bestudeerde de vloerdelen.

'Wat zit u dwars, mevrouw Holman?'

Ze wees met haar duim. 'Binnen.'

Geen spoor van haar echtgenoot of zijn rolstoel op de begane grond. Milo zei: 'En professor Holman?'

'Ned? Hij is naar de dokter om zich weer eens te laten nakijken. Ik bestel een busje voor speciaal vervoer, omdat ik nooit weet hoe lang het gaat duren.'

Ze marcheerde naar het aanrecht en goot Sapphire en ijsblokjes in een glas. 'Wie doet er mee – Judah, wil jij? Glenlivet?'

'Vandaag niet, bedankt,' zei Cohen. Hij zat op de rand van een bankstel met een te dikke vulling. Hij veranderde van houding, legde zijn handen over een benige knie. Afgaande op de blik in zijn ogen, was er niets waardoor hij zich op zijn gemak zou kunnen voelen.

Holman kwam terug met haar drankje, streek naast Cohen neer. 'Judah en ik hebben ernstige verdenkingen dat Helga iets te maken had met die brand.'

Cohen huiverde.

Dat ontging Holman niet. 'Wil jij het graag vertellen, Judah?'

'Je doet het uitstekend, Marjie.'

'Dus we zitten op één lijn.'

'Zeker.'

'Goed dan, laten we verdergaan. Zoals ik u de eerste keer vertelde, heeft Helga ons een rad voor de ogen gedraaid – ons zover gekregen dat we allebei een buitengewoon aantrekkelijke werkkring achter ons hebben gelaten, onder het voorwendsel dat we een grensverleggende firma in groene architectuur zouden gaan vestigen. Ze beweerde dat haar vader een rijke industrieel was, eigenaar van een transportmaatschappij, dat geld geen probleem zou zijn. Geld bleek echter een ernstig probleem. Anders gezegd, Helga praatte alleen maar, deed geen stap om de firma te financieren. Destijds snapten Judah en ik er niks van. Nu wordt het allemaal duidelijk: Helga had nooit serieuze bedoelingen. Judah en ik waren onderdeel van een dekmantel.'

Milo zei: 'Waarvoor?'

'Daar kom ik zo op.' Holman nipte een paar millimeter van haar glas gin. 'Ik moet dit systematisch aanpakken, inspecteur. Waar was ik? De list... Op een dag kondigde Helga aan dat er geen fondsen waren vrijgekomen, ze ontmantelde de firma, ging terug naar Duitsland, nog een prettige dag.' Ze wendde zich tot Cohen.

Hij zei: 'Dat kwam een beetje als een verrassing.'

'Je was altijd een meester van het understatement, schat. In feite nam Helga ons te grazen als het stel sukkels dat we blijkbaar waren.'

Cohen zei: 'Het is niet nodig om onszelf voor de kop te slaan. Helga had betrouwbare referenties en haar technische kennis was degelijk.'

'Ze was een ingenieur, Judah, geen spoor van creativiteit.'

'Dat zij zo,' zei Cohen. 'De manier waarop ze het initiële project beschreef was overtuigend, zowel conceptueel als structureel.'

Milo zei: 'Galerie Kraeker.'

Beide architecten staarden naar hem.

Holman zei: 'Hoe weet u daarvan?'

'Helga vertelde het ons.'

'Werkelijk? Dan heeft ze u ook te grazen gehad. Ja, het is een bestaande plek en ja, ze staan open voor offertes voor een grote uitbreiding. Maar Helga heeft nooit een aanvraag gedaan om deel te kunnen nemen aan de aanbestedingsprocedure. En zij hebben nog nooit van haar gehoord.'

'Wanneer kwam u daarachter?'

'Een paar dagen geleden, inspecteur, toen het duidelijk werd dat Helga niet van plan was om ons te compenseren voor onze tijd en het verlies van onze vroegere betrekkingen.'

'We kunnen haar niet vinden,' zei Cohen. 'Of liever gezegd, onze advocaat kan haar niet vinden.'

Holman zei: 'Vraag niet waarom we haar niet grondiger hebben nagetrokken. Een partnerschap is net als een huwelijk gebaseerd op vertrouwen.'

Milo knipperde niet met zijn ogen. Ik had durven wedden waar hij aan dacht. *Motels op Washington Boulevard.*

Holman zei: 'Ze sprak de waarheid over de referenties die haar opleiding betroffen, maar loog totaal over andere zaken.'

'Zoals?'

'Om te beginnen is ze niet Duits, maar Oostenrijks. En haar vader is geen transportbaron, hij is een bankier.'

'Is Gemein haar echte naam?'

Een onwillige knik. 'Wat een aanwijzing voor ons had moeten zijn was haar interpretatie van groen: haat jegens de mensheid, eerder dan een wens om de planeet te voeden en te redden. De vrouw is een complete misantroop en naarmate de tijd vorderde, voelde ze zich vrijer om haar opvattingen te uiten over de fatale wending die de evolutie nam toen er menselijke wezens ontstonden. Hoe homo sapiens de cruciale balans verstoorde en de wereld in feite een flinke pest of een wereldoorlog nodig had. Wat nogal schokkende taal is, uit de mond van een teutoons type.'

Ze wendde zich tot Cohen.

Hij beaamde: 'Tamelijk ongepast.'

Milo zei: 'Kunnen we het over de brand hebben?'

'Daar kom ik op,' zei Holman. 'Dit moet een logisch verhaal zijn, zodat u begrijpt dat we niet zomaar een stel ontevreden zeurpieten zijn. Waar was ik – oh ja, Helga's leugens. Het huisadres dat ze ons hier in Los Angeles gaf was vals, zoals we ontdekten toen we haar wilden dagvaarden.'

'U gaat haar vervolgen.'

'Reken maar. Beroepsmatige vervreemding, contractbreuk en wat onze advocaat verder ook maar kan aanvoeren.'

'Waar was het valse adres?'

'Brentwood. Als u zich afvraagt waarom we het niet vreemd vonden dat Helga ons nooit had uitgenodigd, wij dachten dat ze puur zakelijk was en dat was prima. We waren gemotiveerd om iets belangrijks neer te zetten. Correct?'

Cohen knikte.

Ze dronk haar glas leeg, ging terug naar de keuken en schonk nogmaals in. Cohen keek met een droevige blik naar haar en wendde zich tot ons. 'Het is misschien nuttig voor u om te weten dat Helga Des Backer aannam voordat ze met ons sprak. Ze stelde hem voor als een rijzende ster, die ze had ontmoet toen ze op zoek was naar jonge architecten met groene geloofsbrieven. We hebben die referenties nagetrokken. De beste van zijn klas, zijn docenten hadden alleen maar lof voor hem. Echter, toen onze advocaat contact met hen zocht, bleek dat geen van hen ooit met Helga had gesproken, en ook dat Des hun niet had gevraagd om aanbevelingsbrieven. Dus ze heeft hem op een andere manier gevonden.'

Holman zei: 'Met de kennis van nu is het duidelijk dat de productiviteit van Des nul was.' Ze lachte meesmuilend. 'Architectonisch gezien.'

Cohen zei: 'Onze advocaten hebben iemand de kantoorcomputers laten doorzoeken. Des keek veel naar pornografie en surfte ook naar enkele verontrustende websites. En daarmee komen we bij de brand.'

Milo zei: 'Websites die over brandstichting gingen?'

'Websites van eco-terroristen. Felicitatiefoto's van vernielde luxe woonhuizen en laboratoria voor dierenonderzoek, Chatdraden van mensen die geloven dat het doel de middelen heiligt.'

'We zullen die kantoorcomputers nodig hebben.'

'Sorry, wij hebben ze nodig,' zei Marjorie Holman. 'Onze advocaat heeft ons opgedragen om al het meubilair en de apparatuur in een opslag te bewaren, zodat ze kunnen laten zien dat Helga onmiskenbaar het kantoor heeft verlaten.'

Strafrecht gaat boven civiel recht, maar Milo liet het rusten. 'Die websites...'

'... zijn naar Helga gestuurd. We hadden er geen idee van dat die twee enige andere betrekking hadden buiten de firma. Integendeel, Helga beweerde dat ze Des niet eens mocht.'

'Ook al nam ze hem aan?'

Cohen zei: 'Helga was er goed in om dingen – en mensen – in hokjes te stoppen.'

'Beroepsmatig is dat aanvaardbaar,' zei Milo. 'Maar persoonlijk gezien niet.'

Holman zei: 'Er was geen persoonlijk. Die vrouw heeft ijskoud bloed. Net als haar versie van groen.'

Cohen zei: 'De trieste waarheid is dat er een sterke misantropische tendens bestaat binnen de groene gemeenschap. Maar het is de zienswijze van een minderheid en Helga was een extreem voorbeeld.'

'Plagen en oorlogen.'

Holman zei: 'Des zond haar jpegs van afgebrande gebouwen en zij antwoordde met LOL en smiley's. Gaf hoog op van selectieve pyrotechniek als een middel tot biologische zuivering.'

Milo liet haar dat herhalen, krabbelde in zijn blocnote.

Cohen zei: 'Wat verrassend was, was dat Des Helga's perspectief deelde. Hij leek op het eerste gezicht zo sociaal en humanistisch. Vertelde over zijn nichtje, dat hij een betere wereld voor haar wilde maken.'

Holman zei: 'Zij is overal toe in staat, heeft Des waarschijnlijk gewoon vermoord omdat ze er zin in had. Of misschien omdat hij dat huis had moeten afbranden, in zijn broek scheet, waardoor zij hem executeerde vanwege ontrouw aan het vaderland of wat dan ook.'

Milo zei: 'Wie is uw advocaat?

Holman zei: 'Manny – Emmanuel Forbush.'

Cohen zei: 'Forbush, Ziskin en Shapiro. Dit is hun telefoonnummer.'

'Bedankt, meneer. Wat verder?'

Holman zei: 'Is dat niet genoeg?'

'Het is een goed begin, mevrouw Holman...'

'Nou, aan het werk dan. Veeg de vloer aan met die trut en bewijs de wereld een dienst.' Ze boekte voortgang met haar dikke tong. Ze nam nog een slok en knoeide gin in haar schoot. Cohen gaf haar een tissue. Ze negeerde hem en dronk nog wat.

Milo zei: 'Enig idee waar Helga is, mevrouw?'

'Voor zover ik weet is ze terug in Sjwitserland.'

'Waarom Zwitserland?'

'Omdat ze daarvandaan komt.'

'Ik dacht dat ze Oostenrijkse was.'

'Ze is geboren in Oostenrijk maar de familie verhuisde naar Sprits... Sjwitserland, haar vader is daar eigenaar van een bank. Manny had dat snel genoeg uitgevonden.'

'Heeft u een naam van de bank?'

'Waarom zou ik die hebben?'

Judah Cohen zei: 'GGI-Alter Privatbank, Zürich. Het adres is een *Postfach*, een postbus.'

Holman staarde naar hem. 'Jij moet meedoen aan een quisj.'

Milo zei: 'Een bank zonder kantoor?'

'Ik weet zeker dat er een kantoor is,' zei Cohen, 'maar misschien houden ze zich alleen bezig met investeringen en hebben geen belangstelling voor bezoekende klanten. Blijkbaar is dat niet ongewoon in Zürich, volgens Emmanuel Forbush. Hij heeft verschillende aangetekende brieven verstuurd maar tot

dusver geen antwoord, ik schat in dat een civiele rechtszaak ja-
ren kan duren, dat we geduldig moeten zijn. Als we ervoor kie-
zen om door te zetten.'
Holman zei: 'O, daar kiezen we wel voor, hoor.'
Cohen antwoordde niet.
Milo zei: 'Jaren, tenzij blijkt dat Helga iets te maken heeft met
een strafrechtelijke zaak.'
Holman zei: 'Ze is een crimineel, vang die trut voordat ze
vlechtjes in haar haar doet, lederhosen aantrekt en verdwijnt
in het land van koekoeksklokken en chocola.'
Milo stond op.
Marjorie Holman zei: 'Precies. Tijd om aan de slag te gaan.'
Judah Cohen zei: 'Veel succes.'

26

De bariton van Emmanuel Forbush, Esq., donderde door de
luidsprekers van de auto.
'Ik verwachtte uw telefoontje al. U wilt waarschijnlijk de com-
puters.'
'Dat zou ons goed uitkomen, meneer.'
'Geen probleem, inspecteur, kom ze maar ophalen wanneer het
u schikt. Natuurlijk zullen we kopieën bewaren van elk stuk-
je informatie. Dat vindt u vast niet erg, als wij hier niet mee
waren gekomen zou u nog van niks weten.'
'Bewijs achterhouden in een criminele zaak had u ook in pro-
blemen kunnen brengen, meneer Forbush.'
'Als u er ooit achter was gekomen.'
'Bedankt voor al het vertrouwen, meneer Forbush.'
'Nee, nee, ik wil niet – ik wil er alleen maar voor zorgen dat
onze civiele rechtszaak er niet onder lijdt.'
'Denkt u echt dat een civiele zaak de moeite waard is, meneer?'
'Waarom zou dat niet zo zijn?'
'Het klinkt gewoon niet alsof er zoveel te winnen is bij alle
moeite die u moet doen.'

'Nou, dat moet ikzelf maar beoordelen, hè?'

'Inderdaad, meneer.'

'Inspecteur,' zei Forbush, 'ik zou niet willen dat we op de verkeerde voet beginnen. Het spijt me als ik te hoog van de toren blies.'

'Geen probleem, meneer Forbush. Ik stuur vandaag nog een rechercheur langs voor die computers.'

'Prima. En hoe is het met Marjie?'

'Ik heb net gezien hoe ze twee stevige borrels achteroversloeg en ik vermoed dat het vanmorgen niet haar eerste waren.'

Forbush maakte een afkeurend geluid. 'Dat is altijd een probleem voor Marjie geweest, arme meid.'

'Jullie zijn vrienden?'

'Ned en ik kennen elkaar al lang, we speelden samen squash. Geweldige atleet, vreselijke tragedie. Marjie heeft veel voor haar kiezen gehad, een overwinning zou haar goeddoen. Dat is waarom ik de zaak heb aangenomen.'

'Een vriend in nood,' zei Milo.

'De enige vriend die telt,' zei Forbush.

Milo hing op. Lachte. 'Een van Neds oude squashmaatjes. Ik had hem moeten vragen of er tegenwoordig nog mooie motels op Washington Boulevard staan. Hij nam de zaak aan om de lakens warm te houden, Cohen doet ook mee, zij slepen er een schikking uit, hij heeft het geld voor het oprapen. Dus nu heb ik een doodlopend spoor in Sranil en in Zürich.'

Ik zei: 'Misschien heb je geluk en is Helga nog steeds in Los Angeles. Of was ze dat tot vanmorgen.'

'Wat bedoel je?'

'Ze is een goed gebouwde, mooie vrouw in de dertig met Scandinavische trekken. Bedek die kale bol met een platina pruik – iets wat fladdert in de bries – en een getuige zou zich alleen nog maar blond, blond, blond kunnen herinneren.'

'De hardloopster van Amy Thal,' zei hij. 'Ja, ze heeft inderdaad wel iets van een Walkure.'

'Niet Zweeds,' zei ik. Zwitsers. Wat als de bron van Reed het bijna goed had?'

'Alle Europeanen zijn toch hetzelfde. Inclusief het meisje dat Teddy zou hebben omgelegd.' Hij wreef over zijn gezicht. 'Zijn slachtoffer was Helga's zus of een goede vriendin. Ze komt naar Los Angeles om wraak te nemen, begint een lege BV als dekmantel, zoekt Teddy. Probeert zijn lokale adres te vinden door Doreen – die ze via Backer heeft leren kennen, misschien op een of andere anarchistische chatsite – de bestanden van Masterson te laten doorzoeken.'

'Haar eerste doel was om Teddy te doden, maar ze ontdekte dat hij buiten bereik in Sranil was, ofwel verborgen in het paleis, ofwel dood. Dus ze neemt er genoegen mee om zijn huis af te branden. Betaalt Backer en Fredd vijftigduizend voor de klus.'

'Niet veel waar voor zoveel geld, Alex.'

'Als ze erop gokte dat Teddy dood was, dan zou rotzooien met zijn sutma emotioneel aantrekkelijk zijn. De sultan is erg religieus, dus de gedachte dat zijn broer eeuwig in het vagevuur zou bungelen zou hem erg verontrusten.'

'Jij komt aan mijn familie, ik kom aan de jouwe? En als Backer en Fredd uit de weg zijn geruimd, verkent Helga zelf de plek en besluit om te doe-het-zelven?'

'Misschien kwam ze vanmorgen met haar eigen betonschaar, zag dat de poort openstond en liep meteen naar binnen.'

'Ondertussen stopt Rutger zichzelf vol met bubbels en lever, waardoor hij beter brandt. Maar wie vermoordde dan Backer en Doreen? De huurmoordenaars van de sultan of Helga zelf, omdat ze van hen had geleerd hoe ze kaboem kon doen en besloot dat ze niet meer nodig waren?'

'Als Helga erbij betrokken is, kan ik me niet voorstellen dat ze het alleen deed. Twee mensen in haar eentje overmeesteren, zelfs met twee vuurwapens, zou niet meevallen voor een vrouw, zelfs een sterke. En dat Doreen verkracht wordt met een vuurwapen past daar ook niet bij.'

'Iedereen zegt dat ze mensen haat, Alex.'

'Dan nog,' zei ik. 'Die plaats delict rook naar een man.'

'Helga is meer sociaal ingesteld dan ze laat merken, heeft een vriendje? Of deze hele verdomde theorie is een groot kaartenhuis – een kaartenlandhuis.'

Hij belde hoofdinspecteur Don Boxmeister bij de afdeling brandstichting, liet een boodschap achter. Daarna een telefoontje naar special agent Gayle Lindstrom. Hij kreeg verbinding, bracht haar op de hoogte, vroeg haar om onderzoek te doen naar Helga Gemein.

Ze zei: 'Is ze een Zwitserse of een Oostenrijkse staatsburger? Het maakt verschil, praktisch gezien.'

'Ze leveren allebei misdadigers uit, Gayle.'

'Dat is zo, maar de Zwitsers maken het een stuk moeilijker. Het gaat een vreselijk karwei worden om een Zwitserse burger los te krijgen.'

'Ik weet niet waar haar paspoort vandaan komt.'

'Hoe dan ook,' zei Lindstrom, 'het zou kunnen dat ze al weg is.'

'Of dat ze op dit moment in de internationale terminal zit, Gayle. Dus als jij daar nou eens wat van jouw jongens met donkere zonnebrillen en walkie-talkies naartoe stuurt?'

'Ik zal het vliegveld laten controleren zodra ik heb opgehangen. Inclusief privévluchten, aangezien pa goed in de slappe was zit. Geef me de naam van zijn bank maar.'

Hij bladerde door zijn blocnote. 'GGI-Alter Privatbank.'

Lindstrom zei: 'Klinkt chic. Zodra je die computers te pakken hebt, zorg dan dat ik een complete kopie van de hard drives krijg.'

'Zorg ik voor en geen dank, Gayle. Als je haar paspoortgegevens in handen krijgt of iets anders, bel me dan meteen.'

'Zorg ik voor en jij ook geen dank. Ik zal de groeten doen aan Hal.'

'Bij jou neemt hij wel op?'

'Ligt vast aan mijn vrouwelijke charmes.'

Sean Binchy werd erop uitgestuurd om de computers op te halen.

Moe Reed reageerde op zijn pager, alert en gefocust. 'Ik ben aan de overkant van de straat, mijn bron kwam vanmorgen naar haar werk maar ze was met een groep andere meisjes en ik kon haar niet loskrijgen. Ik verwacht haar elk moment buiten voor de lunch.'

Milo zei: 'Verspil geen tijd met subtiliteit, Moses, trek haar gewoon met je mee. Wat ik moet weten is hoe zeker ze is over dat Zweedse. Zelfs als ze zegt dat ze het zeker weet, vraag haar of het niet Zwitsers zou kunnen zijn.'

Hij legde uit waarom.

Reed zei: 'Blond is blond, hè? Ik grijp haar bij haar lurven zodra ik haar zie, chef.'

Zoeken op internet met *ggi alter privatbank zurich gemein helga* en *familie* als zoektermen leverde resultaat op.

Verstopt tussen zakensites in het Frans, Duits en Italiaans was een enkele foto, zes jaar oud. Een van vele foto's die gemaakt waren bij een benefiet voor de tentoonstelling van kunst van buitenstaanders in Galerie Kraeker. Er waren welgedane, goed verzorgde mensen in avondkleding op te zien.

Een thumbnail stond los aan de rechterkant. Milo vergrootte hem tot een paar vierkante centimeter: bankier George Gemein, zijn vrouw Ilse, zijn dochters Helga en Dahlia.

Beide ouders droegen brillen, stonden kaarsrecht en vertoonden geen spoor van een glimlach. Helga had hun houding overgenomen, het gehoorzame kind. Zelfs met het kortgeknipte, honingkleurige haar van een schoolmeisje en een babyblauwe jurk met kanten randje, maakte ze een grimmige en afkeurende indruk.

Dahlia Gemein zag er een paar jaar jonger uit dan haar zus. Ze was kleiner en ronder gevormd dan Helga, liet een opvallend gebruinde huid zien, een hoofd vol met asblond golvend haar en een uitdagende grijns. Ze trotseerde de familienormen van een goed postuur, was door een heup gezakt en hing naar voren, waardoor haar volle borsten uit hun bloedrode, flinterdunne en nauwsluitende jurk dreigden te glippen. Vingers vol juwelen hielden de steel van een glas met een kobaltblauwe cocktail vast.

Als de enige Gemein die zich met een drankje liet betrappen had ze zichzelf ook fysiek afgescheiden en stond ze een paar decimeter van de anderen af.

De appelboom en de appel die een stuk verder viel.

Milo logde in op NCIC, zocht op *dahlia gemein*, vond daar niets en ook niet in het netwerk van ongeïdentificeerde slachtoffers, vermiste personen of andere misdaadregisters. Maar het web spuugde nog een foto uit die uit hetzelfde jaar stamde als het gala van de Kraeker, genomen bij het feestje ter gelegenheid van een nieuwe plaat van een rapper die ReePel heette. Een feesttent in Malibu, Broad Beach. Ik had van die plek gehoord. Moest sluiten na een storm van klachten van omwonenden.

Op die foto droeg Dahlia Gemein een roze stringbikini en werd ze geflankeerd door twee mannen in gebloemde zwemshorts: de eregast, gezet en met kroeshaar in staartjes, en een gespierde Aziatische man met een babygezicht, die geïdentificeerd werd als Teddy K-M.

Milo sloeg met een vuist in de lucht. Hij bladerde door zijn blocnote, slaakte een kreet en sloeg nog harder in de lucht. 'Wat dacht je hiervan, Alex? K-M, dat is Tariq Ku'amah Majur. Eindelijk iets tastbaars.'

Hij bestudeerde de foto. 'Zo'n meisje als dit verdwijnt niet zomaar, iemand heeft haar zeker als vermist gemeld. Dus waarom zit ze niet in de database?'

'Misschien is iemand vergeten om het in te voeren.'

'Een menselijke fout? Kom op nou.'

Een telefoontje naar Vermiste personen maakte duidelijk dat de verdwijning van Dahlia Gemein nooit gemeld was. Elk volgend telefoontje naar andere instanties bevestigde dat.

Milo zakte onderuit. 'Misschien is ze wel helemaal niet vermist. Zij en Teddy werden verliefd, ze ging terug met hem naar Sranil, leeft nu als een prinses en Helga heeft helemaal geen motief.'

Hij ging na hoe het er met Moe Reed voor stond. 'Je bron al naar buiten gekomen?'

'Naar buiten en hier bij mij, chef. Ben er over ongeveer twintig minuten.'

27

Ati Meneng was klein, adembenemend mooi en doodsbang. Ze zag er drie jaar jonger uit dan de negenentwintig die vermeld stond op haar rijbewijs, en nam zo weinig ruimte in beslag dat Milo haar in zijn kantoor kon stoppen en nog ruimte overhield.

Een normaal Californisch rijbewijs, geen speciale consulaire voorrechten. Ze typte documenten uit in de pool van secretaresses.

Ze droeg een kaneelkleurig broekpak, dat alles bedekte behalve haar handen en haar gezicht. Het kantoor was warm, maar desondanks huiverde ze. Ze hield haar hoofd schuin en creëerde zo een glanzend laken van blauwzwart haar, dat haar gezicht maskeerde. 'Ik weet nog steeds niet waarom ik hier ben.'

Milo zei: 'Precies wat ik je vertelde, Ati. Je helpt ons en we stellen het echt op prijs.'

'Er is niets waar ik mee kan helpen.'

Milo rolde zijn stoel iets dichterbij. 'Dit hoeft helemaal niet vervelend te zijn, Ati.'

Ik zat net over de drempel van de open deur. Moe Reed stond achter me. Een jonge jongen die van Aqua Velva hield. Mijn vader had het elke dag op zijn gezicht gedaan, vloekend als de alcohol begon te branden in de scheerwonden die het resultaat waren van zijn drankprobleem.

Als Reed al ademde, kon ik het niet horen.

Milo zei: 'Is het goed als ik je Ati noem?'

Gemompel van achter het haargordijn.

'Pardon?'

'Noem me zoals u wilt.'

'Bedankt, Ati. Om te beginnen, het spijt me dat we je moesten wegrukken van je werk, maar dit is een moordonderzoek. Als er problemen van komen met je baas, kan ik met hem gaan praten.'

'Nee, doe maar niet. Ik weet niets van moord.' Een kristalheldere stem, geen accent.

Milo zei: 'Hoe lang woon je al in Los Angeles, Ati?'

Het haar gleed weg als glycerine op glas en onthulde een puntgaaf ovaal gezicht, met een pruillipje, dat overheerst werd door enorme zwarte ogen. 'Mijn hele leven.'

'Waar ben je opgegroeid?'

'Downey.'

'Hoe ben je aan die baan bij het Indonesische consulaat gekomen?'

'Ze adverteerden in een Indonesische krant. Ze zochten iemand die Nederlands sprak, mijn ouders spraken thuis Nederlands.'

'Hoe lang werk je daar al?'

'Ongeveer negen maanden.'

'En daarvoor?'

'Een heleboel plekken.'

'Zoals?'

'Waarom is dat belangrijk?'

'Gewoon om je te leren kennen, Ati.'

'Waarom?'

Milo rolde een paar centimeter achteruit. 'Kan ik iets te drinken voor je halen?'

'Nee, bedankt.'

'Vertel me eens over je vorige baantjes.'

'Meestal tijdelijk werk.'

'Je legt je liever niet vast voor de lange termijn?'

'Tijdelijk werk was alles wat ik kon krijgen, terwijl ik audities deed.'

'Je bent actrice?'

'Ik dacht dat ik dat was.'

'Niet veel geluk?'

Het zwarte haar zwaaide heen en weer. 'Ik heb wat reclames gedaan voor Aziatische kabeltelevisie. Ik dacht dat ik in het centrum wel modelwerk kon doen voor kleine vrouwen, maar ze zeiden dat ik zelfs daarvoor te klein was.'

'Hard wereldje, het auditiecircuit,' zei Milo.

'Elk dom meisje denkt dat ze het wel kan.'

'Gold dat ook voor Dahlia?'

De pruillippen weken uiteen en toonden witte tanden, glad van het speeksel. Bruine handen van het formaat van een tienjarige vonden elkaar en knepen stevig.

Ati Meneng zei: 'Heeft u haar gevonden?'

'Zou dat je verrassen?'

'Ik dacht gewoon dat het nooit zou gebeuren.'

'Waarom?'

'Dat soort mensen,' zei Ati Meneng, 'die komen overal mee weg.'

'Wat voor soort mensen?'

Stilte.

Milo zei: 'Mensen als prins Teddy?'

Een lange, langzame knik. 'Ik wist niet wie hij was. Later kwam ik erachter.'

'Hoe heeft Dahlia hem leren kennen?'

'Weet ik niet.'

Milo zei: 'Dahlia was je vriendin, maar je weet het niet?'

'Ik weet het niet precies. Daarom heb ik u – hem – iets verteld. Want ik geef wel om haar, ze was mijn vriendin.'

'Vertel me wat je weet, Ati.'

'Mijn ouders mogen er niet van weten,' zei ze. 'Ze denken dat al mijn tijdelijk werk secretaressewerk was.'

'Ze horen er niet van, dat beloof ik.'

Stilte.

Milo zei: 'Je hebt nog andere dingen gedaan naast secretaressewerk.'

'Ik kreeg een baantje als secretaresse, dus schreef ik me in op een website, oké? Asian Dolls. Het is niet wat het lijkt te zijn, ze brachten zakenlui die hier op bezoek waren in contact met representatieve jongedames, die ze konden meenemen naar bijeenkomsten.'

Dat klonk als een direct citaat.

Milo zei: 'Om te zorgen dat ze zich thuis voelden.'

'Het waren vooral Japanse kerels,' zei Ati Meneng. 'Als er Japanse meisjes beschikbaar waren kregen die voorrang, maar als die er niet waren mochten alle meisjes meedoen. Ze waren meestal aardig. De kerels, bedoel ik. Ouder.'

'Meestal.'

'Ik heb nooit problemen gehad, het was een volledig positieve ervaring voor mij. Het was een eerzaam bedrijf, de vrouw die er de baas was, Mae Fukuda, is een paar jaar geleden overleden, haar kinderen wilden het niet voortzetten. Sommige van die andere bedrijven zijn nogal groezelig. Daarom werk ik nu op het consulaat en verveel ik me dood.'

'Asian Dolls,' zei Milo. 'Daar lijkt Dahlia niet onder te vallen.'

'Dahlia hoefde niet te werken, ze had bakken met geld.' Ze staarde naar de vloer. 'Oké, ik weet hoe ik haar heb leren kennen. Een feestje. Daarna trokken we samen op. Ze heeft me soms binnen gekregen op coole plekken.'

'Wat voor coole plekken?'

'Vipruimtes in clubs, privéfeestjes – zoals in het Playboy Mansion, we zijn naar drie verschillende feestjes geweest in het Playboy Mansion, het was ongelooflijk. Hefner was er niet, hij vond het goed dat ze zijn huis gebruikten om geld in te zamelen voor liefdadigheid. We mochten zwemmen in de Grotto.'

'Waar had je Dahlia ontmoet?'

'Een club in Chinatown.'

'Welke?'

'Die van Madame Chiang.'

Milo zei: 'Hill Street, in het grote winkelcentrum, klopt dat? Beneden een groot restaurant, boven een feestruimte.'

'Ja.'

'Geweldige dimsum bij de lunch, het is een paar jaar geleden gesloten.'

'Als u het zegt.'

'En hoe kwam jij daar terecht, Ati?'

'Het was een zakenfeest, iets met juwelen. Ik ging ernaartoe met een zakenman uit Cambodja. Hij gaf me een gouden ketting die ik mocht houden. De meeste tijd praatte hij met andere juweliers en kon ik doen wat ik wilde.'

'Wie was er nog meer op het feest?'

'Juwelenjongens. Armeniërs, Israëli's, Chinezen, Iraniërs. Een paar blanke jongens. De spreker was blank. Een woordvoerder van de burgemeester of iets dergelijks, om de juwelenwereld te verwelkomen in Los Angeles.'

'Hoe kwam Dahlia daar terecht?'

'Zij hoorde bij een van de witte jongens. Hij verkocht horloges.'

'Herinner je je zijn naam nog?'

'Die heb ik nooit gehoord,' zei Ati Meneng. 'Ouder, wit haar, dik. Zweeds, net als zij.'

'Dahlia zei tegen jou dat ze Zweeds was?'

'Ja.'

'In feite was ze Zwitsers.'

Enorme zwarte ogen groeiden tot de afmetingen van tekenfilmogen. 'O ja, dat was het. Nu denkt u waarschijnlijk dat ik heel dom ben.'

'Het is een vergissing die je snel maakt,' zei Milo.

'Dahlia praatte er niet graag over. Dat ze Zwitsers was. Ze zei dat het een saaie plek was om te wonen, daarom zei ze soms dat ze ergens anders vandaan kwam.'

'Waarvandaan dan?'

'Weet ik niet meer. Misschien Zweden – misschien heb ik het daarvandaan. Ze vertelde me pas dat ze Zwitsers was toen we al een tijdje vriendinnen waren. De vent met wie ze die avond was kende ze van thuis, zei ze, hij was een belangrijke handelaar in horloges, kende haar vader omdat haar vader horloges verzamelde, hij had er honderden van in doosjes die steeds bewogen zodat ze opgewonden bleven. Ze was op het feest om hem een gunst te bewijzen. De vent van de horloges.'

'Door zijn snoepje te zijn.'

'Dat waren we allemaal. De mannen waren er echt voor zaken, de meisjes werden meestal aan zichzelf overgelaten en een hele troep van ons kwam dan bij de bar terecht. Daar heb ik Dahlia leren kennen. We kregen allebei een drankje en het hare zag er gek uit, helderblauw. Ik zei dat het eruitzag als afwasmiddel. Ze lachte. We begonnen te praten, voordat ze wegging, zei ze: dat was leuk, laten we nog eens afspreken, en ze gaf haar telefoonnummer.'

'Jullie konden goed met elkaar opschieten,' zei Milo.

'Dat was makkelijk met Dahlia,' zei Ati Meneng. 'Ze was een en al zonneschijn. Ook al was ze rijk, ze deed er niet raar over, ik wist het zelfs pas nadat we al een tijd vriendinnen waren.'

'Hoe kwam je erachter?'

'Ik bedoel, ik vermoedde al zoiets, omdat ze geen baan had en rondreed in een Porsche Boxster, een hele coole, kleine rode. Ik wist het pas zeker toen ze me meenam naar haar huis. Heel mooi en perfect ingericht. Ze zei dat haar ouders het voor haar kochten omdat ze haar haatten.'

'Wat een bijzondere manier om je haat te tonen,' zei Milo.

'Ik weet zeker dat ze haar niet echt haatten, ze bedoelde alleen dat ze afstand van elkaar moesten nemen.'

'Ze had problemen met hen.'

'Ze sprak er niet graag over, zei alleen dat ze heel erg vroom waren en zo. Ze stuurden haar naar katholieke scholen en dan liep zij steeds weg, nam de trein naar Duitsland en Frankrijk, ging naar clubs, ontmoette jongens. Ze heeft nooit gestudeerd, zoals haar zus, en daar waren ze razend over. Ze ging liever skiën en zwemmen, treinreizen maken en feestvieren. Toen ze hun vertelde dat ze naar Hollywood wilde gaan, zagen ze haar graag vertrekken en kochten ze een huis voor haar. In haar ogen betekende dat: blijf zo lang weg als je maar wilt.'

'Wat vond zij daar zelf van?'

'Ze lachte erom. Dat was Dahlia. Ze zei vaak dat volwassenheid erg overgewaardeerd werd.'

'Hoe lang zijn jullie vriendinnen geweest?'

'Een halfjaar? Misschien iets langer. We zagen elkaar niet zo heel veel, omdat ik moest werken. Soms belde Dahlia, meestal wachtte ze totdat ik belde en als ze vrije tijd had, gingen we samen uit. Ze zwaaide makkelijk met haar creditcards, was er heel gul mee, maar ik wilde er niet mijn voordeel mee doen. Als ik met haar was, had ik een kans om mezelf mooier te maken. Me op mijn best te laten zien, begrijpt u?' Tranen welden op in haar ogen.

'Wat vertelde ze je nog meer over haar familie?'

'Dat was het.'

'Zei ze wat haar vader deed om zoveel geld te verdienen?'

'O ja. Hij was eigenaar van een bank. Die was al generaties lang in de familie of zo.'

'Hoeveel broers en zussen had ze?'

'Alleen haar zus, Dahlia was de jongste. Ze zei dat haar zus de slimme en serieuze van de twee was. Studeerde om architect te worden of zoiets.'

'Konden die twee met elkaar opschieten?'

'Ze zei nooit dat het niet zo was. Ze sprak niet veel over haar zus.'

'Dus haar ouders kochten een huis voor haar en zij vatte het op als hun wens dat ze uit hun buurt bleef.'

'Ik zei wel eens dat ze misschien eens moest bellen, contact zoeken. Dat heb ik met mijn vader gedaan. Hij is heel ouderwets, wilde dat ik zou trouwen met een of andere Indonesische vent en dat ik dan thuis zou gaan zitten met de kinderen. Toen ik die reclames mocht doen, weigerde hij te kijken. Maar nu kunnen we het goed met elkaar vinden.'

'Volgde Dahlia je advies op?'

'Als ze dat deed, heeft ze er nooit iets over gezegd.'

'Hoe heeft ze prins Teddy ontmoet?'

'Eerst wist ze helemaal niet dat hij een prins was.'

'Ze kwam er pas achter nadat ze begonnen te daten.'

'Ja. Ik denk dat ze hem leuk vond om wie hij was.'

'Hoe hebben ze elkaar ontmoet?'

'In Le Beverly – dat is een hotel in Beverly Hills, klein, aan de buitenkant zie je er niets van, het ziet eruit als een appartementengebouw. Dahlia had een pasje om de privébar binnen te komen, op de tweede verdieping. Ik zou naar een feestje gaan, maar mijn date liet het afweten en ik baalde en ik verveelde me. Ik belde Dahlia en ze zei: laten we naar Beverly Hills gaan, een beetje lol maken. Ze was er eerder geweest. Ik kon het zien omdat de barman wist wat ze dronk – Blue Lagoon, ze mengen het met een speciale sinaasappellikeur die blauw van kleur is. Dahlia zei dat ze het lekker vond smaken, maar ze gebruikte het vooral als een accessoire.'

'Een mode-accessoire?'

'Ze had van die ongelooflijk blauwe ogen, droeg graag kleuren die dat naar voren lieten komen, meestal rood en geel. Maar ook een beetje blauw, hier en daar. Net als juwelen, begrijpt u? Ze zei dat de Blue Lagoon werkte als een juweel, zodat de aandacht van de mensen op haar ogen werd gericht. Zo was ze. Artistiek. Haar huis was vol met haar eigen schilderijen. Allemaal blauw, van die ontwerpen met golven. Net als de oceaan, weet u wel?'

'Dus,' zei Milo, 'jij en Dahlia waren in de privébar van Le Beverly.'

'Ik dronk mijn Mojito en Dahlia dronk haar Blue Lagoon en verder waren er alleen wat Aziatische jongens aan de andere kant van de kamer, die backgammon speelden. Dahlia maakte er een grapje over dat het Aziaten waren. Neem ik je mee naar deze geweldige plek om je werk te vergeten, ziet het er

precies uit zoals op je werk. Ik lachte en zij lachte en toen kwam een van hen erbij en ik dacht even dat ze ons hadden gehoord en pissig waren geworden. Maar de jongen glimlachte en zei: vrouwen zijn mooi als ze gelukkig zijn. Als jullie bij ons zouden willen komen zitten, zouden we heel trots zijn. Zoiets zei hij, het kwam er een beetje krukkig uit. Hij had een accent, maar je kon hem wel verstaan. We namen aan dat hij de assistent was, omdat hij de kleinste was, niet de knapste en het slechtst gekleed. De andere twee jongens waren jonger, langer en echt knap, in Zegna-pakken. Later ontdekte ik dat zij de bodyguards waren en dat hijzelf naar ons toe was gekomen.'
'Prins Teddy.'
'Hij noemde zichzelf gewoon Ted. Je zou nooit gezegd hebben dat hij heel belangrijk was, hij droeg gewoon een sweater en een spijkerbroek. Hij zag er heel jong uit, kleiner dan Dahlia, maar zij zei: prima, en we stonden op en voegden ons bij hen. Zonder mij iets te vragen, maar dat was oké, meestal liet ik Dahlia de beslissingen nemen. Zij was het tenslotte die mij daar binnen had gekregen.'
'Dus jullie voegden je bij Ted en zijn lijfwachten.'
'We wisten niet dat het lijfwachten waren, we dachten dat het gewoon drie jongens waren. Ze bestelden wat eten aan de bar en meer drankjes, zetten hun backgammon weg. Niemand was gemeen of grof, het was gezellig en beleefd. Die lijfwachten, je zou nooit hebben geweten dat het lijfwachten waren.'
'Ze deden niet stoer.'
'Ze deden alsof ze zijn vrienden waren. Gewoon jongens die een leuke avond hadden.'
'Rijke jongens.'
Ze knipperde met haar ogen. 'Ja, ik denk het wel, aangezien ze in de privébar waren. Maar dat is niet waarom Dahlia besloot om zich bij hen te voegen, geld maakt geen indruk op haar, ze had zelf genoeg. Ze vertelde me later dat ze hem leuk vond en lief en heel slim. Ik denk ook wel dat hij slim was, hij kon over van alles praten.'
'Waarover dan?'
'Natuur, reizen? Ik luisterde niet echt.'
'Dahlia bracht later verslag bij jou uit,' zei hij.

'De volgende ochtend,' zei Ati Meneng en ze kreeg een kleur. 'Ja, oké, ze ging met hem naar huis. Maar het was niet zo dat ze mij liet zitten. Toen we op het damestoilet waren, vertelde ze me dat ze had besloten om het te doen, maar alleen als ik het goedvond. Hij leek een leuke jongen, ze had zin om plezier te maken. Ze stond erop om mij geld te geven voor een taxi. Ik moest toch al 's ochtends vroeg auditie doen.'

'Was dat typisch voor Dahlia? Om mee te gaan met jongens die ze net had leren kennen?'

Zwarte ogen vonkten. 'Ze was geen slet.'

'Natuurlijk niet,' zei Milo. 'Ik vraag me gewoon af of ze snelle beslissingen kon nemen.'

'Nee,' zei Ati Meneng. 'Ze danste vaak met jongens, kuste ze op de dansvloer, zelfs ging ze soms mee naar een privévipruimte. Maar ik heb haar nooit voor een hele avond zien weggaan met een jongen. Nooit.'

'Ze moet Teddy echt heel leuk gevonden hebben.'

'Toen ze begonnen te daten, zag ik haar bijna niet meer. Maar ik vond het prima, iedereen heeft zijn eigen leven.'

'Uiteindelijk vertelde ze je wie hij was.'

'Dat was misschien... weken later, ik weet het niet meer. We hadden elkaar niet meer gezien en plotseling belde Dahlia om bij te kletsen. Ze zei dat hij de stad uit was, laten we naar Spago gaan. Ze vond het wel grappig.'

'Wat was grappig?'

'Dat wij dachten dat hij de assistent was en dat hij bleek af te stammen van een van de rijkste families in de hele wereld. Ze zei dat hij er nog steeds niet van hield om zich chic uit te dossen. Soms huurde hij een goedkope auto en reed naar McDonald's om cheeseburgers te eten. De volgende dag zat hij dan weer in zijn Gulfstream, dat is zijn privévliegtuig, en vloog hij naar waar hij maar wilde. Zij vloog er ook in, zei dat het helemaal opgepimpt was, zwart hout, alles zwart aan de binnenkant.'

'Waar vloog hij met Dahlia naartoe?'

'Meestal naar Vegas, maar ook een keer naar Hawaï. Hij gokte graag. Dahlia's enige probleem was dat ze nooit dronk als ze met hem was, omdat hij moslim was.'

'Hij dronk niet die avond in Le Beverly?'

'Cola light,' zei ze. 'Hij was dol op cola light. Maar hij dreef het niet door, weet u? Zijn geloof, bedoel ik. In principe vond ze dat hij een cool knulletje was. Zo noemde ze hem, mijn coole knulletje.'

'Sprak ze ooit over problemen in hun relatie?'

'Hij kon soms mopperen, had een slecht humeur, maar dat was niets om je zorgen over te maken, hij was al lid van de...' Ze bloosde en streek haar haar voor haar gezicht.

Milo zei: 'Lid waarvan?'

'Het was maar een grapje.'

'Een grapje waarover?'

Geen antwoord.

Milo zei: 'Van welke club was Teddy lid?'

Het haar viel omlaag. 'Geen echte club, alleen een grapje. De club van de drie V's – voeren, vleien, vrijen. Schrijft u dat alstublieft niet op, ik wil niet dat mijn ouders het zien.'

'Zie jij ergens pen en papier, Ati?'

'Ik zeg het gewoon maar.'

'Dus Dahlia klaagde nooit dat Teddy agressief of gewelddadig tegen haar was?'

'Nooit.'

'Alleen knorrig en soms met een slecht humeur.'

'Niets raars, een gewone jongen.'

'Maar je zei tegen rechercheur Reed dat hij haar pijn heeft gedaan.'

'Omdat ik geloof dat hij dat echt heeft gedaan.'

'Je gelooft het?'

'Ik kan het niet bewijzen, maar...'

'Je vermoedt het.'

Een knik.

'Waarom, Ati? Dit is belangrijk.'

'Heeft hij het gedaan?'

'Dat weten we niet, Ati. Help ons.'

Ze ademde in. Ademde langzaam uit. 'De laatste keer dat ik van haar hoorde, ging ze met hem op reis. Ze zei dat ze binnen een paar dagen terug zou zijn en dat we dan zouden uitgaan. Maar ze belde niet en ik heb nooit meer iets van haar gehoord en toen ik haar belde, was het nummer buiten gebruik. En toen ik naar haar huis ging, was daar niemand.'

'Waar zei ze dat ze met Teddy naartoe zou gaan?'

'Naar huis,' zei ze. 'Zijn huis.'

'Sranil.'

Ze fronste haar wenkbrauwen. 'Mijn ouders hebben me erover verteld. Het is een vreemde plek, vol met van die ouderwetse boeren. Indonesië is modern. Sranil is gewoon een eiland dat nooit deel van Indonesië is geworden. Teddy hield er zelf niet van, ging erheen om een flink deel van zijn geld te halen en dan terug te komen, om hier met Dahlia te gaan wonen. Hij was al bezig om een huis te bouwen. Hij wilde modern zijn en bij de vrouw zijn waar hij voor had gekozen, zelfs als ze blank was, niet altijd onder de duim zitten van zijn broer.'

'Heeft Dahlia je dat allemaal verteld?'

'Ja.'

'Misschien is ze daarheen gegaan met Teddy en heeft ze besloten om te blijven.'

'Echt niet,' zei Ati Meneng. 'Daarom weet ik zo zeker dat er iets met haar is gebeurd. Ze wist honderd procent zeker dat ze terug zou komen. Ze beloofde dat we zouden gaan stappen als ze terugkwam. Maar ze is nooit teruggekomen.'

'Heb je haar als vermist opgegeven?'

'Ze was niet vermist, ze was bij hem.'

'Je vermoedde dat hij haar pijn had gedaan.'

'Eerst dacht ik van niet. Het was alleen... ik weet niet, misschien was het zijn broer, maar ik was te bang om dat te zeggen. Hij is tenslotte een sultan, wie zou mij geloven?' Ze keek naar Reed. 'Ik dacht niet dat u er één woord van zou geloven, punt. Ik was het al een beetje vergeten, toen kwam u opdagen en het was alsof er een knop omging in mijn hoofd, weet u wel?'

Milo zei: 'Je vertelde rechercheur Reed over een Zweeds meisje, maar je noemde de naam van Dahlia niet.'

'Nee, dat deed ik niet – het is niet zeker. Het is niet alsof ik er de hele tijd aan zat te denken. Ik dacht er heel veel aan. Toen hield het op. Toen kwam hij langs. Ik had niets moeten zeggen.'

'Nee, nee, je hebt er heel goed aan gedaan, Ati. We stellen het echt op prijs. Vertel ons nu alles wat je weet.'

'Dit is alles.'

'Dahlia was echt van plan om terug te keren naar Los Angeles.'

'Wij hadden plannen,' zei Ati Meneng. 'Een hele dag, zo gauw als ze terug zou zijn. Eerst zouden we naar de magazijnverkoop van Barney's gaan en lunchen bij dat ene café bij het vliegveld van Santa Monica – daar was de verkoop. Daarna zouden we uit eten gaan bij de Ivy – niet die aan het strand, maar die andere op Robertson. Daarna zouden we gaan dansen. Maar ze kwam nooit terug. En ze heeft haar auto achtergelaten bij haar huis en toen ik door het raam keek, waren al haar spullen nog binnen.'

'Je bent gaan kijken omdat je je zorgen maakte.'

Door de tranen leken de zwarte ogen op stenen in een vijver.

'Ik bleef bellen. Haar mobiele telefoon was afgesloten, ze had geen internetverbinding om te msn'en, haar huis was donker. Mijn gedachten sloegen op hol. Ik bedoel, ik vond hem best aardig, de paar keer dat ik hem zag, maar ik kende hem eigenlijk helemaal niet. En ik begon me zorgen te maken over wat mijn ouders hadden gezegd.'

'Over mensen uit Sranil.'

'Bijgelovige boeren. Kannibalen, rituelen. Weet u wel?'

'Eng,' zei Milo.

'Echt eng, dus ik wilde er niet meer aan denken. Ik zou haar familie gebeld hebben, maar ik wist niet hoe ik die moest bereiken. Ik dacht dat als ze lang genoeg wegbleef, ze wel iets zouden doen.'

'Ook al wilden haar ouders dat ze weg was.'

'Dat zei ze alleen maar,' zei Ati Meneng. 'Het was waarschijnlijk niet eens waar. Families houden van elkaar. Net als haar zus, Dahlia zei dat ze heel verschillend waren, maar nog steeds van elkaar hielden.'

'De serieuze zus.'

'Dahlia zei dat ze erover had gedacht om een non te worden en toen architect werd, huizen ging bouwen.'

'Nu we het over huizen hebben,' zei Milo. 'Weet je het adres van Dahlia?'

'Ik heb het adres nooit geweten, Dahlia reed me er altijd naartoe en bracht me daarna thuis. Ze reed graag hard, ze zei dat er in Duitsland wegen waren zonder snelheidslimiet, ze ging wel honderzestig kilometer per uur.'

'In welke buurt was het huis?'

'Brentwood.'

'Zou je het kunnen vinden?'

'Zeker wel.'

Milo stond op. 'Kom op dan.'

'Nu?'

'Ik kan me geen beter tijdstip voorstellen, Ati.'

28

Het huis dat een 'Dat is het!' losmaakte bij Ati Meneng was een kleine woning in koloniale stijl, ingeklemd tussen twee veel grotere mediterrane huizen. Twintig minuten rijden vanaf het station, in een goede wijk van Brentwood, op loopafstand van de Country Mart.

Een symmetrische verdieping was afgetimmerd met witte planken. De glas-in-lood-ramen waren grijs door de gordijnen erachter en omlijst door zwarte luiken. Boven een rode deur was een waaiervenster. Het gazon was klein en goed onderhouden, de lege oprijlaan onberispelijk.

Twee straten verder lag het lege terrein dat Helga Gemein had opgegeven aan haar partners als haar niet-bestaande adres.

Milo zei: 'Weet je het zeker, Ati?'

'Absoluut. Ik herinner me de deur. Ik zei nog tegen Dahlia dat een rode deur voorspoed kon betekenen in Azië. Dahlia lachte en zei: ik heb geen geluk nodig, ik ben aanbiddelijk genoeg van mezelf.'

'Oké, bedankt voor al je hulp. Rechercheur Reed zal je terugbrengen.'

Ze wendde zich tot Moe. 'Breng me maar naar mijn auto. Of misschien kunnen we gaan lunchen, dan meld ik me gewoon ziek.'

Geen uitdrukking in de stem van Reed. 'Wat je wilt.'
Ati Meneng zei: 'Ik heb eigenlijk wel honger gekregen. Bovendien zullen ze waarschijnlijk toch tegen me tekeergaan.'

Milo voerde het adres in. De belasting werd betaald door Oasis Finance Associates, een investeringsmaatschappij in Provo, Utah. Een telefoontje naar het bedrijf leverde de voorzichtige erkenning van de administrateur op dat de eigenaars geen Amerikaanse staatsburgers waren en dat ze hun privacy wilden bewaren.
'Zwitsers of Aziatisch?' zei Milo.
'Pardon?'
'Zwitsers of Aziatisch, wat is het?'
'Is dat belangrijk?'
'Het is een moordonderzoek, meneer Babcock. Het slachtoffer is een vrouw met de naam Dahlia Gemein.'
'Gemein,' zei de administrateur. 'Dan weet u het al.'
'Ik ga ervan uit dat dat betekent dat het Zwitsers is.'
'U hebt het niet van mij gehoord.'
Milo drukte de verbinding weg.
Ik zei: 'Vader Gemein heeft het huis twee jaar na de verdwijning van Dahlia nog aangehouden. Misschien is het het buitenhuisje van de familie aan de West Coast geworden. Of om het anders te zeggen, het zusje mocht er ook gaan wonen.'
Milo zei: 'Een beetje te gezellig en te traditioneel voor Helga, maar als papa de rekening betaalt, is ze flexibel.' Hij trok handschoenen aan en liep met grote stappen over de oprijlaan, stopte om door de ramen te turen, liep door naar de garage, probeerde de deur. Gesloten, maar hij slaagde erin om hem een paar centimeter van de grond op te tillen, tuurde door de kier. Hij kwam overeind en klopte het stof van zich af. 'Kleine rode Boxster, rode motorfiets, ziet eruit als een Kawasaki. Zou interessant zijn als een van twee gezien was op of vlak bij Borodi.'
Hij belde Don Boxmeister en gaf hem de informatie.
Perfecte timing; het buurtonderzoek van de afdeling brandstichting was in volle gang en een rode motor was inderdaad gesignaleerd op de dag voor de brand. Drie straten ten westen

van Borodi, illegaal geparkeerd op een tamelijk donker deel van de straat. De buurman die het had gezien had niet de moeite genomen om het aan te geven. Boxmeisters tweede stukje informatie was forensisch van aard: de initiële analyse van residu, gevonden op de plaats delict, kwam overeen met veganistische instantpudding, en verschroeid ijzerdraad suggereerde elektronische timers.

Milo vertelde Boxmeister het verhaal van Ati Meneng, hing toen op en bekeek de binnenkant van het omslag van een blocnote, waar hij een lijst bewaart die hij niet op zijn computer wil hebben: telefoonnummers van rechters die meewerken. Elke keer dat hij een nieuwe blocnote inwijdt, schrijft hij de lijst nauwkeurig over.

Zijn vinger ging omlaag langs de kolommen vol kleine, naar links hellende letters, totdat hij zei: 'Dit is uw geluksdag, rechter LaVigne.'

LaVigne was bereikbaar bij de rechtbank en Milo haalde alles uit de kast, maakte meer van de blonde hardloopster dan de feiten rechtvaardigden, blies de rode Kawasaki op tot keihard en tastbaar bewijs. Hij wees met nadruk op de felle haat van Helga Gemein tegen de mensheid en op haar uitwijkgedrag, toen ze voor de eerste keer ondervraagd werd. Om het af te maken gooide hij er nog wat speculaties over internationale netwerken van terroristen en misschien zelfs neonazi's bovenop.

'Precies, edelachtbare, alsof Baader-Meinhof weer de kop opsteekt. Dat betekent dat het huis – en ik sta nu voor de deur – een bron van wapens, explosieven en timers zou kunnen zijn, allemaal zaken die in verband gebracht kunnen worden met de brandstichting en de meervoudige moorden. Bovendien zou de verdachte al op de vlucht kunnen zijn, we hebben het bevel echt nu nodig.'

Een betere show heb ik hem niet vaak zien geven en binnen een paar seconden knipoogde hij en stak hij zijn duim omhoog. 'Ik hou van die vent, hij stelt het zelf op, het enige wat ik hoef te doen is het te laten ophalen en het deponeren.'

Met één telefoontje naar Sean Binchy was de tocht naar het gerechtshof geregeld. Binchy was nog steeds in het advocatenkantoor van Manny Forbush. Zodra hij de kopieën van de harde schijven van GHC had, zou hij naar het centrum gaan.

We wachtten op de smid, de explosievenopruimingsdienst en de explosievenhonden. De batterij van Milo's mobiele telefoon was leeg en hij schakelde over op mijn autotelefoon om zijn boodschappen op te halen. Veel bureaucratische rommel en één berichtje dat ter zake deed: van agent Chris Kammen van de politie van Port Angeles, Washington.

De bas van Kammen deed de luidspreker van de handsfree trillen. 'Hé, hoe gaat het? We zijn om vier uur 's ochtends naar die opslagruimte gegaan. Deze mensen zijn extreem netjes, het was wel de meest ordelijke berg rommel die ik ooit heb gezien. Daarom kan ik je met zekerheid vertellen dat daar geen koffers vol geld te vinden zijn. Niet achter de piano en niet ergens anders.'

'Je maakt een grapje.'

'Ik wou dat het zo was,' zei Kammen. 'U hebt wel geluk dat die dienst buiten kantooruren een bewakingscamera heeft die werkt. Helaas voor u is er niet zo heel veel te zien. Om 23.43 uur maakte een blanke man met een donkere *hoodie* gebruik van een sleutel om binnen te komen. Tien minuten later kwam hij naar buiten en droeg wat mijn oma twee forse valiezen zou noemen. Ik heb een kopie van de tape opgevraagd om die naar je toe te sturen, maar geloof me, je gaat er niets mee opschieten. Er zijn alleen schaduwen en vlekken te zien, de capuchon bedekt zijn gezicht volledig.'

'Hoe weet u dat hij blank is?'

'Witte handen.'

'Hij nam niet de moeite om handschoenen aan te doen,' zei Milo.

'Blijkbaar niet.'

'Misschien omdat het niet verdacht zou zijn als zijn afdrukken in de opslagruimte gevonden zouden worden. Mevrouw Flatt maakte zich grote zorgen dat meneer Flatt te weten zou komen dat zij ze bewaard had. Misschien was hij dat inderdaad te weten gekomen.'

Kammen zei: 'Ik vroeg me hetzelfde af, dus het eerste wat ik deed was Flatt natrekken, en geloof me, hij is het niet. Hij is een grote vent, twee meter, speelde basketbal voor P.A. High. Ik herinner me zijn naam wel. We gebruikten de poort als een referentiekader om de maat van onze Capusjonnie te krijgen en hij is eerder één tachtig.'

'Is het zeker dat het een man is?'

'Waarom? Hebt u een stout meisje in uw vizier?'

'Pal in het vizier. Lijkt erop dat zij het grote huis vanmorgen vroeg heeft platgebrand.'

'Hetzelfde huis?' zei Kammen. 'Waar de lijken lagen?'

'Yep.'

'Wow, het wordt ingewikkeld daar in Los Angeles. Hoe laat ging het huis in de hens?'

'Drie uur 's ochtends.'

'Dan is Capusjonnie niet uw brandstichter, er is geen mogelijkheid dat hij tegen middernacht hier zou kunnen zijn en dan op tijd terugkomen. Zo laat kun je van hieruit geen rechtstreekse vlucht krijgen en zelfs als je naar Seattle zou kunnen komen, zit je nog met de tijd in de auto, de tijd op het vliegveld en meer dan twee uur ín het vliegtuig. Ik stuur u de tape zodat u het zelf kunt beoordelen, maar dit is een vent. Tenzij uw stoute meid brede schouders heeft en enorme handen en loopt als een kerel.' Hij grinnikte eens. 'Maar ja, in Los Angeles kan alles.'

Milo zei: 'Ik weet zeker dat je gelijk hebt, maar in theorie heeft onze meid toegang tot een privévliegtuig.'

'O,' zei Kammen. Ik zei al, dat is Los Angeles. Maar dan nog zou het heel krap worden. Weet u wat, ik bel de algemene luchtvaartdienst wel op ons vliegveld, eens kijken wie er geland en opgestegen zijn en waar ze vandaan kwamen.'

'Bedankt.'

'Om uit je vel te springen, dat iemand ons net voor was bij de opslagruimte. We zouden op een normaal tijdstip naar binnen zijn gegaan, maar we wilden niet dat de echtgenoot op kwam dagen. Ik kan er ook niks aan doen dat de goden ons niet welgezind waren. Tot ziens.'

In de auto werd het stil.

Ik zei: 'Twee mensen plegen de moord, twee mensen stichten brand en halen het geld terug. Misschien is Helga niet zo asociaal als ze zich voordoet.'

'Bonnie en Clyde, moord voor twee?'

'Eerst waren het er vier. Helga betaalde Backer en Doreen om Teddy's onroerend goed in de fik te steken. Gaf hun een voorschot in cash, wat betekent dat het totale bedrag groter zal zijn geweest.'

'Een klus met zes cijfers, motieven genoeg dus,' zei Milo. 'Helga huurt ze in, maar leert gaandeweg zelf zoveel over brandstichting dat ze die twee niet meer nodig heeft, dus ze ruimt ze uit de weg. Dan stuurt ze haar maatje om de poet terug te halen. Hoe zou ze kunnen weten waar Backer die verborgen had?'

'Dat is het soort van informatie dat een jongen prijsgeeft als hij probeert zijn leven te redden. Of als hij toekijkt hoe zijn vriendin verkracht wordt met een vuurwapen. Hetzelfde geldt voor de locatie van de sleutel van de opslagruimte. Als Backer die bij zich droeg, zou het zelfs nog makkelijker zijn.'

'Wel een heleboel moeite om een berg hout in brand te steken.' Hij reikte naar achteren en pakte zijn aktetas, vond de foto van de familie Gemein.

Ik zei: 'Helga loog tegen iedereen over deelname aan de aanbesteding van de uitbreiding van de Kraeker. De plek betekent wel iets voor haar, misschien omdat dat feest de laatste keer was dat de familie bijeen was. Zo koud als ze is, ze houdt van haar zus. Misschien was Dahlia wel de enige persoon van wie ze ooit hield. Als dat wordt weggenomen, concentreer je al je woede en verwoest je wat je kunt.'

'Sutma. Wie weet heeft Helga wel een geheime religieuze kant, krijgt ze een kick als ze zich voorstelt dat Teddy niet meer in de hemel komt.' Hij bestudeerde de foto nog eens. 'Kijk naar hoe ze opgesteld staan: Dahlia staat los van de anderen.'

'Maar ze staat ook dichter bij Helga dan bij haar moeder.'

'Misschien is dat omdat moeder zo te zien de charme van een ingevroren heilbot heeft. Vader is daarentegen meer een... kabeljauw. En Helga is onze haai.' Hij grijnsde. 'Wat vind je van mijn psychologie van de koude grond? Maar wat ik me echt afvraag is of het wraakplan van Helga komt of van de hele familie.'

'We kunnen de betrokkenheid van pa en ma niet uitsluiten en het is hoe dan ook het geld van de familie, waarmee Helga haar levensstijl betaalt. Dahlia leefde er ook van, inclusief dit huis, dat onberispelijk onderhouden is. Zou interessant zijn om na te gaan of de buren zich kunnen herinneren dat een van de Gemeins hier heeft gewoond.'

'We zullen van deur tot deur gaan zodra het huis is vrijgegeven.' Hij wierp een blik op het kleine koloniale huis. 'Het enige wat ontbreekt is het staketsel.'

Hij keek op zijn horloge en belde de explosievenopruimingsdienst nog eens. Ze zouden er over een paar minuten zijn, brachten hightech speelgoed en drie van hun beste speurhonden mee.

Een paar minuten werden er vijftien. Toen vijfentwintig. Milo kreeg de kriebels, rookte, telefoneerde nog eens. Aan een van de hightech speeltjes moest op het laatste moment nog gesleuteld worden. Milo liet een krachtterm vallen, sprong uit de auto en begon op de deuren te bonzen. Ik rende achter hem aan.

Tien minuten later hadden drie buren bevestigd dat Helga Gemein in het huis had gewoond, maar ze hadden geen teken van andere bewoners gezien.

Een magere vrouw die een roze Nat Sherman rookte zei: 'Ze verandert haar uiterlijk. De ene dag is ze blond, de volgende is ze een brunette, dan is ze weer rood. Ik dacht dat ze een actrice was of wilde zijn.'

Terug bij de auto zei Milo: 'Een hele verzameling pruiken. Waarom zou ze dan in godsnaam haar hoofd kaalscheren?'

'Misschien een ritueel van zelfverloochening,' zei ik.

'Het haar opgeven voor de vasten?'

'Of totdat de klus geklaard is.'

De explosievenopruimingsdienst arriveerde eindelijk, onderzocht de omtrek van het huis, kwam terug bij de voorzijde. De rode deur werd ontsloten en opengeduwd met een lange paal, terwijl iedereen een stap achteruit deed.

Geen explosie.

Een inspecteur stak zijn hoofd om de hoek, waagde zich naar binnen, kwam naar buiten met zijn duim omhoog.

De honden drentelden naar binnen.

De honden hadden belangstelling.

29

Dahlia Gemein was weg, maar in de geest bleef het huis van haar. Linnengoed met veel kant, pastelkleurige muren, een vrolijke keuken in countrystijl die eruitzag alsof hij nooit gebruikt was. Schattige rieten tafeltjes stonden vol met schattige glazen figuurtjes; een onmiskenbare voorkeur voor dolfijnen en apen. Een stuk of zes amateuristisch volgekloderde, lichtblauwe abstracten waren gesigneerd met *Dahlia*. Het puntje op de i was een gouden zonnetje.

Laden en kasten waren gevuld met dure kleren, vaak met Duitse of Franse labels. Geen familiefoto's, maar twee spijkergaten in de centrale hal duidden erop dat er iets verwijderd was.

Ondanks de meisjesachtige inrichting voelde het huis hol en vluchtig.

De honden waren in bijna elke kamer gaan zitten en hadden een zoektocht van vijf uur veroorzaakt, die niets opleverde in de ingerichte ruimten. Maar stofzuigen in een lege slaapkamer bracht koperachtig schaafsel naar voren in het spaarzame stof. Nauwelijks zichtbaar met het blote oog waren de stukjes metaal opgezogen uit de spleet tussen de vloerbedekking en de ondervloer. De bommenexpert hield het erop dat het om korreltjes ging die overbleven bij het knippen van draden en toen de honden helemaal enthousiast werden van de badkamer ernaast, werd een forensisch loodgieter opgetrommeld.

Het duurde niet lang of hij vond sporen van een gelatine-achtige substantie op basis van petroleum: rubberachtige resten die hij afschraapte van de afvoerpijp van de gootsteen.

'Alsof iemand het spul van zijn handen wilde wassen,' merkte een agent van de explosievenopruimingsdienst op. 'Zoals die meid in het stuk, Lady Macbeth.'

Milo zei: 'Dat zou betekenen dat onze meid zich schuldig voelt. Het lijkt me meer waarschijnlijk dat ze brandschoon wilde zijn na een dag hard werken.'

De bommenman zei: 'U gaat ervan uit dat dit haar chemisch laboratorium was?'

'U niet?'

'Dan zou ik meer sporen verwachten, hoe hard ze ook boende.'

'De honden zijn wild van deze plek.'

'De honden kunnen een half atoom nog opsnuiven als het door een triljard gedeeld is. Als zij een molecule mee naar binnen neemt, reageren ze al. Ik heb eerder de indruk dat dit de plek was waar ze thuiskwam, nadat ze haar chemisch laboratorium verliet. Als ik u was zou ik verder blijven zoeken. Misschien uw verdachte laten zien op het zesuurjournaal en kijken of iemand haar herkent.'

Milo belde met Public Affairs. Een inspecteur daar zei: 'Dit moet ik even met mijn bazen overleggen.'

'Waarom?'

'Een buitenlander? Veel geld? Is het nog nodig om te vragen waarom?'

Een grootschalige zoektocht naar vingerafdrukken en DNA door de techneuten van de forensische dienst ging door tot in de avond. Veel vondsten op alle verwachte plaatsen, minstens zes verschillende afdrukpatronen, waarvan er twee overheersten. Als Dahlia en Helga Gemein ooit werden gevonden, zou de chemie bevestigen wat al bekend was.

De nummers van de Boxster en de motoren in de garage kwamen overeen met voertuigen die Dahlia Gemein drie jaar geleden had geregistreerd. Van allebei waren de papieren verlopen. DMV had een paar herinneringen gestuurd en de zaak toen in het zwarte gat van de overheidsarchieven geschoven.

Niets anders dan olievlekken in de verder vlekkeloze garage. De honden liepen er ongeïnteresseerd doorheen.

De bommenman zei: 'Als ze hier echt aan de slag had gewild, was dit de beste plek geweest. Ik zou zeker nog verder kijken.'

Voor de vorm belde Milo naar Gayle Lindstrom en was opgelucht dat hij haar voicemail kreeg. Hij probeerde Reed. 'Ben je klaar met Meneng?'

'Allang weer terug op het bureau, chef.'

'Hoe ging je lunch?'

'Ik stelde een koffieshop voor, zij drong aan op de Pacific Dining Car op Sixth, liet de rekening oplopen tot tachtig dollar. Een maaltijd met alles erop en eraan, maar geen nieuwe informatie.'

'Dat is veel honger voor zo'n klein meisje.'

'Ze nam bijna alles mee in een doggy-bag, praatte er de hele tijd over dat ze actrice wilde worden,' zei Reed. 'Ik denk dat ze u alles verteld heeft.'

Milo zei: 'Het goede nieuws is dat je de kosten van het voer terugkrijgt, goedschiks of kwaadschiks. Het slechte nieuws is dat kwaadschiks waarschijnlijk betekent dat Ome Milo moet dokken.'

'Echt niet, chef. Het was mijn beslissing.'

'Echt wel, Moses, ome Milo zorgt goed voor zijn troepen. Het andere goede nieuws is dat ik niet aan dokter Wilkinson zal verklappen dat je biefstuk hebt zitten kauwen met een schoonheid.'

'Ik dronk mineraalwater,' zei Reed. 'Die tachtig, dat was zij. Ze heeft waarschijnlijk genoeg calorieën voor een hele week in die doggy-bag. Wat wilt u dat ik nu doe?'

'Begin een zoektocht naar onroerend goed in het bezit van de sultan van Sranil, we weten al dat er ogenschijnlijk niets van Teddy in de bestanden te vinden is.'

'Lokaal of nationaal?'

'Begin lokaal en werk dan langzaam naar buiten. Ik weet zeker dat Zijne Keizerlijke Poeha verstopt zit onder meer lagen dan een sherpa in de winter, maar we moeten het proberen. Begin bij Masterson, vertel die houwdegen die daar achter de telefoon zit dat er iemand op ramkoers ligt tegen hun allergrootste klant, maar zeg niet wie. En laat Sean een paar keer voorbijrijden op Borodi en de omringende straten, voor het geval onze Kale Knikker terugkeert naar haar plaats delict.'

'Denkt u dat ze een seksuele kick van de brandstichting kan hebben gekregen?'

'Dit was persoonlijk, Moses, je hebt kicks in alle soorten.'

Milo stapte uit om te kijken hoe het ging met de techneuten op de plaats delict. Een uur of langer ging voorbij. Net toen hij terugkeerde naar de auto, belde agent Chris Kammen.

Er waren de afgelopen nacht geen vliegtuigen uit het zuiden van Californië het luchtruim van het vliegveld van Port Angeles ingevlogen. Kammen was nog een stap verder gegaan en had navraag gedaan bij SeaTac: geen enkele vlucht naar Los Angeles, Burbank of Ontario vertrok laat genoeg voor een bagagedief die rond middernacht uit de opslagruimte was weggegaan en die toen nog naar Seattle had moeten rijden.

'Dus het staat vast dat je te maken hebt met twee afzonderlijke verdachten, Capusjonnie zou op elk willekeurig tijdstip de stad kunnen zijn binnengekomen. We zijn geen Los Angeles, maar wij hebben niet genoeg mankracht beschikbaar om alle donkere hoekjes na te kijken. Helemaal als er geen sprake is van wat de gemeenteraad een dringende reden noemt.'

'Dat klinkt redelijk,' zei Milo. 'Als ik een verdachte heb, kunnen we onze gegevens naast elkaar leggen.'

'Hé,' zei Kammen. 'Optimisme. Daar heb ik wel eens over gelezen.'

Milo's tweede poging bij Public Affairs stuitte op een secretaresse met een kortaf: 'We werken aan uw verzoek.'

'Hoe bedoelt u, werken?'

'U krijgt er vanzelf bericht van, inspecteur.'

Hij klikte haar weg en mompelde: 'Tijd om met een grote aanloop over hun kleine bolletjes heen te springen.' Hij belde commissaris Weinberg om aan te dringen op een persverklaring met de foto van Helga Gemein. Hij gaf een meer ingehouden versie weg van de voorstelling die hij voor rechter LaVigne had opgevoerd. Hij kon net één zin voltooien toen Weinberg hem onderbrak.

'Public Affairs heeft me al gebeld. Speel geen spelletjes.'

'Niemand heeft me iets verteld, meneer.'

'Omdat er niets te vertellen is,' zei Weinberg.

'Het antwoord is nee?'

'Maak je een grapje, Sturgis?'

'Gezien wat we gevonden hebben in het huis lijkt het de logische volgende stap...'

'Een burger van een ander land? Van een vooraanstaande fa-

milie? Je vraagt mij of ik terreurpaniek wil zaaien op internationale schaal, op grond van een beetje koperschaafsel?'
'Het is meer dan paniek, meneer. Mijn verdachte heeft al drie
mensen vermoord.'
'Ik heb geen bewijs gezien dat haar met welke moord dan ook
verbindt. Zelfs waar het jouw brandstichting betreft, heb je niet
meer dan gebakken lucht. Een vrouw die hardloopt? Sorry dat
ik er niet steil van achteroversla. En zelfs als ze dat huis in de
fik heeft gestoken, waar komt dat dan op neer? Er is een bouwsel vernietigd dat een doorn in het oog van de buren was. Rest-
jes van draden en iets plakkerigs in een afvoerpijp? Wie weet
is het wel rubbercement en bouwde ze gewoon graag model-
vliegtuigen.'
'De honden reageerden, meneer.'
'Ik ben dol op honden,' zei Weinberg. 'Maar ze zijn niet on-
feilbaar. Wat als ze kerosine knoeide, toen ze probeerde om
teer van het strand te verwijderen? Geloof me, daar zouden onze trouwe vrienden ook rechtovereind van gaan zitten.'
'Maar in dit geval...'
'Je kunt niet van me verwachten dat ik het gezicht van deze
vrouw over het hele avondnieuws ga plakken op basis van jouw
gegevens. Je hebt niets concreets tegen haar en we hebben het
hier niet over zelfmoordterroristen in Disneyland.'
'Oké, laten we het terroristische aspect even vergeten en zelfs
de moorden, laten we haar gewoon beschrijven als een verdachte van brandstichting.'
'Je hebt niet genoeg, Sturgis. Bovendien moet ik met de afdeling brandstichting spreken als dat is waar het om gaat.'
'Ik kan hoofdinspecteur Boxmeister vragen of hij...'
'Als hij dezelfde vraag stelt, krijgt hij hetzelfde antwoord. Een
paar belletjes in een pijp en schaafsel van draden, alles bij elkaar is het minder dan niets. Kom maar met vingerafdrukken,
lichaamsvocht, iets wat telt, voordat ik complete ambassades
op mijn dak krijg.'
'De FBI en Binnenlandse Veiligheid denken dat het ernstig genoeg is om haar op te sporen.'
'Zijn zíj erbij betrokken?'
'De FBI kwam naar mij toe.'

'Zomaar? Plotseling hebben die idioten het vermogen tot buitenzintuiglijke waarneming?'

'Nou, ik belde Binnenlandse Veiligheid voor informatie en zij belden de FBI...'

'En je vond het niet nodig om mij op de hoogte te brengen.'

'Meneer, ik wilde wachten tot ik iets substantieels te vertellen had.'

'En waarom praten we dan nu, verdomme?'

'Het lijkt me dat de zaak alles bij elkaar genoeg substantie heeft,' zei Milo.

'Dan moet je een stap terugdoen en zorgen dat je een beter perspectief krijgt.'

Milo klemde zijn kaken op elkaar en stak zijn middelvinger in de lucht. 'Oké, meneer, ik zal doorgaan met graven.'

'Ik weet dat je me gaat vervloeken zodra dit gesprek beëindigd is, de bazen zijn altijd de grote vijanden,' zei Weinberg. 'Maar probeer eens – ik weet dat het moeilijk is, maar probeer het toch maar – om jezelf los te maken van het moment en het grotere plaatje te zien. Afgaande op jouw verhaal komt deze vrouw uit een enorm rijke familie, wordt ze gerespecteerd in haar beroep en heeft ze geen strafblad. Wat je tegen haar hebt zijn geruchten in de tweede graad. En dan bekijk ik het nog heel positief.'

'Haar zus...'

'... zou nog heel goed in leven kunnen zijn. Wat is je bewijs dat er enig delict is gepleegd tegen de zus? En dan nog wel door een oliesjeik. Dit is waar je nou hoofdpijn van gaat krijgen, Sturgis. Hou op met fantaseren en laat het leer van je schoenen werken. Ik weet zeker dat je al een heleboel van die *desert boots* hebt versleten.'

Milo's blik ging omlaag naar de schoenen die hij vandaag aanhad. Bruine oxfords met crêpezolen, die allang aan nieuwe zolen toe waren. 'Als u het zegt, meneer.'

'Betuttel me niet, Sturgis.'

'Dat probeerde ik niet te doen, meneer. Mag ik u bellen als ik iets vind dat u substantieel zou noemen?'

'Ben ik ooit ongevoelig geweest voor jouw behoeften, rechercheur?'

'Nee, meneer. Ik zal beginnen om mijn schoenen te verslijten en hoop dat er ondertussen niets in de lucht vliegt.'

Stilte.

'Meneer?'

'Laat me één ding duidelijk maken,' zei Weinberg. 'Ik zie geen waarde in jouw verzoek, maar in de naam van de korpsgeest zal ik met de hoofdcommissaris gaan praten over een persverklaring. Voor het geval dat.'

'Voor welk geval, meneer?'

'Dat er toch vliegende varkens worden waargenomen aan de westelijke hemel.'

'Bedankt, meneer.'

'Het is niets,' zei Weinberg. 'En het leidt ook tot niets.'

Toen ik de volgende ochtend om tien uur nog niets van Milo had gehoord, vermoedde ik dat de nacht niet erg goed was verlopen.

Robin zei: 'We hebben biefstukken genoeg, laten we hem voeren.'

Ik probeerde al zijn telefoonnummers, maar er werd niet opgenomen tot het bijna zes uur 's avonds was. Hij was kortaf en terneergeslagen. Zakelijk, maar niets wat hij vertelde was bemoedigend.

Gayle Lindstrom had weer contact opgenomen, met teleurstellend resultaat: geen spoor van Helga Gemein op enig vliegveld, commercieel of privé, en ze stond ook op geen enkele passagierslijst.

De telefoontjes van Moe Reed naar Masterson waren onbeantwoord gebleven en hij was er langsgegaan. De glazen deuren van de firma waren gesloten. Als Elena Kotsos of haar echtgenoot op hun post waren, dan lieten ze het niet merken.

Onderzoek naar onroerend goed in Californië had niets opgeleverd. Reed was nu bezig met Nevada, maar naarmate de dag vorderde en meer overheidskantoren sloten, bleven er minder opties open.

Van de weelderige straten van Holmby Hills, waar Sean Binchy had gepatrouilleerd in skaterstenue, kwam al geen beter nieuws. Hij was begonnen achter het stuur van zijn eigen auto, een Camaro uit 1984 die hij van zijn vader geërfd had, en legde het parcours toen nog twee keer af op skeelers.

Ik was er zelf ook langsgereden, op weg naar het bureau. Enorme huizen, omgeven door hoge bomen, geen mensen. Alsof Helga Gemeins droom van een wereld zonder mensen werkelijkheid was geworden.

Milo's uitgebreide buurtonderzoek was in de praktijk neergekomen op een verzekering aan de buren dat ze veilig waren. Nog een paar bewoners hadden Helga het kleine witte huis zien binnengaan of verlaten, maar niemand had een enkel woord gewisseld met de blonde/roodharige vrouw of de brunette die ze beschreven als nogal koel, ijskoud, afstandelijk, in haar eigen wereld.

Een man was er zeker van dat Helga in een middelgrote Amerikaanse personenwagen reed, merk onbekend. 'Zwart, donkerblauw, donkergrijs, ik herinner het me niet goed meer.'

Niemand had ooit Des Backer of Doreen Fredd vlak bij het huis gezien, net zomin als prins Teddy. De foto van Dahlia Gemein bracht vage herinneringen naar boven van blond en mooi en vrolijk. Een buurman dacht dat ze de voorkeur had gegeven aan de rode motorfiets.

'Zij zijn zussen? Wat een verschil.'

Milo zei: 'Een sprankje theoretische hoop: het computerlab stuurt de afschriften van de harde schijven van GHC. Een heleboel geprinte pagina's, ik kan wel wat hulp gebruiken om ze door te kijken. Wat als jij en ik wat gaan eten bij Moghul en dan teruggaan naar kantoor om de zaak na te kijken? Tenzij je andere plannen hebt.'

'Robin en ik hadden het over een barbecue, ik belde net om je uit te nodigen.'

'O. Ik heb niet naar mijn berichten geluisterd. Bedankt, maar ik moet het deze keer laten schieten.'

'Neem even pauze voor een biefstuk,' zei ik. 'Of twee.'

'Bedankt voor het aanbod, maar ik zal niet mijn gebruikelijke aangename zelf zijn en bovendien moet ik op mijn cholesterol letten.'

'Waar komt dat ineens vandaan?'

'Beter laat dan nooit.'

'Nou ja,' zei ik, 'Moghul is goed met vegetarisch eten.'

'Ik dacht aan lamstandoori, spinazie met kaas en misschien wat kreeft.'

'O, fokken ze tegenwoordig schapen en schaaldieren met een laag cholesterolgehalte?'

'Oké, ik loog. Eet maar lekker met je lief.'

Ik hing op en overlegde met Robin.

Ze zei: 'Alsof er een keuze is? De barbecue is toch nog koud. Ga maar.'

Tegen 18.40 uur waren Milo en ik aan het bladeren in de gedownloade bestanden van GHC en elke e-mail die het korte bestaan van de architectenfirma had voortgebracht.

Bettina Sanfelice en Sheryl Passant hadden de meeste tijd achter het scherm doorgebracht met zoeken op eBay, modesites met extra korting en roddelblogs. Ze waren allebei dol op Johnny Depp.

Judah Cohen had niet één keer ingelogd.

Marjorie Holman had haar toetsenbord spaarzaam gebruikt: om te zoeken naar websites over groene architectuur en nieuwssites en om haar financiën bij te houden, die net zo behoudend en bescheiden waren als John Nguyen had bericht.

Onder een andere gebruikersnaam had ze regelmatig afspraakjes gemaakt met zes verschillende mannen, waaronder 'mannyforbush' op forbushziskinshapiro.net.

Helga Gemein en Des Backer hadden onregelmatige, maar veelzeggende uitwisselingen. Gedurende werktijd waren ze als twee cyberpenvrienden, die er lustig op los typten in het gemeenschappelijke kantoor.

Hun correspondentie was doelgericht: een koelbloedige uitwisseling van informatie over explosieven, ontstekingsmechanismen, de doelen en technieken van eco-terrorisme, afgewisseld door nostalgische beschouwingen over moeilijke tijden die voorbij waren.

Milo had het in zijn wilde verhalen voor rechter LaVigne over de Baader-Meinhof-groep gehad, en die verwijzing bleek profetisch: een week voor de moorden op Desmond Backer en Doreen Fredd had Helga Gemein acht keer melding gemaakt van de moorddadige Duitse bende. Ze beschreef hen zonder een spoor van ironie als 'verfrissend nihilistisch en effectief'.

Helga: de gloriejaren. als ik van één ding spijt heb, is het dat ik te laat geboren ben.
Backer: voor mij waren het de *weathermen*. als dat eens waar was, hè?
Helga: je moet weten uit welke hoek de wind waait.
Backer: bill en bernadette en nu hebben ze zichzelf verkocht aan de gevestigde orde.
Helga: onvermijdelijk. het bloed wordt dunner.
Backer: in de goeie ouwe tijd was het bloed dik en de wind hevig en vooral heet, net als wijzelf. lol.
Helga: krijgen we dat weer? bij jou draait het altijd om vleselijke lusten.
Backer: weet jij iets beters lol jammer dat het niet met jou is.
Helga: volgens mij heb jij je handen wel vol.
Backer: handen en andere lichaamsdelen lol.
Helga: genoeg. ik lol niet om stupiditeit.
Backer: daar wilde ik het nog over hebben met jou.
Helga: waarover?
Backer: je stemming.
Helga: niks mis met mijn stemming.
Backer: je bent nooit ☺
Helga: is er iets om ☺ over te zijn?
Backer: hm... wat dacht je van een flinke kaboem?
Helga: dat? een kleine stap.
Backer: voor het elimineren van de mensheid?
Helga: wou dat ik in god geloofde.
Backer: waarom?
Helga: dan kon ik zeggen als god het wil.

Milo schoof de stapel opzij en legde de hoeken recht. 'Eng.'
Ik zei: 'Het heeft ook iets van flirten. Backer begint, maar zij gaat erin mee.'
'Die jongen gaf het nooit op. Maar ja, als je naar zijn scoringspercentage kijkt werkte zijn strategie goed genoeg.'

'Behalve bij Helga.'

'De enige die hij niet te pakken kreeg,' zei hij. 'Ze is een kouwe, Alex.'

'Ze had toch overwogen om non te worden. Misschien is ze een van die mensen met een laag libido. Of besloot ze om haar neigingen te onderdrukken.'

'Of ze doet het met een andere vent en besloot trouw te blijven.'

'Helga en Capusjonnie?' zei ik. 'Het is mogelijk, maar ik durf te wedden dat seks niet al te hoog op haar prioriteitenlijst staat.'

Hij glimlachte. 'Ik zou je het een en ander over nonnen kunnen vertellen.'

'De lusten van een parochieschool?'

'Sommige van hen waren engelen, de beste vrouwen die ik ooit ben tegengekomen. Een paar waren monsters, ongeveer zo warm en meevoelend als Helga. Kun je je haar voorstellen met een metalen liniaal? Blijkbaar heeft ze haar eigen religie gevonden. Eerste gebod: weg met het haar.'

'In veel culturen staat haar voor sensualiteit. Fundamentalisten hebben de neiging om hun vrouwen te bedekken en hun eigen haar kort te houden. Boeddhistische monniken scheren hun hoofden. Allemaal om ijdelheid in de kiem te smoren en de aandacht op het nirwana te richten.'

'Zusje Skinhead streeft naar een nirwana zonder mensen. Ze ontdekt dat ze iets gemeenschappelijk heeft met de Vrolijke Dekhengst. De arme drommel had er geen idee van hoe Helga hem gebruikte.'

Hij bladerde door de prints. 'Volgens mij snap ik eindelijk waarom Backer het met Doreen deed op Borodi. Er was voor hem geen grens tussen zaken en plezier, voor ouwe Des draaide het allemaal om plezier.' Hij schudde zijn hoofd. 'In flagrante destructo.'

Hij sloot af, we namen de trap naar beneden, passeerden de baliemedewerker aan de voorkant en waren bij de deur toen luid geroep ons tot staan bracht.

De baliemedewerker kwam overeind en stak de telefoon naar voren. 'Telefoon voor u, inspecteur Sturgis.'

'Wie?'

Een hand werd over de hoorn gelegd. Het antwoord kwam bijna fluisterend: 'God, die de stenen tafels meebrengt van de Sinaïberg.'

'Dat was Mozes.'

'Wat dan ook, hier, alstublieft.'

Milo pakte de telefoon aan. 'Sturgis – goedenavond, meneer... ja, dat heb ik gedaan... ja, hij heeft... ik begrijp het... bedankt, meneer... Dat hoop ik ook, meneer.'

Hij hing op. De baliemedewerker zei: 'Is hij kwaad? Hij klonk kwaad toen ik hem vertelde dat u niet in uw kantoor was.'

'Hij is poeslief.'

'Goed, goed, ik hoor slecht nieuws over bezuinigingen. Ik ben er net en ik heb deze baan echt nodig.'

'Ik doe wel een goed woordje voor je.'

Het gezicht van de baliemedewerker klaarde op. 'Zou u dat kunnen doen?'

'Als het ter sprake komt.'

We lieten de man achter om na te denken over de betekenis van die woorden, verlieten het bureau en stapten de warme avondlucht in. Patrouillewagens reden af en aan op de parkeerplaats voor het personeel. Een geüniformeerde agent stond bij het hek, rookte en verstuurde sms'jes op zijn iPhone. Een man die er groezelig uitzag, kwam naar buiten uit het kantoor voor borgtochten, een halve straat verderop, en sjokte in de richting van Santa Monica. Een vrouw die haar hond uitliet, zag hem en stak over naar de andere kant van de straat. Toen ze het insigne aan Milo's borstzak zag, ontspande ze.

Het verkeer zoemde. De lucht rook naar hete teer.

Milo ademde diep in, spreidde zijn armen ver uit. 'Heerlijk als er eindelijk iets gebeurt.'

'Weinberg veranderde van gedachten?'

'Fuck Weinberg, dit was geen baas met een kleine b.'

'Zijne Heiligheid?'

'In al zijn hemelse glorie. Blijkt dat hij het een geweldig idee vindt om Helga's gezicht op het nieuws te laten zien. "Zolang als het ergens toe leidt en ik er niet uit kom te zien als een theatraal overreagerende samenzweringstheorie bedenkende paranoïde borderline mafkees."'

'Gefeliciteerd,' zei ik. 'Nu hoef je alleen die paspoortfoto nog maar te pakken te krijgen.'

'Al afgeleverd bij de televisie,' zei hij.

'Je lakeien werken snel.'

'Reken maar,' zei hij. 'Mevrouw Skinhead moet om tien uur op, gevolgd door sport en het weer.'

30

Robin en ik keken in bed naar het nieuws. Blanche lag tussen ons ingeklemd, dommelend en afwisselend snuivend en piepend en af en toe wapperend met haar linker vleermuizenoor.

Het verhaal kwam als de afsluiting van een dag met weinig nieuws. Iemand die niet oplette, zou het makkelijk hebben kunnen missen.

Twaalf seconden in totaal, waarvan de helft in beslag werd genomen door een mistige paspoortfoto van een nauwelijks te herkennen Helga Gemein met steil zwart haar. Geen vermelding van nationaliteit, terrorisme, moord. Alleen een vrouw waar de politie belangstelling voor had in verband met een zaak van brandstichting, iedereen die over informatie beschikte werd verzocht om inspecteur Miller Sturgis te bellen op...

'... En nu verder met het speciale avondprogramma *Op heterdaad betrapt*, waarin de celebrity die miljoenen erft, Roma Sheraton, wordt gesignaleerd terwijl ze winkelt voor een spijkerbroek op Robertson, zonder make-up en met een uiterlijk alsof ze net met het verkeerde been uit bed is gestapt! Meer details van onze verslaggever voor entertainment, Mara Stargood.'

Ik schakelde de televisie uit.

Robin zei: 'Miller Sturgis?'

'Zelfs de grote baas heeft zijn beperkingen.'

De telefoon ging over.

Ik zei: 'Ze zag eruit als Bettie Page.'

Milo zei: 'Hoe wist je dat ik het was?'

'Het geluid van de bel was een beetje dreinend en het toestel leek iets onderuit te zakken.'
'De geest van Salvador Dalí. Ja, het zal wel weer niets opleveren.'

Maar hij zat ernaast.
De volgende ochtend tegen tienen waren er vijftig tips binnengekomen. Er was maar één goede bij, maar wie kwaliteit heeft, heeft geen kwantiteit nodig.

Hiram Kwok dreef een handel in tweedehands meubels op Western Avenue, tussen Olympic en Pico. De renaissance van hipper-dan-hippe retro-artikelen, waar La Brea's keten van uitdragerijen uit was voortgekomen, was aan Western voorbijgegaan. De etalages in dat deel van de straat waren voor de helft donker, dichtgetimmerd of afgesloten door schuifhekken.
Kwoks winkelruimte was een paradijs voor hamsteraars en stond stampvol met spullen van katoenfluweel en achteloos verguld nephout, gebarsten serviesgoed, slappe lampenkappen, bontjassen van rattenbont en namaak-Tiffany dat niet eens in de buurt kwam. Tussen de schatten die tot het plafond waren opgestapeld was een gangetje vrijgemaakt, zo nauw dat je er nauwelijks doorheen kon.
Kwok was in de vijftig, dun en met holle wangen, schaars grijs haar en gele tanden van de nicotine-aanslag. Een foto van een knappe Aziatische jongen in vol mariniersornaat hing boven het formica klaptafeltje dat Kwok als bureau gebruikte.
Milo zei: 'Je zoon?'
Kwok zei: 'Hij is nu in Irak, ze zeggen dat hij volgende maand thuiskomt en dan naar Dubai gaat. Blijkbaar moeten we die Arabieren beschermen.'
'Je bent vast trots op hem.'
'Hij heeft verstand van zaken, en van computers. Ik wilde dat hij de zaak over zou nemen, zodat ik met pensioen kan gaan, maar hij zei dat hij er chagrijnig van werd.'
'Van de zaken?'
'Van tussen zoveel rommel te zitten. Dus u bent hier vanwege haar, hè? Wat een trut, het verbaast me niets dat ze slechte din-

gen deed. Kom maar mee, ik zal u haar plek laten zien.'
Terwijl hij ons door de winkel leidde, stuitte hij op de zijkanten van een gedemonteerd ledikant, schoof ze terzijde, liep door naar de achterdeur.
We kwamen buiten in een steegje vol gaten, dat uitkeek op de blinde muren van naburige panden. Een Toyota Camry bezette een van Kwok's drie parkeerplaatsen. HIRAM stond op het nummerbord. Meerdere waarschuwingen voor het alarm op de zijramen, een zwaar slot op het stuurwiel.
Meer beveiliging dan het landhuis op Borodi.
Kwok liep verder in zuidelijke richting, stopte bij de achterkant van een aanpalende winkel.
Geen auto's, geen met verf gemarkeerde parkeerplaatsen; onkruid werkte zich omhoog door het plaveisel. Het grootste deel van de achtermuur bestond uit een garagedeur van aluminium golfplaten. Met een handgreep te openen en vergrendeld met een degelijk combinatieslot.
Hiram Kwok zei: 'Ze houdt zich niet aan vaste tijden, maar loopt de hele tijd in en uit. Ik wist altijd wanneer ze hier was omdat ze een harteloze lastpak was, haar auto stond altijd zo geparkeerd dat hij uitstak op mijn terrein. Kijk naar de indeling, ze had zeeën van ruimte, waarom moest ze de mijne gebruiken? En als haar maatjes er waren werd het nog erger. Ik vroeg het haar eerst vriendelijk, ze keek naar me alsof ik achterlijk was en verplaatste uiteindelijk de auto. Maar de volgende keer ging het precies zo. Elke keer weer, alsof ze het deed om te pesten.'
'In wat voor auto reed ze?'
'Een Buick LeSabre uit 2002, ik ken het nummerbord uit mijn hoofd.' Kwok dreunde getallen op. Milo nam ze over.
'Ik ken het uit mijn hoofd omdat ik het naar jullie heb doorgebeld, minstens twintig keer. Weet u wat ze me zeiden? Geschillen tussen particuliere huizenbezitters moeten particulier geregeld worden. En nu heeft ze iets platgebrand. Jullie moeten iets aan jullie procedures doen.'
Milo knikte. 'Vertel me eens over haar maatjes.'
'Het zijn er twee, yuppies,' zei Kwok. 'Meneer Mooie Jongen en juffrouw Mooie Meid in de BMW. Wat ze met haar uitspook-

ten heb ik nooit gesnapt, ik vroeg me zelfs af of er geen porno-film of zoiets in het spel kon zijn.'

'Waarom?'

'Omdat het een verborgen plek is, je moet langs de achterkant naar binnen. En die twee zagen er als acteurs uit.'

'Je bedoelt goed.'

'Te goed,' zei Kwok. 'Alsof ze een heleboel tijd voor de spiegel doorbrachten. Vooral hij. Bovendien pasten die twee niet bij haar. Zij was meer een gothic type, u weet wel wat ik bedoel.'

'Helemaal in het zwart, met pruiken,' zei Milo.

'Die van Bettie Page, die ze op televisie lieten zien, was haar lievelingspruik. U weet wie Bettie was, of niet? De meest sexy pin-up in de geschiedenis van de wereld. Eens in de zoveel tijd kom ik souvenirs van haar tegen, zijn altijd meteen verkocht. Dat gothic gedoe, dat heeft een van mijn dochters ook gehad, een fase, dus ik weet er alles van. Ze was te oud – die Duitse – om zich zo te gedragen, maar ze deed het toch.'

'In tegenstelling tot die andere twee.'

'Die andere twee waren paspoppen – Ken en Barbie, weet u wel? Het klopt gewoon niet. Dus dacht ik porno. Blijkt dat het nog erger was, hè?'

De geijkte procedure zou zijn om zes foto's naast elkaar te leggen, maar Milo had alleen maar foto's van Des Backer en Doreen Fredd bij zich, de hare postmortaal.

Kwok knikte. 'Yep, dat zijn ze. Dus ze hebben het allemaal samen gedaan?'

'Op het moment proberen we hun betrekkingen te ontrafelen.'

'Een stel pyromanen die god weet wat plannen, gewoon naast je deur, het is niet te geloven,' zei Kwok. 'Hebt u gezien toen u hier kwam dat de hele voorkant van haar raam is verduisterd? Vanaf de straat ziet het er gesloten uit. We hebben een heleboel huurders die hier via de achterdeur komen – musici gebruiken de plek voor repetities, er is nog een meisje, ze zeggen dat haar broer een filmster is, ik weet zijn naam niet meer, ze gebruikt de hare als donkere kamer. Maar die veroorzaken allemaal geen problemen. Ik probeerde de verkeerspolitie te vertellen dat er iets niet deugde aan haar, het kon ze niet schelen.'

Ik zei: 'Hoezo niet deugde?'

'De manier waarop ze liep, sprak, als ik probeerde om haar te vertellen over het parkeerprobleem, ze keek gewoon recht door me heen. Alsof ik niet bestond. Alsof ik niets voor haar was.'

'Wanneer was de laatste keer dat u haar hier zag?'

'Dat is even geleden, moet ik zeggen. Een maand. Wat heeft ze precies platgebrand?'

'Dat zijn we nog aan het uitzoeken,' zei Milo.

'U bedoelt dat het mij niet aangaat? Prima, zolang ze maar niet terugkomt om mij op te blazen.'

'Als u haar nog eens ziet, hier is mijn kaartje, meneer Kwok.'

'U blijft niet om een oogje in het zeil te houden – surveillance?'

'We doen al het mogelijke om haar te vangen, meneer.'

Kwok had het kaartje niet aangenomen. Milo hield het nog steeds voor hem omhoog. 'Gaat u mij meer serieus nemen dan die verkeerspolitie deed?'

'Dat heb ik al gedaan, meneer. Uw hulp wordt zeer op prijs gesteld.'

Kwok stopte het kaartje in zijn zak.

Milo zei: 'De volgende keer dat u met uw zoon spreekt, kunt u hem vertellen dat zijn vader ook een held is.'

Kwok huiverde. 'Dat weet ik allemaal niet, ik doe gewoon wat me logisch lijkt. Ja, ik zal u bellen. Wie wil er verdomme nou dat ze terugkomt om de hele buurt plat te branden?'

Geen spoor van Helga Gemein. Toen de volgende dag was aangebroken waren de tips verdampt tot er alleen een handjevol waardeloze suggesties overbleef.

Milo ontdekte dat de gehuurde winkelruimten eigendom waren van een ouder echtpaar met de naam Hawes, dat in Rancho Mirage woonde. Het contract was gesloten via een commercieel makelaarskantoor en de betreffende makelaar was sindsdien naar New Jersey verhuisd.

'Er is niets vreemds aan die verhuizing,' zei hij. 'De makelaar was net getrouwd en manlief was net overgeplaatst naar Trenton. Misschien werd ze daarom onvoorzichtig. Helga gebruikte haar eigen naam, maar alle achtergrondgegevens die ze verstrekte waren nep en niemand trok het na. Bovendien zijn de zaken een stuk sneller geregeld als je een heel jaar huur contant vooruitbetaalt. Ik heb toestemming om de ruimte te doorzoeken van pa en ma Hawes, aardige mensen die ongeveer net zo radicaal zijn als Norman Rockwell en doodsbang zijn dat hun plek werd gebruikt als een kaboemfabriek.'

'Is dat bevestigd?'

'De explosievenopruimingsdienst vond ingrediënten voor instantpudding, kookboeken zoals dat ene dat Ricki Flatt in de kamer van Desi zag, Zwitserse en Duitse krantenartikelen over eco-sabotage, zoektochten op de computer naar Sranil, koperdraad, schakelaars, timers op afstandsbediening, gereedschappen en werkbanken om het allemaal in elkaar te zetten. Bovendien een verzameling vrouwenpruiken, gewikkeld in drie lagen plastic. Gelukkig geen boobytraps, dus we hebben alles zo gelaten voor het geval Helga terugkomt, er is vierentwintig uur per etmaal iemand die het huis en het steegje in de gaten houdt, verdeeld in diensten van drie uur. Sean, Moses, ik, Del Hardy omdat hij marinier is geweest en echt iets met terroristen heeft, en acht agenten in burger.'

'Milo's leger, met dank aan Zijne Vrijgevigheid.'

'Hij houdt van zijn eigen goddelijke gelijk. Er is geen redelijke plek om een voertuig in het steegje zelf te parkeren, maar de familie Hawes bezit een hele reeks andere winkelruimten in de straat en sommige daarvan staan leeg, dus we zijn aan weerszijden van Helga's kleine hol gestationeerd. Als ze komt opdagen is ze Geslachte Misantroop. Het addertje onder het gras is natuurlijk dat ze mogelijk allang en breed rondrijdt in die Buick, waarvoor een opsporingsbevel is uitgegaan. De nummerplaat die Kwok uit zijn hoofd kende, blijkt bij een gestolen vrachtwagen te horen. Een of andere vent met een autowassalon werd elf maanden geleden beroofd toen hij een ritje maakte naar – je raadt het al – Holmby Hills.'

'Ze heeft lang de tijd genomen om de buurt te verkennen,' zei ik. 'Zij en Capusjonnie. Het was van meet af aan haar bedoeling om actief betrokken te zijn, niet alleen om voor het geld te zorgen. Backer en Fredd waren vervangbaar vanaf het moment dat ze intekenden.'

'Ja, ze is een schatje. Ik ben om zeven uur in dat steegje, nu ben ik op weg naar het motel van Ricki Flatt omdat ze al het papierwerk voor Desi's lichaam heeft ingevuld en ik haar naar het vliegveld ga brengen.'

'Je doet weer meer dan nodig is,' zei ik. 'En ondertussen probeer je te peilen hoeveel ze je niet heeft verteld.'

'Jij,' zei hij, 'bent een onverbeterlijke scepticus, daarom kunnen we het goed vinden. Zin om mee te gaan? Je weet maar nooit of het niet psychologisch wordt.'

31

Ricki Flatt wachtte buiten voor haar kamer, met haar jas dichtgeritst, haar bagage op de grond.

Milo sprong uit de auto en was sneller dan zij bij de achterklep.

'Dit was echt niet nodig geweest, inspecteur.'

'We zullen binnendoor gaan, de snelweg is geen goed idee op dit tijdstip.'

Een paar momenten later: 'Hoe ging het met de lijkschouwer, Ricki?'

'Het duurde even, maar het is eindelijk geregeld. Ik zal Desi over twee dagen kunnen laten vervoe… laten terugzenden, heb gesproken met het kerkhof in Seattle, waar mijn ouders begraven zijn, en ze hebben een vrije plaats. Ze verwezen me door naar een uitvaartdienst hier die zowel de logistiek als de verzorging van het lichaam afhandelt. Hij zei dat er niet veel werk zou zijn, Desi zag er nog steeds knap uit. Hebt u nog voortgang geboekt, inspecteur?'

'Stapje voor stapje, Ricki. Oh, trouwens, die koffers zijn weg uit je opslagruimte.'

'Geweldig,' zei ze. 'Ik heb vanmorgen nog met Scott gesproken en hij zei er niets over, dus dat zit goed.'

'Ja, jij zit goed, Ricki.' Hij wachtte even. 'Helaas zitten wij niet goed.'

'Wat bedoelt u?'

'De politie van Port Angeles heeft die koffers niet verwijderd. Iemand anders was ze voor.'

Hij boog zijn arm en hield een afdruk van het beeld op de bewakingscamera, dat Chris Kammen hem had gestuurd, voor haar ogen. Zoals Kammen had voorspeld was de afbeelding te wazig om nuttig te zijn.

'Wie is dat?'

'We hoopten dat jij dat zou weten.'

'Ik? Waarom ik?'

'Het zou iemand uit de buurt kunnen zijn.'

'Nou, ik weet het niet,' zei ze. 'Ik heb werkelijk geen idee.' Ze kneep haar ogen samen. 'Hij heeft alles meegenomen?'

'Zonder twijfel.'

'Hoe is hij binnengekomen?'

'Met een sleutel,' zei Milo. 'Wie had er een behalve jij en Desi?'

'Niemand – weet Scott hiervan? Er is geen reden waarom hij het zou moeten weten. Maar hoe zit het met Scott? Heeft hij een sleutel?'

'Nee, we hebben de opslagruimte gehuurd om de spullen van mijn ouders op te slaan, Scott zat altijd te zeuren dat ik alles weg moest doen. Dus iemand heeft al dat geld gestolen? Dezelfde persoon die Desi vermoord heeft?'

'Dat weten we nog niet.'

Ricki Flatt gaf de foto terug. 'Daarom bood u aan om mij weg te brengen. U denkt dat ik iets heb achtergehouden en u wilt meer vragen stellen.'

'Ik breng je alleen maar op de hoogte van de situatie zoals die nu is, Ricki. Alleen jij en Desi hadden sleutels en de vent op de foto heeft er een te pakken gekregen. Heb je de jouwe nu bij je?'

'Ik ben... natuurlijk heb ik die. Ze opende haar portemonnee, rommelde erin, haalde een ring tevoorschijn, schudde. Deze. Dit is de mijne. Dat betekent dat die ander de sleutel van Desi heeft gebruikt. Dat betekent dat hij Desi inderdaad heeft vermoord. Om het geld, het gaat altijd om het verdomde geld!'

Ze begroef haar gezicht in haar handen en schokte heen en weer.

Milo reed nog een kleine kilometer. 'Ricki, wat heeft Desi je verteld over zijn baas, Helga Gemein?'

'Zij? Heeft het te maken met Desi's werk?'

'Op dit moment hebben we alleen maar vragen, geen antwoorden, Ricki. Heeft Desi over Helga gesproken? Over het werk in het algemeen?'

'Hij deed het werk graag, zei dat het leuk was, nogal makkelijk. Hij zei dat hij haar ontmoette bij een conferentie en dat zij hem een baan aanbood.'

'Wat voor conferentie?'

'Dat vertelde hij niet. Waarom? Was hij betrokken... O, mijn god. De keer dat Desi het geld langs bracht, reisde hij samen met een vrouw. Ik heb het u niet verteld omdat het me ontschoten was – het was niet zo dat hij haar meebracht. Wat er gebeurde, was dat nadat Desi en ik de koffers naar de opslagruimte hadden gebracht, ik hem vroeg of hij bleef eten. Hij zei dat hij dat graag wilde, maar hij moest terug naar zijn hotel, iemand wachtte op hem. Het lag voor de hand dat het een vrouw was, want bij Desi was er altijd een vrouw. Ik maakte een grapje, je bent een dag in de stad en je hebt nu al een spannende date? Normaal zou hij me zijn charmante glimlach hebben gegeven. Deze keer keek hij bedenkelijk en zei: een spannende date zou perfect zijn, maar ik zou er niet te hard op rekenen. Dat was ongewoon voor Desi, hij was altijd zo opgewekt.'

Ze slikte haar tranen in. 'Ik kan me nog herinneren dat ik een beetje een triomfantelijk gevoel kreeg. Eindelijk heeft Don Juan een keertje gefaald. Wat kleinzielig van mij, al die stomme gevoelens van onze kindertijd.'

Ik zei: 'Wat heeft hij nog meer gezegd over die vrouw?'

'Het enige wat hij verder nog zei was dat de auto waar hij in reed van haar was, die moest hij naar haar terugbrengen. Bijna alsof hij... ontzag had voor haar.'

'Zoals je voor een baas zou hebben.'

'Dat is waarom ik er nu aan moest denken. Waarom zou Desi anders geïntimideerd zijn door iemand, laat staan een vrouw, tenzij ze een soort van macht over hem had?'

Marjorie Holman was ook een baas, maar dat had hem er niet

van weerhouden om haar tegen een plank triplex aan te du-
wen.
Milo zei: 'Wat was het voor auto?'
'Amerikaans, donker, ik weet het niet meer. Ik lette er niet echt
op.'
Milo schoof het dossier naar mij toe. Ik bladerde erdoorheen,
vond de foto's van het internet die hij had geprint van Buick
LeSabres uit 2002.
Ricki Flatt zei: 'Ik weet niet veel van auto's, maar inderdaad,
dat zou hem kunnen zijn. Is dit Helga's auto?'
Milo zei: 'Het is er net zo een – hé, kijk nou, we kunnen zo
doorrijden, het is maar goed dat we de snelweg hebben om-
zeild.'

Een ogenblik nadat hij haar tas naar binnen had gedragen in
de terminal, was hij weer aan de telefoon met Chris Kammen.
'Ik kan het tijdsbestek voor de reis van Backer nog wat inper-
ken, vriend. Het enige wat ik nodig heb is de bevestiging dat
Backer of Helga Gemein zich heeft ingeschreven in een van jul-
lie hotels.'
Kammen: 'Vriend, hè? Elke keer dat ik met jou praat wordt
mijn leven ingewikkelder.'
'Bedankt, Chris. Ik stel het op prijs.'
Kammen lachte. 'Zoals ik al eerder zei, we zijn Gotham niet,
maar we zijn ook geen gat als Mayberry, het zal even duren.
Wie is die Helga?'
Milo bracht hem op de hoogte.
Kammen zei: 'Internationaal terrorisme. Nu kan ik tenminste
tegen mijn kinderen ergens over opscheppen. Niet dat het veel
indruk maakt op tieners.'

Hij belde alweer terug voordat we het bureau hadden bereikt.
Zijn basstem trilde triomfantelijk.
'Ik dacht even logisch na, bedacht dat mensen uit Los Angeles
wel een zeker comfort zouden willen, maar aangezien ze betrokken waren in iets illegaals zouden ze uit de buurt van het
gangbare circuit willen blijven. We hebben een plek die aan die
voorwaarden voldoet, dertig kilometer buiten de stad, aan het

water, heel bossig, ze hebben een wellnesscentrum, echtparen op huwelijksreis houden ervan. De Myrtlewood Inn, ik was van plan om met mijn vrouw daarheen te gaan voor onze trouwdag, als ze zich een beetje gedraagt. Hoe dan ook, ja hoor, mevrouw Helga Gemein gebruikte haar platina American Express precies op dat tijdstip. Een nachtje slapen. Of een nachtje plezier, het is maar hoe je het bekijkt.'

'Uitstekend,' zei Milo. 'Geef mij het nummer van de kaart.'

Kammen las het voor. 'Als die Backer van jullie daar met haar was, was het een verblijf en geen plezier, want ze nam twee kamers. Betaalde voor allebei, wie er in de andere kamer verbleef is niet vastgelegd. Maar wie het ook was, hij deed zich urenlang te goed aan het betaalde pornokanaal. In tegenstelling tot mevrouw Helga, die geen seconde betaaltelevisie keek, en waarschijnlijk kraanwater dronk omdat er geen kosten zijn gemaakt voor roomservice, zelfs geen pinda's van de minibar.'

'Leeft als een non,' zei Milo.

Kammen zei: 'Die Backer van jullie, aan de andere kant, keek vier vieze films, bestelde biefstuk en garnalencocktail, roofde al het lekkers uit de bar. Niet echt twee druppels water.'

'Hun verstandhouding was goed genoeg om slechte dingen te doen, Chris.'

'Klinkt als een doorsnee huwelijk.'

Ik zei: 'Hoeveel autoverhuurbedrijven hebben jullie in Port Angeles?'

'Alle grote en een paar kleinere. Waarom?'

'Zou goed zijn om te weten of Backer of Helga een gehuurde auto gebruikte.'

'De zus zei dat Backer in haar auto reed.'

'Ze was er niet bij toen hij zijn zus de koffers gaf. Het zou kunnen dat ze elk hun eigen weg zijn gegaan.'

'Aha,' zei Kammen. 'Oké, ik trek dat na – blijf aan de lijn, misschien kan ik het snel doen.'

Vier minuten later: 'Je mag me Speedy Gonzales noemen, Myrtlewood heeft een AVIS op het terrein. Mevrouw Helga huurde een Chevrolet Cobalt gedurende haar verblijf van een dag. Het zal even duren om uit te vinden hoeveel kilometers ze ermee heeft gereden, maar als je wilt kan ik dat ook doen.'

Milo zei: 'Het wordt gewaardeerd, Chris. Ik hou je op de hoogte.'
'Dit begint leuk te worden.'

Ik zei: 'Afzonderlijke auto's betekent dat Helga Backer mogelijk heeft gevolgd naar de opslagruimte. Toen ze eenmaal de sleutel te pakken had, was het een eitje om het geld te krijgen. Ze hoefde hem er niet eens voor onder druk te zetten: ze werkten in hetzelfde kantoor, Backer, sociaal als altijd, gaat lunchen met zijn vriendinnen. Helga, altijd op zichzelf, blijft achter en doorzoekt zijn bureau of zijn jaszak, laat een duplicaat maken.'
'Waarom dan die verkrachting met een vuurwapen?'
'Iedereen heeft zo zijn eigen idee over plezier.'
Milo zei: 'Heer, geef me een afspraakje met deze meid in een kleine, goed verlichte kamer.'

Een bevel voor het onderzoek van Helga's financiële transacties bracht weinig aan het licht. Ze had haar rekening bij American Express een paar dagen na de reis naar Port Angeles afgesloten, er waren geen andere onder haar naam.
Ik zei: 'Papa heeft kelders vol met ongebruikte bankbiljetten. Misschien vindt het departement het goed als je naar Zürich vliegt.'
Hij belde Gayle Lindstrom, vroeg om een onderzoek naar GGI-Alter Privatbank.
Ze zei: 'Ik zal het proberen maar wens me succes, die plekken zijn beter afgesloten dan een nucleaire basis.'
'Nog steeds niets op het vliegveld?'
'Ik bewaar geen geheimen, Milo. Als er iets was, zou ik het vertellen.'
Hij had haar niet verteld over de winkelruimte op Western. Toen ik vroeg waarom, zei hij: 'Op dit moment kan ze niet meer doen dan de zaken compliceren. Nog suggesties hoe we onze Cruella kunnen opsporen?'
'Ik vraag me af of ze het zou aandurven om met de auto te reizen. Ze zou niet echt opgaan in de massa, in het midden van Amerika.'

'Helga in het hart van Amerika – klinkt als een film.'
'De enige uitzondering,' zei ik, 'zou Vegas zijn.'
Ja, een albino aap met drie koppen zou daar probleemloos opgaan in de massa, het is de hoofdstad van Voortvluchtigenland. Oké, ik ken daar een sheriff, misschien duikt Helga op aan de dobbeltafel in Caesars Palace. Zo niet, dan heb je waarschijnlijk gelijk en is ze nog steeds in de stad. Hopelijk keert ze vroeg of laat terug naar haar bommenatelier.'
'Ik hou het op vroeg.'
'Omdat je mijn maat bent?'
'Omdat het haar tempel is.'

Gayle Lindstrom belde om te zeggen dat ze met haar bazen had gesproken over een onderzoek naar de bank. Gezien onderhandelingen in het verleden met de Zwitserse regering over nazigoud en geplunderde tegoeden in de oorlogstijd, was de meest optimistische inschatting dat het jaren van gesteggel zou kosten.
Milo zei: 'Er gaat niets boven neutraliteit.'
'Wat we wel hebben kunnen doen,' zei ze, 'is scans opvragen van de paspoorten van de hele familie Gemein, om een zaak te maken van samenzwering, voor het geval je Helga ooit vindt. De fbi begint een beetje zenuwachtig te worden van de hele kwestie.'
'Het feit dat Doreen jouw betaalde klikspaan was en ze je gebruikte?'
'Dat ze mijn voorgangers gebruikte,' zei Lindstrom. 'Mijn doelstelling hier is om te laten zien dat ik erbuiten sta.'

Om 17.43 uur zat Milo achter zijn bureau fastfood te eten en bereidde hij zich voor op het begin van zijn steegdienst. Hij had net zijn mond vol met afhaalburrito toen Sean Binchy belde.
'Ik heb haar, chef! Geboeid en achter in mijn auto, ik had geen kind aan d'r!'

32

Helga Gemein, geheel in het zwart en met haar Bettie Page-
pruik, parkeerde haar Buick achteloos, maar net buiten het terrein van Hiram Kwok. Ze had net haar sleutel in het slot van
de bommenfabriek gestoken toen Sean Binchy haar van achteren beetpakte.

Hij schreeuwde 'politie' en trok haar armen op haar rug, gebruikte de lange vingers van een basgitarist om haar polsen stevig vast te pakken, had de handboeien in een oogwenk omgedaan.

Helga zei: 'Allemaal voor een paar takjes?'

Binchy klopte zacht over haar lichaam en draaide haar om.
'Takjes?'

De blik in Helga's ogen zei dat hij niet te redden was.

Tegen de tijd dat Moe Reed was aangekomen van de andere
kant van de steeg, had Sean haar in de autogordel op de achterbank van zijn onopvallende wagen. Ze wierp een duistere
blik door het raam.

Reed zei: 'Uitstekend, kerel.' Hij opende de deur om haar beter te bekijken.

Helga zei: 'Je ziet eruit als een SA-man.'

Reed zei: 'Ja, daar zal jij wel verstand van hebben. Je hebt er
niet aan gedacht om je uiterlijk te veranderen?'

'Waarom zou ik dat doen?'

'Je ziet er precies zo uit als op het nieuws.'

'Welk nieuws?'

'De uitzending op televisie.'

'Televisie,' zei Helga, 'is rotzooi. Daar verspil ik mijn tijd niet
mee.'

Twee uur later zat ze in een verhoorkamer in West Los Angeles,
net zo verveeld als ze geweest was toen Milo haar de cautie
gaf. In de kamer ernaast keek een gezelschap toe: Binchy, Reed,
Boxmeister.

De eregast: hoofdinspecteur Maria Thomas, een in tweed geklede, blond gekapte, welbespraakte rechterhand van de grote baas.

De laatste paar minuten waren ze bezig geweest om over de gehuurde ruimte aan Western Avenue te spreken, die Helga afdeed als 'mijn studio'.

'Waarvoor?'

'Conceptuele kunst.'

'Die ontstekingen...'

'Voor een collage.'

'Wat voor collage?'

'U zou het nooit begrijpen.'

Milo had niet de moeite genomen om haar te vragen waar ze woonde. Een sleutel van een verhuurbedrijf bleek naar een huis in Marina del Rey te leiden. Del Hardy was er met een stel van zijn agenten naartoe gegaan. Vijf breedbeeldtelevisies, maar geen kabel of satelliet te vinden. Ook geen computer, maar laden vol met papier bevatten een schatkamer aan e-mails. Alles in het Duits, zodat Hardy het voor vertaling naar Manfred Obermann stuurde, rechercheur van de Hollenbeck Division.

Hardy zei: 'Raad eens van wie ze die plek huurt, Alonzo Jacquard.'

Milo zei: 'Dokter Dunkshot? Heeft hij enig idee wie zijn huurder is?'

'Hij coacht een ploeg in Italië, alles ging via een verhuurbedrijf. Mevrouw Charme betaalde vooruit en contant, net als de winkelruimte. Gekke keus van haar, de hele plek is zo opgepimpt dat het meer dan vulgair is, helemaal Alonzo – trofeeënkamer, zes volledig voorziene bars, een disco, een paal voor strippers, een huisbioscoop, rekken vol met het soort van DVD's dat ik niet open en bloot zou laten slingeren. Wel mooi uitzicht over het water. Maar ze had de gordijnen dichtgetrokken, slaapt in een kleine logeerkamer vlak bij de dienstingang, zou net zo goed een kamer in een klooster kunnen zijn. Afgezien van de speeltjes.'

'Wat voor speeltjes?'

'Ik ben een man van de kerk, Milo, vraag me niet om in details te treden.' Hij grinnikte. 'Laten we maar zeggen dat de latexfabrikanten tevreden over haar zouden zijn.'

Milo zei: 'Weet je zeker dat het niet de speeltjes van Alonzo zijn?'

'Nee, deze waren absoluut van haar, allemaal meisjesspul.' Hardy zuchtte. 'Alonzo, man, die had echt talent. Jammer dat hij er zelf niet was om een handtekening te zetten voor mijn kind.'

Milo stelde nog een paar vragen over kunst.
Helga beantwoordde elke vraag met 'Verspil mijn tijd niet, u weet van niets.'
Hoofdinspecteur Maria Thomas zei: 'Haar arrogantie is adembenemend.'
Boxmeister zei: 'Dat zou goed voor ons kunnen uitpakken, toch? Ze denkt dat ze de baas is, haalt er geen advocaat bij.'
Thomas keek op haar BlackBerry. 'Tot dusver gaat het goed, maar hij is nog niet aan het echte werk begonnen.'
Milo begon uitgebreid zijn leesbril op te zetten, papieren weg te leggen en weer op te rapen. 'Eh, oké. Dus... zullen we het eens hebben over het huis op Borodi –'
Helga sneed hem af: 'Bla-bla-bla.'
'Het huis op Borodi Lane, waar...'
'Bla-bla-bla-bla-bla.'
Milo grijnsde.
'Valt er iets te lachen, politieman?'
'Bla-bla-bla is een van mijn favoriete uitdrukkingen.'
Helga liet een vinger ronddraaien in de lucht. 'Probeert u nou te doen alsof we gemene grond hebben?'
'Ik denk niet dat er tussen ons gemene grond kan zijn.'
'O?'
'U veracht mensen,' zei Milo. 'De meeste tijd beschouw ik mezelf altijd nog als een deel van het menselijk ras.'
'Ik veracht mensen?' zei Helga.
'Dat zei u de eerste keer dat we elkaar ontmoetten.'
'U, politieman, moet ophouden alles zo letterlijk op te vatten.'
Milo knipte met zijn vingers. 'Ik wist dat ik beter had moeten opletten toen de metafoor behandeld werd in de klas.'
Helga liet een gemanicuurde vinger onder haar steile haar glijden. 'Een politieagent die het woordenboek heeft bestudeerd.'
'Begonnen bij A en helemaal doorgewerkt tot aan B. Helaas liep ik vast bij "boem".'
Helga antwoordde niet.

Milo zei: 'Het huis op Borodi...'

'Ik verbrandde een paar takjes. Nou en?'

'Takjes.'

'Een stapel rottend hout, een monster. Ik bewees de wereld een dienst.'

'Door het huis plat te branden...'

'Geen huis,' corrigeerde Helga. 'Ruïnes. Takjes. Rommel. Monsterlijkheid. Uitwerpselen. Ik heb de plek gezuiverd in naam van de esthetische rechtvaardigheid, de structurele integriteit, de epistemologische consistentie en de meta-ecologie.'

'Meta-ecologie. Zover ben ik bij lange na niet gekomen in het woordenboek.'

'Het zal er niet in staan. Ik heb het zelf geconstrueerd.'

'Ah.'

Helga Gemein hield de draaiende vinger omhoog. 'Het betekent dat we een stap terug doen van de triviale componenten van de gestalt die het systeem niet voorzien van een functionele autonomie.'

Milo zei: 'Naar de grote kosmische machine kijken, niet naar de radertjes.'

Helga bestudeerde hem. 'U zult er nooit iets van begrijpen, omdat u Amerikaans bent en Amerikanen allemaal erg religieus zijn.'

'We hebben een paar atheïsten.'

'Alleen in naam, politieman. Zelfs jullie atheïsten zijn religieus, omdat het Amerikaanse geloof oneindig is. Het speenvarken dat nooit moe wordt om zijn vlees aan te bieden.'

'Ik weet niet zeker of...'

'Jullie hebben jezelf ervan overtuigd dat de mogelijkheden eindeloos zijn, dat het einde altijd gelukkig is, dat raadsels er zijn om opgelost te worden, dat de toekomst een reclamejingle is, dat jullie levensstijl heilig is, dat macht recht maakt wat krom is. Als Amerikanen zichzelf zouden losscheuren van hun takjes en hun uitwerpselen en hun ogen en oren en neuzen zouden gebruiken om de realiteit te ontleden, zouden ze hun cognitieve structuur veranderen.'

Maria Thomas mompelde: 'En klinisch depressief worden, net als Europa.'

Helga zei: 'Amerikanen zijn de getemde huisdieren van de we-

257

reld. Onderworpen en bereid om hun eigen uitwerpselen te eten. Totdat ze doordraaien en dan krijgen we oorlog.'

Boxmeister zei: 'Wat een koekoeksklok.'

Thomas zei: 'Ik ben naar conferenties van Interpol geweest. Ze is gewoon het zoveelste verwende stukje Euro-rotzooi.'

'Maar misschien ook een beetje getikt?' Boxmeister stootte me aan. 'Wat denkt u ervan, dokter?'

Thomas zei: 'Hou je kaken op elkaar, rechercheur, en geef geen antwoord, dokter Delaware. Het gaat al pijnlijk genoeg worden om een zaak met een staatsburger van een ander land af te handelen, daar kunnen we geen verminderde toerekeningsvatbaarheid bij gebruiken.'

Milo zei: 'Dus het verbranden van de takjes was een daad van zuivering.'

'Het verwijderen van afval.'

'De vuilnis buitenzetten.'

Helga's blauwe ogen vernauwden zich.

Milo zei: 'Zou altruïsme niet een beter woord zijn?'

Twee slanke handen met zwarte nagels omklemden elkaar. 'Het zou een stom woord zijn.'

'Waarom?'

'Altruïsme is niets anders dan een mutatie van egoïsme.'

Milo sloeg zijn benen over elkaar. 'Sorry, daar kan ik geen chocola van maken.'

'Ik doe wat de samenleving zegt dat aardig is zodat ik me aardig kan voelen. Wat is er narcistischer dan dat?'

Milo deed alsof hij dat overwoog. 'Oké, dus als het geen altruïsme was, was het...'

'Wat ik u vertelde.'

'Een daad van meta-ecologische zuivering. Hmm.'

'Hou u niet van de domme, politieman. U hebt genoeg natuurlijke gebreken, het is niet nodig om daar nog iets aan toe te voegen.'

Boxmeister zei: 'Au. Heil Helga.'

Milo haalde zijn benen van elkaar, keek zijn aantekeningen nog eens door, schoof zijn stoel een paar centimeter achteruit. Hij haalde een zakdoek uit een broekzak en veegde zijn voorhoofd af. 'Het wordt warm hier, hè?'

Helga Gemein plukte aan haar pruik. 'Ik heb nergens last van.'
'Ik vind het heet. Ik denk dat zo'n ding het nog erger maakt voor u.'
'Wat voor ding?'
'Het haarstuk. Dynel ademt niet.'
'Dit is echt haar,' zei ze. 'Uit India.'
Hij glimlachte. 'Dus u bent geen heethoofd.'
Helga snoof en wendde zich af.
Milo zei: 'Nee, ik bedoel dat serieus. Het is me duidelijk dat u op uw verstand afgaat, niet op impulsen.'
Maria Thomas leunde naar voren. 'Ja, ja, nu toeslaan.'
Helga Gemein zei: 'Moet ik niet op mijn verstand vertrouwen?'
Natuurlijk,' zei Milo. 'Dat moeten we allemaal, maar spontaan handelen is soms...'
'Spontaniteit is een excuus voor slechte planning.'
'U hebt meer met planning.'
Geen antwoord.
Maria Thomas zat op het puntje van haar stoel. 'Rustig aan.'
Milo zei: 'Als architect stel ik me voor dat u liever eerst blauw-drukken maakt.'
Helga wendde zich naar hem toe. 'Zonder blauwdrukken, po-litieman, werkt zelfs de chaos niet.'
'Zelfs de chaos?'
De pedante vinger kwam weer omhoog. 'Er is een chaos die voortkomt uit stupiditeit. Denk maar aan politieagenten met platvoeten in uniformjassen met koperen knopen en grote pet-ten, die over zichzelf struikelen. En er is een herstellende cha-os. En die moet gepland worden.'
'Het verbranden van die takjes kwam niet voort uit stupidi-teit,' zei Milo. 'U hebt elk detail overwogen.'
'Dat doe ik altijd,' zei Helga.
'Altijd?'
'Altijd.'
Maria Thomas sloeg met haar vuist in de lucht. 'Ja!'
Helga Gemein snoof. 'Deze kamer ruikt naar een toilet.'
'De lucht wordt snel oudbakken,' zei Milo.
'Hoe vaak brengt u hier prostituees?'
'Pardon?'

'Voor jullie politiefeestjes in de late uren?'

'Die moet ik gemist hebben.'

'O, alsjeblieft,' zei Helga. 'Het is algemeen bekend wat politiemannen doen met vrouwen over wie ze de baas kunnen spelen. Als ze op hun knieën zitten, voelt de man zich zó groot.'

Boxmeister: 'Volgens mij werk ik op de verkeerde afdeling.'

Maria Thomas wierp hem een scherpe blik toe. Hij haalde zijn schouders op.

Milo zei: 'Doen de agenten dat in Zwitserland?'

Helga zei: 'Als u geïnteresseerd bent in Zwitserland, koop dan een vliegticket. Tot ziens, politieman. U hebt me nu genoeg verveeld, ik ga weer.'

Maar ze deed geen poging om op te staan.

Milo zei: 'U gaat?'

'Takjes? De grond vrijmaken van struikgewas? Wat staat daarop, een boete? Ik zal u betalen.'

'Van het geld in uw portemonnee?'

'Sinds wanneer is het een misdaad om geld te hebben? Amerika aanbidt geld.'

'Helemaal geen misdaad. Maar zesduizend is een heleboel contant geld om op zak te hebben.'

Helga maakte een grimas.

Thomas zei: 'Dat was het gedrag van een rijkeluiskind. Niemand heeft ooit nee tegen haar gezegd.'

Helga zei: 'Hoeveel bedraagt de boete?'

Milo zei: 'Ik weet niet helemaal zeker wat het wetboek van strafrecht over takjes zegt. We moeten het nog nakijken.'

'Nou, doe het maar snel.'

'Zodra de officier van justitie het me laat weten, zal ik het papierwerk voorbereiden. Laten we het ondertussen nog eens over die daad van zuivering hebben.'

'Niet nog eens, nee, dat doe ik niet.'

'Ik wil alleen zeker weten dat ik het goed begrijp.'

'Als u me nu nog niet begrijpt, bent u hopeloos gemankeerd.'

'Alles is mogelijk,' zei Milo. Hij verschoof zijn papieren, fronste zijn wenkbrauwen, stak zijn tong uit, neuriede een laag melodietje. 'Weet u zeker dat u niet nog wat water wilt?'

'Ik heb nog.' Ze wierp een blik op het bekertje dat hij haar in de eerste vijf minuten had gebracht.

Boxmeister zei: 'Water? Donders, Laat'n we pek en veer'n haal'n!'

Milo zei: 'Oké, dan kunt u dat opdrinken.'

Helga Gemein pakte het bekertje op en dronk het leeg. De macht van suggestie.

Een keerpunt in het gesprek.

Ze zette het bekertje neer. Met zijn blik nog steeds op zijn aantekeningen zei hij: 'Dus het maken van de plannen en het verbranden van de takjes deed u helemaal alleen. Vertel me hoe u het gedaan hebt.'

'Is de boete niet straf genoeg?' zei Helga weer met een grimas. 'In Amerika kun je toch alles regelen met geld?'

'Het punt is dat we toch graag alle feiten willen hebben, mevrouw.'

'De feiten zijn: als architect met een sterke achtergrond in bouwkunde heb ik een diepgaande kennis van structurele kwetsbaarheid. Ik lokaliseerde de inherente structurele gebreken van die hoop rommel, zorgde dat mijn middelen op de juiste plaatsen stonden, stelde op afstand een timer in en keek toe hoe alles tot stof terugkeerde.'

'Dus u was er zelf bij.'

'Dichtbij genoeg om in hitte en licht te baden.'

'Een paar huizen verder?'

'Ik heb ze niet geteld.'

'Maar u hebt de motorfiets drie straten verder geparkeerd.'

Haar blauwe ogen vonkten. 'Hoe weet u dat ik een motorfiets heb?'

'Hij is gesignaleerd en gemeld.'

'Dan weet u het antwoord op mijn vraag. Verspil mijn tijd dan niet.'

'Zoals ik zei, we moeten het verifiëren,' zei Milo. 'Voor ons verslag, zodat we u kunnen laten gaan en dit kunnen afhandelen.'

'De juiste procedure,' zei Helga. 'Zodat u kunt doen alsof u competent bent.'

'Uw specialiteit, procedures.'

Helga trok een wenkbrauw op.

Milo zei: 'U kent die oude grap toch wel? De hel is een plaats waar de Italianen de procedures bepalen en de Zwitsers het design verzorgen.'

'De hel, politieman, is de plaats waar Amerikanen zichzelf volstoppen tot ze bewusteloos zijn, terwijl ze zichzelf een gedachteloos optimisme aanpraten.'

'Die versie heb ik nog nooit gehoord,' zei Milo. 'Maar je moet toegeven, de Zwitsers zijn verdomd goed in design – wie maakt de beste horloges? Nu we het daar toch over hebben, laten we het eens over die timers hebben. Waar hebt u ze vandaan?'

'Van Des.'

Het snelle antwoord bracht hem van zijn stuk. Hij maskeerde het met een langgerekte knik. 'Des Backer.'

'Nee, Des Hitler – ja, Des Backer. Ik wil vertrekken en mijn boete betalen en ervandoor.'

'Zo meteen,' zei Milo. 'Waarvan heeft Des u nog meer voorzien?'

'Alles.'

'U bedoelt...'

'U bent mijn studio binnengestormd, u weet wat daar te vinden is.'

'De ontstekingen, de draden, de veganistische instantpudding. Des wist daar alles van omdat hij een...'

'Hij beweerde dat hij een anarchist was.'

'Beweerde? U denkt dat hij deed alsof?'

'Des liet zich gewoon gaan.'

'Des en vrouwen.'

'Hij was geen serieus mens.'

Milo zei: 'Waar hadden jullie elkaar ontmoet? Bij een anarchistische conferentie – maar dat is een beetje een oxymoron, hè?'

Helga zei: 'In een chatroom.'

'Welke?'

'Shards.net.'

'Zoals gebroken glas?'

'Zoals een gebroken kosmos,' zei ze. 'Hij is nu gesloten. Anarchisten zijn er niet goed in om zichzelf in stand te houden.'

'Slechte organisatorische vermogens,' zei Milo.

Stilte.

'Dus jullie hebben elkaar online ontmoet... Toen bleek dat Des een architect was, moet het er perfect hebben uitgezien. Hoewel de combinatie een beetje vreemd is. Bouwen en vernietigen.'

'Er is geen tegenstelling.'

'Waarom niet?'

'Zoals ik al zei, alles hangt af van de context. Maar hoe dan ook, ik ben geen anarchist, ik sluit me niet aan bij bewegingen.'

'Dan bent u een...'

'Ik ben,' zei Helga Gemein, met de eerste glimlach die ik van haar had gezien, 'mezelf.'

Milo rommelde nog wat met zijn papieren en veinsde verwarring. 'Een soort van eenvrouws-waarheidsbrigade. Dus u ontmoette Des online en jullie besloten samen om wat takjes te verbranden.'

'Ik besloot het.'

'Hij was uw leverancier,' zei Milo. 'Wist waar hij het materieel kon krijgen. Dat was de echte reden dat hij hem aannam. De echte reden dat u uw firma begon.'

Stilte.

'Mooie dekmantel,' ging hij verder, 'om uw aanwezigheid in Los Angeles te verklaren, zodat u een reden had om met Des samen te zijn. U dekte de onkosten – vijftigduizend in contant geld? Wie is de echte bron van al dat geld, uw vader?'

Geen antwoord.

'De autorit naar Port Angeles, Helga. Mooie, verse biljetten in twee koffers. Het soort dat je rechtstreeks van een bank krijgt. Het soort dat wordt vrijgegeven als een bank met een andere praat.'

Helga Gemein plukte met een vinger onder haar pruik. 'Ik zou graag nog wat water willen.'

Milo verzamelde zijn papieren en vertrok. Toen ze alleen was prutste Helga nog wat aan het haarstukje, masseerde de bovenkant van de glanzende zwarte strengen, stak een vingerkootje onder de zoom en krabde in het rond.

Don Boxmeister zei: 'Wat, ze heeft luizen? Misschien hadden we haar naakt moeten onderzoeken.'

Maria Thomas zei: 'Wat ik zei geldt nog steeds, Don. Het heeft geen zin om haar meteen van ons te vervreemden, hij heeft iets nodig om mee te kunnen werken. En het werkt, ze heeft al voorbedachten rade toegegeven.' Ze ramde op een paar toetsen van haar BlackBerry. 'Ik moet over een uur terug zijn, hoop dat hij die trut snel heeft klemgezet.'

Helga zette de pruik recht, draaide zich om, leunde op de tafel. Ging zitten en plantte haar laarzen op de vloer. Haar ogen vielen dicht. Haar hoofd schommelde.

'Wat is ze verdomme aan het doen?' zei Boxmeister. 'Een soort van meditatie?'

Ik zei: 'Waarschijnlijk dissociatie. Zichzelf ergens anders brengen is haar uitweg.'

Milo kwam terug met een bekertje water. Helga liet niet blijken dat ze zijn aanwezigheid had opgemerkt, maar haar ogen gingen open toen hij 'alstublieft' zei en het bekertje voor haar neerzette.

Hij zette zijn leesbril op en keek zijn aantekeningen door. Ze wierp hem een blik toe en nam toen een slokje.

'Oké, vertel me over de reis naar Port Angeles.'

Ze beroerde een randje van de pruik. 'Ik bedreef toerisme. Het kloppend hart van de Amerikaanse pseudocultuur.'

'Een plezierreisje.'

'Ik ben ook naar Disneyland geweest.'

'Ik hoef waarschijnlijk niet te vragen of u het leuk vond.'

'In feite was het reisje best aangenaam,' zei ze, 'op zijn eigen afstotelijke manier. Consequent.'

'Met de vulgaire Amerikaanse cultuur?'

'Met een wereld waar de rede uit is verdwenen.'

Hij schraapte zijn keel. Schoof een paar blaadjes naar haar toe. 'Dit is uw inschrijvingsformulier van de Myrtlewood Inn in Port Angeles. En dit is uw factuur van het autoverhuurbedrijf.'

'Ik verblijf in een goed hotel,' zei ze. 'En?'

'U en Des Backer verbleven daar allebei. Jullie hebben gescheiden kamers genomen, het personeel herinnert zich dat u voor allebei hebt betaald. Ze herinneren zich ook dat ze u en Des samen bij het ontbijt hebben gezien.'

Gokjes. Goede gokjes. Helga Gemein fronste haar wenkbrauwen. 'Wat dan nog? Ik heb u al verteld dat ik mijn materiaal van hem kreeg.'

'Het was een aanschafreis.'

'Rondkijken, toen het een en ander aanschaffen.'

'Waarom gaf u Des uw auto en huurde u een andere voor uzelf?'

'Omdat we niet samen waren.'

'U bedoelt...'

'Ik bedoel niet samen.'

'Zijn jullie er samen naartoe gereden?'

'Ik reed, hij vloog.'

'Zodat niemand op het kantoor iets zou vermoeden.'

'Ik wilde rijden,' zei Helga. 'Hij wilde vliegen. Hij wilde zijn familie opzoeken.'

'Wat deed u terwijl hij zijn familie bezocht?'

'Ik winkelde.'

'Timers en ontstekingen?'

'Onder andere,' zei Helga.

'Wat nog meer?'

'Kleren.'

'Nog koopjes gevonden?'

'Een spijkerbroek,' zei ze, terwijl ze een welgevormde dij streelde. 'Zwarte spijkerbroeken in de uitverkoop.'

'U reed omdat u niet het risico kon nemen van een controle op het vliegveld met vijftigduizend dollar in twee koffers.'

Het duurde een paar seconden voordat Helga antwoordde. 'Als u zoveel weet, waarom verspilt u mijn tijd dan?'

'Altijd hetzelfde gezeur met die procedures. Ik moet het van u horen.'

'Allemaal vanwege takjes?'

'Ik ben bang van wel. Het waren grote takjes. Eigendom van een belangrijk persoon.'

'Niemand is belangrijk.'

'Klaarblijkelijk was er iemand belangrijk voor jou, Helga.' Hij schoof dichter naar haar toe, zoals ik hem vaak heb zien doen. Spreidde zijn schouders uit en verhardde zijn stem.

Ze deinsde in een reflexbeweging terug, in gedachten verzonken, dwong zichzelf om te glimlachen.

Hij hield zijn grote gezicht op een paar centimeter van het hare. 'Helga, iemand was zo belangrijk voor je dat je vijftigduizend dollar betaalde om takjes te verbranden. Zo belangrijk dat je een lege firma bent begonnen. Zo belangrijk dat je de nauwkeurigste plannen maakte.'

De borst van Helga Gemein ging op en neer. Ze keek weg. Het begin van het einde.

'Helga, je wilt graag dat ik denk dat je nergens in gelooft, maar zoals ik het zie was alles wat je deed een daad van puur geloof. Want dat is wat wraak is, of niet? Een puur geloof in de macht van correctie. Dat het kwaad rechtgezet kan worden.'

Haar mooie lippen trilden. Ze maskeerde het met nog een grimas. 'Belachelijk.'

'Geloof dat voortkwam uit liefde, Helga.'

Stilte.

Milo zei: 'Je hield van Dahlia, dat is niets om je voor te schamen, integendeel. Maar het is niets minder dan fundamentalistisch om je geloof zover door te drijven. Misschien ben je niet religieus, Helga, maar je hebt er geen moeite mee om van religie gebruik te maken als het je uitkomt.'

Helga Gemein rolde met haar ogen. Liet een schorre, al te luide lach ontsnappen.

Het plotselinge trekken van haar schouders, de rimpeling langs haar kaaklijn verrieden haar.

Milo zei: 'Sutma.'

Geen antwoord.

'Je hebt van sutma gehoord, Helga.'

'Primitieve onzin.'

'Misschien wel, Helga, maar het punt was dat prins Teddy en zijn familie erin geloofden.'

Wachtend op een reactie op de naam.

Ze knipperde een keer met haar ogen. Toen niets.

Milo zei: 'Of misschien gaat het niet alleen om hem. Misschien geloof je echt in de hemel en hel en al die goede zaken. Maar dat doet er niet toe, Helga. Het punt is dat de sultan en de rest van zijn familie erin geloven en na wat er met Dahlia gebeur-

de, moest je elk sprietje wraak vastgrijpen dat je maar kon vinden. Want Teddy is buiten je bereik, geografisch, financieel, je kunt hem niet aanraken. Maar kosmisch? Je verbrandde die takjes zodat Teddy zou blijven hangen boven een kosmisch vuur. Echt angstaanjagend voor iemand die in sutma gelooft.'
Stilte.

Hij zei: 'Toch is het een gek concept. Als ik een gelovig mens was, zou ik in het tegenovergestelde willen geloven – het verwoesten van materiaal betekent een versnelde doortocht naar het hiernamaals.'

Hij lachte, klapte hard in zijn handen, sprong overeind, beende twee keer door de kamer.

Helga keek geschrokken toe. Dwong zichzelf om te stoppen met het volgen van zijn route. Zat stil toen hij achter haar tot stilstand kwam.

Ze staarde recht voor zich uit, deed alsof ze zich niets aantrok van de massieve gestalte die achter haar oprees.

Haar kaaklijn was een informatiesnelweg.

'De reden dat ik net lachte, Helga is dat ik een plotseling inzicht had – een epifanie, zo zou je het kunnen noemen. Je bent zo bezeten van rituelen. Zoals het scheren van je hoofd. Vanaf de eerste keer dat ik je ontmoette, heb ik geprobeerd om te snappen waarom, waarom je zoiets zou doen. Maar nu heb ik het door. Het is een ritueel van zelfvernedering dat je op je nam totdat je je doel zou hebben bereikt. Zoals vasten – het zou me niet verrassen als je daar ook veel aan hebt gedaan. Andere soorten van vasten. Misschien zelfs een soort van celibaat.'

Ze klemde haar kaken op elkaar.

'Hoe lang geleden, Helga, ben je begonnen om vlees te eten tijdens de vasten? Als je dat ooit gedaan hebt. Eet je in de vastentijd je groenten en doe je alsof dat niets anders dan meta-ecologie is?'

Helga Gemein sloot haar ogen.

'Toch is het religie, Helga. Ben je een strenge vegetariër? Of eet je stiekem vlees als niemand kijkt?'
Stilte.

'Eens katholiek, altijd katholiek, Helga. Geloof me, ik weet ervan.'

Ze vouwde haar armen. Liet ze vallen. Begon diep adem te halen.

'O, kom op,' zei Milo. 'Laten we heel even eerlijk zijn en biechten, zoals ze je op de kloosterschool hebben geleerd: diep vanbinnen ben je vroom en geloof je dat zonde gestraft moet worden. En er is geen grotere zonde dan moord. Helemaal de moord op een onschuldig meisje als Dahlia.'

Helga Gemein kneep haar oogleden bijna dicht. Er druppelden tranen uit.

'Je hield van Dahlia, dat is niet slecht, dat is goed, ze hield ook van jou. Geloven is goed, Helga. Het helpt me om te begrijpen wat je gedaan hebt. Alles wat je gedaan hebt sinds je in dit land bent gekomen is erop gericht geweest om te zorgen dat Dahlia recht werd gedaan. Je hebt geen macht om naar Sranil te gaan en te doen waar je van droomt – al ben ik er zeker van dat je die gedachte niet hebt opgegeven. En misschien papa ook niet. Maar ondertussen...'

Ze slaakte een kreet. Sloeg haar hand voor haar mond.

Milo boog zich naar haar toe, sprak zacht, centimeters van haar oor. 'Je bent een overlever die rechtvaardigheid wil. Dat is menselijk, Helga, en wat je ook zegt, je bent een lid van onze soort.'

De hele onderkant van Helga's gezicht begon te trillen. Ze drukte een handpalm tegen haar wangen maar slaagde er niet in om de golven van samentrekkingen te stoppen.

Milo schoof zijn stoel dichterbij, waardoor hun knieën elkaar bijna raakten.

'Laat die klootzak maar bungelen,' zei hij teder. Hij verdient het.

Nog dichter naar haar toe. 'Wat ik niet begrijp is waarom je Des en Doreen moest vermoorden.'

Helga opende haar ogen. 'Waar heb je het over?'

'Ik denk dat we het stadium van zelfbedrog nu wel achter ons hebben gelaten, Helga.'

'Je bent belachelijk.'

Hij gaf haar een tissue. Ze smeet hem weg.

Milo keek hoe hij naar de vloer dwarrelde. 'Waarom moest je ze doden, Helga? Werden ze hebberig en vroegen ze om meer geld?'

Helga Gemein schudde haar hoofd. 'Idioot.'

Milo zei: 'Of waren ze alleen een last en kon je ze missen? Was het tijd om je sporen uit te wissen?'

Ze probeerde haar stoel achteruit te schuiven. De poten bleven steken. Hij kwam dichterbij. Ze schraapte haar keel. Bracht haar hoofd naar achteren.

Boxmeister zei: 'O, o...'

Milo dook net op tijd weg om het projectiel van spuug te ontwijken.

Een natte klodder belandde op de vloer.

Haar handen waren tot vuisten gebald. Ze hijgde met een rood aangelopen gezicht.

Milo schudde zijn hoofd, nog altijd de geduldige schoolmeester. 'Het lijkt erop dat ik een gevoelige snaar heb geraakt, Helga.'

'Je hebt stupiditeit geraakt,' zei ze. 'Ik heb nog nooit iemand gedood. Nooit.'

'Wat is daar zo erg aan? Je beweert dat je de mensheid haat...'

'De mensheid is poep. Ik hoef geen poep aan mijn handen.'

'Behalve wanneer het in je kraam te pas komt.'

Ze schudde met haar hoofd. 'Idioot.'

Hij strekte een hand uit naar zijn papieren en haalde nog een blad tevoorschijn. De foto van de man in de hoodie. Een behendig gebaar, nu geen gestuntel meer. 'Je hebt Desi en Doreen vermoord met de hulp van deze vent.'

De kaak van Helga Gemein werd glad. Langzaam verspreidde zich een glimlach over haar gezicht. Die serene glimlach deed mijn ingewanden samentrekken.

'Ik heb deze persoon nog nooit gezien.'

Maria Thomas zei: 'O, o.'

'Wat?' zei Boxmeister.

Thomas zei: 'Vond je dat niet veelzeggend? Ze kwam helemaal tot rust door die foto. Verdomme.' Ze wendde zich tot mij. 'Ofwel ze is gestoord, of ze weet werkelijk niet waar hij het over heeft, klopt dat, dokter? Hoe dan ook, het is *mucho problemo*.'

Milo bleef de foto voor haar omhooghouden.

Helga zei: 'Je kunt daarmee blijven zwaaien zo lang je wilt, je kleine politievlaggetje.'

'Deze kerel is jouw partner, Helga. De persoon die je geholpen heeft om Des en Doreen te vermoorden. Ben je met hem naar Port Angeles gereden?'

Helga schudde haar hoofd. 'Je bent een complete sukkel.'

'Deze foto is een paar dagen geleden in Port Angeles genomen. Deze man was daar om het geld op te halen. Dat was nog eens goede planning. Je was nooit van plan om Des één cent te laten houden. Omdat je nooit van plan was om hem te laten leven. De ware reden dat je voor hem een auto hebt gehuurd was dat je hem kon volgen, om uit te vinden waar hij het geld verborgen had. Nadat je terugkeerde naar Los Angeles, zorgde je dat je de sleutel van zijn opslagruimte te pakken kreeg – je haalde hem uit zijn zak of vond hem in zijn bureaula, je liet een duplicaat maken. Misschien deed je het toen hij weg was om plezier te maken met de dames en jij achtergebleven was in je kale, jezelf verlagende, niet-zo-afvallig-katholieke fundamentalistische eentje.'

Helga Gemein giechelde. 'Je gelooft echt in deze *Scheisse*.'

'Ik geloof het omdat er bewijs is, Helga.'

'Dan is het bewijs *Scheisse*.' Ze klakte met haar tong. 'Ik heb takjes verbrand, dat is alles. Nu wil ik vertrekken en mijn boete betalen en niet meer van deze krankzinnige onzin horen.'

'Takjes,' zei Milo. 'Wij noemen het brandstichting en het is een misdrijf.'

Helga haalde haar schouders op. 'Dan haal ik er wel een advocaat bij. Hij stelt het voor als een geintje dat uit de hand liep en ik kom vrij en jij blijft stom.'

'Verdomme,' zei Boxmeister.

Thomas zei: 'Ze heeft er niet feitelijk om gevraagd, ze heeft er alleen mee gedreigd.'

Ze schoof dichter naar de spiegel toe. 'Ander onderwerp, jongen.'

Milo zei: 'Meer water?'

'Ja!' zei Thomas.

Helga zei: 'Nee, bedankt.' Een zoete glimlach. Verontrustend. Verkeerd.

'Desi en Doreen werden vermoord in dat torentje. En toch ben je teruggegaan naar het huis.'

'Ik had er iets te doen.'

'Van de moord had je geen last?'

'Dat gaat mij niet aan, politieman.'

Milo schoof nog een papier naar haar toe.

'Wat is dit, politieman?'

'Dit is wat er over is van een meneer met de naam Charles Ell-ston Rutger. Hij groeide op in een huis dat ooit op het perceel op Borodi stond. Hij was zo'n sukkel die op een hele sentimentele manier gehecht was aan het land, daarom glipte hij daar graag naar boven, ging hij in datzelfde torentje zitten, terug zitten denken aan de goeie ouwe tijd. Zie je dat glanzende ding?' Hij wees. 'Dat is wat er is overgebleven van zijn wijnglas. En dat daar? Dat was ooit een blikje foie gras. Meneer Rutger zat lekker te smikkelen en spoelde het weg met een goede bordeaux, op de avond waarop jij hem in as veranderde.'

Helga Gemein greep het papier.

'Dat is een foto van de plaats delict, Helga. Controleer de datum. Niet veel van over, hè? Jij hebt hem gedood.'

Helga's mond viel wijd open. Ze fluisterde: 'Nee.'

'Integendeel, Helga. Ja. Een dikke vette ja. Meneer Rutger had de pech dat hij genoot van een rustig moment in het torentje van dat monsterlijke gedrocht, toen jij binnenkwam en je ontstekingen en je timers en je proppen met instantpudding installeerde. Hij hoorde je niet, omdat je voorzichtig en stil was en hij een oude man was en het geluid gedempt werd, omdat hij helemaal daarboven op de tweede verdieping zat. Hij nipte van zijn wijn, terwijl jij op het trottoir stond en van je daad van zuivering genoot, maar misschien weet je dat al.'

'Nee!'

'Hij hoorde jou niet, Helga, maar je bent jong, jouw oren doen het prima, dus ik durf te wedden dat jij hem wel hoorde. Maar dat maakte je niet uit, wat doet het ertoe of er een stukje menselijke *Scheisse* minder rondloopt.'

Helga liet de foto los alsof hij vergiftigd was. Hij gleed naar de vloer. Ze staarde ernaar, haar ogen groot van afgrijzen.

De eerste keer dat ze iets liet zien wat in de buurt van een gepaste emotie kwam. Daardoor mocht ik haar iets meer. Maar niet veel.

'O, god,' zei ze.

Nu ze op hete kolen zat was ze geen atheïst meer.

'Jouw takjes werden een brandstapel voor een menselijk wezen, Helga. Dat noemen we doodslag. Het verlies van een mensenleven gedurende het plegen van een zwaar delict, zelfs zonder voorbedachten rade. Dat is geen boete, Helga.'

'Ik wist het niet,' zei ze, met een klein, dun stemmetje. 'Je moet me geloven.'

'Ik moet?'

'Het is waar! Ik wist het niet!'

'Je hebt niet goed geluisterd, Helga. Of je het wist of niet, het is nog altijd doodslag.'

'Maar dat... slaat nergens op.'

'Ik bepaal de regels niet, Helga.'

Ze bestudeerde hem. 'Je liegt. Dat zijn speciale effecten. Iedereen kan een datum ergens op stempelen. Je probeert me te verwarren zodat ik een bekentenis afleg over Des en Doreen, maar dat doe ik niet omdat ik het niet heb gedaan.'

'Je hebt een heleboel gedaan, Helga. Geloof me, meneer Rutger is echt. Was. Wil je dat ik je zijn lijkschouwingsverslag laat zien? Je hebt hem helemaal krokant gebakken.'

'Ik dood niet.'

Milo schudde zijn hoofd. 'Helaas doe je dat wel. Je hebt de brandstichting bekend en ook het plannen ervan. Daarbij is een man om het leven gekomen, je kunt een lange gevangenisstraf tegemoet zien. De enige manier waarop ik me kan voorstellen dat je je uit deze puinhoop redt, is door jezelf nader te verklaren. Vertel me waarom je besloot om Des en Doreen te elimineren. Ik kan meteen al een motief zien: ze probeerden je te chanteren. Als ze dat deden, is dat een goede verklaring, mensen kunnen dat begrijpen, het is een soort van zelfverdediging.'

Ze schudde haar hoofd.

Hij zei: 'En als die jongen in de hoodie daadwerkelijk de moord heeft gepleegd en jij niet echt wist wat er ging gebeuren en je me vertelt wie hij is, dan zal dat je ook helpen.'

'Dat,' zei Helga Gemein handenwringend, 'zou complete waanzin zijn. Ik heb niemand vermoord.'

'De waarheid is, Helga, dat ik een voorkeur heb voor jouw

partner als de grote schurk waar het Des en Doreen betreft, omdat er een zekere mannelijke stupiditeit achter die moorden zat, en ik zie stupiditeit niet als een aspect van jouw karakter. Dus laten we eens beginnen met wie hij is.'

'De Dalai Lama.'

'Pardon?'

'Vandaag is hij de Dalai Lama. Morgen? Keizer Franz Josef, Nikola Tesla, Walter Gropius. Kies zelf maar.'

'Hier help je jezelf niet mee, Helga.'

'Denk je dat ik jou zou willen helpen?' zei ze.

'Ik begrijp het, misschien haalde je zelf niet de trekker over en dus denk je...'

'Je begrijpt er helemaal niets van!' gilde ze. 'Ik heb niemand gedood!'

'Charles Rutger zou dat betwisten, als hij kon.'

'Een ongeluk,' zei ze. 'Als ik dat geweten had, had ik gewacht.'

'Zelfs al geef je niet om mensen.'

'Ik vermijd complicaties.'

'Nou,' zei Milo, 'hier zit je dan met een hele berg van complicaties.'

'Je bent koppig buiten alle redelijke proporties.'

'Ken je nog zo iemand?'

'Wie dan?'

Milo glimlachte. 'Mijn vader was zo.'

Helga huiverde. Haar beurt om de priemende emotie te bedekken met een nog grotere glimlach. 'Jammer voor jou, politieman.'

'Laten we teruggaan naar de basis, Helga: je gaat hier niet weg. Maar je hebt wel een kans om jezelf te helpen, door me te vertellen...'

'Politieman,' zei ze, 'op dit moment moet ik...'

'O, shit,' zei Maria Thomas.

'... tijd hebben om na te denken. Alleen. Alsjeblieft.'

Een zachte stem, bijna vriendelijk.

'Je hebt me verrast,' zei ze. 'Ik moet nadenken. Alsjeblieft, een beetje tijd.

Milo zei: 'Neem zoveel tijd als je wilt.'

33

De deur naar de observatiekamer zwaaide open. Milo stapte
naar binnen en veegde het zweet van zijn gezicht.

Hij was kalm gebleven in de aanwezigheid van Helga: Zen en
de kunst van het recherchewerk.

Maria Thomas zei: 'Ik moet zeggen, ze leek niet in het minst
van haar stuk gebracht waar het die twee moorden betrof.'

Don Boxmeister zei: 'Dan nog pakken we haar op Rutger, ze
gaat voor een lange tijd achter de tralies.'

'Reken niet al te hard op Rutger,' zei Thomas. 'Ze heeft geld
in haar familie. Zullen we wedden dat een beetje advocaat
als eerste stap een motie zal indienen om de laatste twee uur
te schrappen, omdat ze onder hoge emotionele spanning
stond?'

'Milo heeft haar niet gemarteld, Maria.'

'Wie heeft het hier over hoe het echt was, Don? Het is een spel
en rijke mensen hebben een hoger percentage overwinningen.'
Ze wendde zich tot Milo. 'Je hebt geluk dat ze arrogant is. De
enige reden dat ze er nog geen advocaat bij heeft gesleept is dat
ze denkt dat ze slimmer is dan jij. Maar nu ze geconfronteerd
is met een Rutger zou ik er niet op rekenen dat dat blijft duren. Wat is je volgende stap?'

Milo ging moeizaam zitten. Keek naar Helga door het glas.

Ze was in haar stoel blijven zitten.

Een standbeeld met een zwarte pruik.

Thomas zei: 'Milo, ben je er?'

'Ik weet het niet.'

Thomas kreeg een boodschap op haar BlackBerry. Ze keek op
het scherm, toetste met een pen, scrollde omlaag. 'Rechercheur
Obermann is helemaal klaar met je Duitse vertalingen, hij zal
ze naar je e-mailen, maar vindt het ook prima om even telefo-
nisch contact te hebben. En... het ziet ernaar uit dat hij een
paar van die getallen die je in Gemeins papieren aantrof, heeft
kunnen thuisbrengen. Gps-coördinaten, die overeenkomen met
een privéhangar op vliegveld Van Nuys. Geregistreerd op naam
van DSD Inc. Gaat er een belletje rinkelen?'

Milo ging overeind zitten. 'Hele luide bellen. De holdingmaatschappij van de sultan.'

'Dus ons Alpenmeisje had meer brandstichting in de zin. Ik zal contact opnemen met het Sranilese consulaat, om toestemming te vragen om de hangar binnen te gaan.'

'Er is geen consulaat.'

'De ambassade in Washington dan.'

'Die zeggen nee en halen dan de plek helemaal leeg.'

'Wat zouden ze weghalen?'

'Hun koninklijke familie is betrokken bij moord, ze zullen overschakelen op complete doofpotmodus.'

Thomas dacht na. 'Dan hebben we een probleem.'

Helga Gemein sloot haar ogen.

Boxmeister zei: 'Wat denken jullie hiervan: we doen een aanvraag voor een huiszoekingsbevel bij dringend gevaar. Waarschijnlijke aanwezigheid van vluchtige chemicaliën, dreigend risico van ontsteking.'

'De hangar staat op springen?' zei Thomas. 'Wat hebben we daar voor bewijs van?'

'We hebben eerdere slechte daden van Helga en haar zoektocht naar gps-coördinaten. Voor mij is dat duidelijk opzet.'

'Ze mag zoektochten maken zoveel ze wil, Don. Hoe gaat ze toegang krijgen tot die hangar?'

Milo zei: 'Ze heeft geld om een privévliegtuig te charteren. Misschien zou ze het kunnen vinden als ze eenmaal binnen is.'

'Precies,' zei Boxmeister. 'Zoals een van die privéclubs. Het valt niet mee om langs de uitsmijter te komen, maar als je die voorbij bent is alles mogelijk.'

Thomas zei: 'Geen rechter gaat daarin mee en bovendien hebben we het over royalty.'

Milo zei: 'Maar wat als ze daar al binnen is geweest en haar vega-pudding heeft geïnstalleerd? Al die vliegtuigen in de buurt? Al die kerosine?'

Boxmeister zei: 'Shit, ik wil er niet eens aan denken. Ik zou niet graag degene zijn die verzuimde om maatregelen te nemen.'

Thomas zei: 'Subtiel, jongens. Jullie willen dat ik het aan de baas vraag.'

Milo wierp een blik naar de doorkijkspiegel. Helga bleef bevroren zitten. 'Dat is aan u, maar ik heb al mijn charmes opgebruikt bij haar.'

Thomas trommelde op haar BlackBerry. Begon een sms'je te versturen.

Helga Gemein stond op, liep naar de spiegel, keerde ons haar rug toe. Een hand kwam omhoog. Ze morrelde wat aan haar pruik.

'Dat is haar teken van zenuwen, als ze met het tapijtje begint te rotzooien,' zei Boxmeister. 'Ze gaat breken, ik voel het.'

Als dat Milo troostte, liet hij het niet zien.

Thomas bleef sms'en.

Helga Gemein draaide zich weer om in onze richting.

Ze keek, maar ze zag ons niet.

Lege ogen; ze was aangekomen op een eenzame plek.

In een soepele beweging rukte ze de pruik weg en legde een welgevormd hoofd bloot, dat wit en glanzend geschoren was. Ze hield het haarstukje voor zich met de kom naar boven, als een kelk, ze glimlachte.

Een droevige glimlach. De tweede keer dat ik het had gezien. Ik mocht haar niet meer dan eerst.

Ze reikte in de pruik en trok er iets uit. Klein en wit en met de vorm van een capsule. Duim en wijsvinger pakten het beet als een pincet.

Nog steeds glimlachend opende ze haar mond, gooide het witte ding naar binnen. Slikte.

Haar glimlach werd breder. Haar ademhaling werd sneller.

Boxmeister zei: 'O, verdomme.'

Milo was al overeind en rende naar de deur.

Maria Thomas keek op van haar BlackBerry. 'Wat is er aan de hand?'

Milo rende haar voorbij en liet de deur achter zich dichtslaan.

Een paar centimeter verder, afgesloten door het glas, wankelde Helga Gemein. Ze greep haar onderbuik en hijgde.

Ze kokhalsde.

Iets groens en slijmerigs droop uit haar mond.

Een slappe mond, de glimlach was weg.

Thomas zei: 'O, mijn god,' en rende de kamer uit. Boxmeister haastte zich achter haar aan.

Ik bleef in mijn stoel zitten. Geen reden de ruimte nog meer te vullen.

Helga begon te stuiptrekken. Haar ademhaling werd moeizaam. Ze wankelde dichter naar de doorkijkspiegel, hijgde schor. Drukte tegen het glas. Bedekte het met glasachtig spuug, toen met roze speldenknopjes.

De geweldige stuiptrekking begon bij haar ogen en ging razendsnel omlaag, totdat haar hele lichaam erdoor gegrepen werd.

Een voddenpop, door elkaar geschud door een ongeziene god. Schuim begon uit haar mond te stromen, een Niagara van gal. Klodders slijm bedekten het glas en vertroebelden mijn gezichtsveld. Maar ik kon nog net zien hoe Milo naar binnen stormde en haar opving toen ze viel.

Hij legde haar voorzichtig neer en begon haar hartmassage te geven. Thomas en Boxmeister stonden erbij, gebiologeerd.

Milo's techniek was perfect. Rick staat erop dat hij elke paar jaar opnieuw zijn certificaat haalt. Zelf moppert hij over de kolossale tijdverspilling; moord is hersenwerk, zou hij soms ooit de gelegenheid krijgen om voor held te spelen?

Vandaag wel.

Maar vandaag maakte het niet uit.

34

Het gezicht van het hoofd van politie is pokdaliger dan dat van Milo. Een weelderige witte snor slaagt er vrij aardig in om een hazenlip te camoufleren.

Hij is een magere man, zonder waarneembaar lichaamsvet. Door het gebrek aan overtollig vlees wordt de huid die zijn schedel omhult opgerekt, waardoor putten en kraters beter uitkomen en bulten en littekens gaan glanzen. Zijn schedel is een vreemd gevormd driehoek, breed en onnatuurlijk vlak aan de bovenkant, bedekt met zijdeachtig, blond wit haar, en taps toelopend naar een messcherpe kin. Zijn ogen zijn klein en donker. De ene keer stuiteren ze manisch in het rond, de andere keer blijven ze lange tijd onbeweeglijk zonder te knipperen. Als hij zijn hoofd op een bepaalde manier draait, geven de stukken strak gespannen, gekwelde huid hem het uiterlijk van een slachtoffer van brandwonden.

Hij draait zijn hoofd vaak op die manier en ik vraag me af of het opzettelijk is.

We doen het op mijn manier.

Alles in zijn geschiedenis ondersteunt de indruk van een 'dikke vinger'-levensfilosofie: zijn carrière vanuit het niets, zijn bul aan een Ivy League-universiteit die hij afdoet als 'een asiel voor rijkeluiskindjes'. Heldendaden in de oorlog, werkte zichzelf daarna omhoog in de geledenen van een notoir corrupte politiemacht aan de East Coast, bracht zijn jaren op het slagveld door met het afranselen van bureaucraten en het opruimen van de ballast bij het politiedistrict. Hij trotseerde de bazen en de bonden met eerlijk verdeelde minachting, worstelde zich een weg naar dramatisch verlaagde misdaadcijfers in een stad die 'onregeerbaar' werd genoemd door experts, die hij wegzette als 'verwende etters met dikke reten, mentale constipatie en verbale diarree'. Verbazingwekkend succes werd uitgebuit om het hoogste politiesalaris in de geschiedenis van de Verenigde Staten te vragen en te ontvangen.

Een maand later nam hij zonder verdere omhaal ontslag, toen Los Angeles hem een nog beter aanbod deed.

Iedereen zei dat hij zijn tanden stuk zou bijten op Los Angeles.

Binnen een jaar na aankomst was hij gescheiden van zijn derde vrouw, tien jaar jonger, trouwde een vierde die twintig jaar met hem scheelde, woonde een boel feestjes en premières in Hollywood bij en verlaagde ondertussen de misdaadcijfers met achtentwintig procent.

Toen hij de baan had aangenomen, hadden de flapdrollen van de politie in L.A. Milo te kakken gezet als 'een beruchte onruststoker die zijn eigen regels bedacht'. Ze hadden aangedrongen op degradatie of erger.

De hoofdcommissaris controleerde de statistieken van opgeloste zaken, de meeste flapdrollen gingen uiteindelijk met vervroegd pensioen, Milo kreeg de vrijheid om zijn baan met betrekkelijke flexibiliteit uit te oefenen. Zolang hij tenminste resultaat boekte.

Ik had de hoofdcommissaris een keer eerder ontmoet, toen hij me uitnodigde in zijn kantoor. Hij had gepronkt met zijn verzameling psychologische handboeken, een betoog afgestoken over de fijne details van cognitieve gedragstherapie en me toen een aanbod gedaan: een fulltimebaan als hoofd van de afdeling gedragswetenschappen van de politie van L.A. Zelfs toen hij beloofde om de salarisschaal met veertig procent te verhogen, kwam het salaris nog niet in de buurt van wat ik particulier verdiende. Trouwens, zelfs als hij het geld had verdrievoudigd, zou het nooit een optie zijn geweest. Ik weet hoe ik met anderen moet samenspelen, maar geef de voorkeur aan mijn eigen regels.

Bij dat gesprek was hij precies hetzelfde gekleed geweest als vandaag: een zwart zijden pak met een slanke snit, blauwgroen overhemd, een rode Stefano Ricci-das van vijfhonderd dollar, met kleine kristallen erop. Als hij een mindere man was geweest, zou er met grote letters *Overdrijft* boven zijn hoofd hebben gestaan. Bij hem benadrukte al die verfijning de ruwheid van zijn gestel.

Op mijn manier.

Hij keek naar Milo en mij van de andere kant van een tafeltje in een steakhouse in het centrum op Seventh Street. Een paar massieve agenten in burger hielden de voordeur in de gaten; drie anderen hadden stellingen betrokken in het restaurant. Een fluwelen touw sloot andere eters in dit afgelegen, schemerige gedeelte buiten. De ober die ons was toebedeeld was vol aandacht en een beetje verontrust.

De lunch van de hoofdcommissaris bestond uit een broodje kippenborst, zevengranenbrood, een salade erbij, geen dressing. Hij had een T-bonesteak van anderhalf pond besteld, *medium rare*, met alles erop en eraan voor Milo; een meer gematigde ribeye voor mij. Het eten kwam tegelijk met ons aan.

Milo zei: 'Een goeie gok, meneer.'

De glimlach van de hoofdcommissaris was venijnig. 'In de goelag houden we de dossiers van onze dissidenten goed bij.'

Zijn broodje was verdeeld in twee driehoeken. Hij pakte een mes en sneed elk stuk in tweeën. Haalde vijf happen uit elk kwart, kauwde aandachtig en langzaam. Scherpe witte tanden, ergens tussen vos en wolf.

Hij veegde zijn lippen af met een gesteven linnen servet. 'Ik heb een verzekeringspolis voor je afgesloten op Gemein, Sturgis. Weet je wat ik bedoel?'

'Hoofdinspecteur Thomas.'

Een vinger als een pistool werd over de tafel heen gericht. 'Je hebt geluk dat Maria daar was toen die gestoorde teef aan de cyanide ging, want net als alle hete lucht zweeft schuld naar boven. Extra gelukkig voor jou dat Maria degene was die geen visitatie wilde. Ze is slim en ijverig, maar ze heeft een neiging om te veel na te denken.'

Milo zei: 'Zelfs zonder haar beslissing zou ik geen visitatie hebben gedaan, meneer.'

'Wat is dat, Sturgis? Boetedoening?'

'Ik vertel het zoals het is, meneer.'

'Waarom geen visitatie?'

'Op dat moment was mijn prioriteit om een verstandhouding te krijgen met Gemein.'

'En bovendien,' zei de hoofdcommissaris, 'zelfs een superdetective zoals jij kon niet vermoeden dat de trut iets onder haar pruik zou verbergen. Gevoel voor overtrokken drama had ze wel. Gelukkig voor jullie allemaal slaagde ik erin om het canaille van de pers tegen te houden, toen ze de rottigheidstofzuiger aanzetten. Ze leven ervan om ons neer te halen, Sturgis, omdat het waardeloze stukken vuil zijn. Ze hebben ook de aandachtsspanne van tuinslakken. Ik heb recentelijk iets ontwikkeld wat ik beschouw als een smaakvolle en doortastende manier om die stomkoppen van de pers van repliek te dienen.'

Uit een jaszak kwam een massief zilveren visitekaartjeshouder, waar zijn initialen opzichtig in waren gegraveerd. Een enkele behendige druk op een knop opende het deksel. Er zaten lichtblauwe visitekaartjes in. Hij haalde er een uit en schoof dat over de tafel.

Zwaar papier, elegant gegraveerd. Drie regels tekst.

Uw opvatting is naar behoren ontvangen
met groot enthousiasme.
Fuck you hartelijk.

'Uitstekend, meneer.'

'Geef dat maar terug, Sturgis. Ik weet nog niet helemaal zeker of de formulering goed is.'

De hoofdcommissaris begon weer te eten. De salade erbij bestond uit een halve krop ijsbergsla. Dunne, bleke lippen krulden zich, terwijl zijn mes er een grof gesneden coleslaw van maakte. Hij reeg een paar groene flarden aan zijn vork en kauwde met smaak, alsof groenten zonder dressing een verrukkelijke zonde waren.

'Hoe dan ook, de aandacht van het publiek voor de belachelijke daad van zelfvernietiging van mevrouw Gemein lijkt te verslappen, ergo, niet nodig dat we iemand voor de trein gooien.'

'Bedankt, meneer.'

'Dus vertel me maar eens, dokter Delaware, waarom maakte die trut zichzelf van kant?'

'Moeilijk te zeggen.'

'Als het makkelijk was, zou ik het u niet vragen. Speculeer maar een eind weg, alsof u ervoor betaald zou krijgen, ik zal u niet vastpinnen op uw antwoord.'

Ik zei: 'Het zou erop kunnen duiden dat ze al langere tijd leefde met een ernstige latente depressie.'

'Arm klein rijkeluismeisje? Voor zover ik heb begrepen was ze niet het type om te huilen en de haren uit haar hoofd te trekken.'

'Geen passieve depressie. Ze reageerde zoals sommige mannen doen, met vijandigheid en isolatie.'

'Mannen met een borderline persoonlijkheidsstoornis?'

'Dat is een mogelijke diagnose.'

'Depressief.' Hij legde zijn vork neer. 'In wat voor familie komt een zelfmoord voor waar niemand iets om geeft? Niet het minste geluid uit Zürich. En dat is goed voor ons, het gaat om steenrijke mensen, het ontbreekt er nog maar aan dat ze een rechtszaak beginnen. Ik heb commissaris Weinberg gevraagd

om ze persoonlijk in Zwitserland te bellen en zijn Colin Powell-
act op te voeren – ongenaakbare autoriteit plus diplomatieke
tact. De moeder bedankte hem dat hij hen op de hoogte had
gebracht, alsof hij haar informeerde over de weersomstandig-
heden, toen gaf ze de telefoon aan haar man, die verdomme
precies hetzelfde deed. Beleefd, zonder emoties, zonder vragen,
we moesten het lichaam maar opsturen als we ermee klaar waren. Wat een stel ijskoude klootzakken, ik kan me voorstellen
dat je daar depressief van wordt. Denkt u dat ze daarom geen
seks had, dokter? En dat ze daarom dat verdomde haar af-
schoor – dat was een goede woordkeuze, trouwens, Sturgis.
Zelfvernedering. Ik ga dat een keer in een toespraak gebruiken. Zegt u dat deze hele bende het gevolg is van te weinig prozac, dokter?'
'Ik zeg dat ze misschien van nature depressief was en dat ze
probeerde om haar leven betekenis te geven door een missie op
zich te nemen.'
'Die belachelijke berg hout platbranden om haar zus te wreken, dat hele inboorlingenverhaal, hoe heet het ook weer –'
Milo zei: 'Sutma.'
'Klinkt als Kamasutra,' zei de hoofdcommissaris. 'Iets uit een
speciaal nummer van *National Geographic*. Maar ja, we leven
in multiculturele tijden, dus ik zou het niet durven om neer-
buigend te spreken over stomme primitieve gewoonten. Oké,
ze vond haar missie, ze verklootte het, ze maakte zichzelf van
kant uit schaamte. Daar kan ik in meegaan. Denkt u dat ze de
moorden in het torentje geflikt heeft?'
'Dat kan ik niet met zekerheid zeggen, meneer, maar mijn in-
tuïtie zegt van niet.'
De hoofdcommissaris at meer sla. 'Heeft iemand er een vermoeden van of prins Teddy dood of levend is?'
Milo zei: 'Nee, meneer.'
'Wat is je plan met de torenmoorden?'
'Nog geen plan, meneer.'
'Ontwikkel er dan een en voer het snel uit. Ik heb een zaak
waarvan ik wil dat jij die aanpakt. Bendetuig in Southwest Division die de federale tiet leegzuigen – een subsidie voor de pre-
ventie van bendevorming. Zoiets als pedofielen die betaald krij-

gen om een kleuterschool te runnen. Ik heb reden om aan te nemen dat het geld wordt gebruikt om zware artillerie te kopen.'

'Southwest Division heeft mijn hulp nodig?'

'Ik bepaal wie wat nodig heeft. Je hebt twee weken om de torenmoorden op te lossen voor de zaak in de ijskast gaat.' Gemanicuurde vingers tilden een kwart broodje op. 'Iets mis met je steak?'

'Hij is uitstekend, meneer.'

'Schrok hem dan naar binnen zoals we van je gewend zijn. Een paar verlichtende boertjes en je bent op weg naar Van Nuys om die hangar te onderzoeken.'

'De Sranilese ambassade heeft toestemming gegeven?'

'Achtenveertig uur lang ons redelijke verzoek bij dreigend gevaar negeren? Laat ze naar de hel lopen, Sturgis. Ik geef toestemming.'

35

Een schitterende namiddag op vliegveld Van Nuys.

Geen lange rijen bij de paspoortcontrole, geen vertragingen of andere vernederingen. Dit was de Mont Blanc van het reizen, alleen maar privévliegtuigen, een vliegveld waar elke gelukkige gebruiker de eigenaar of huurder was van een van de vlekkeloos witte vliegtuigen die lagen te genieten op de landingsbaan.

Een rustige middag ook, er was maar één vliegtuig waarvan de motoren draaiden. Een Citation x, zo gestroomlijnd als een Formule 1-wagen. Kruiers haastten zich om het ruim te vullen met een karretje vol Vuitton-koffers, terwijl een welgedaan gezin van vier met zonnebrillen op aan boord ging. Moeder in de dertig, vader in de vijftig, twee kinderen onder de tien. Iedereen in suède.

De luxe terminal achter de landingsbanen lag verscholen in het groen. Dat gold ook voor de drie andere luxe depots die we passeerden. De hangars lagen aan het noordelijke uiteinde van het vliegveld, speelgoedkisten van monumentale omvang.

De bommenploeg wachtte bij hangar 13A toen Milo en ik aankwamen. Bekende gezichten van de huiszoeking bij Helga en in haar werkplaats, al het technische speelgoed stond al gereed, klaar voor een herhalingsoefening.

Een nieuwe hond vandaag, een prachtig verzorgde flatcoated retriever, die Sinead heette, geduldig aan de zijde van haar verzorger stond en het zelfvertrouwen uitstraalde dat van nature samengaat met een goed uiterlijk en waar talent.

Milo zei: 'Kan ik haar aaien, Mitch?'

De hondengeleider zei: 'Natuurlijk.'

Een grote hand aaide de kop van de hond. Sinead spinde als een kat. 'Doet ze het solo?'

Mitch zei: 'Ze is de enige die we kunnen vertrouwen, omdat ze niet afgeleid wordt door kerosine en dat soort dingen.'

'Een goede neus dus?'

'De beste,' zei Mitch. 'We hebben de omgeving buiten al gedaan. Niets te vinden. Laten we naar binnen gaan.'

Binnen een paar seconden was Sinead naar binnen en weer naar buiten. De bommenploeg liet daar een nauwkeurige zoektocht op volgen, verklaarde dat de hangar veilig was en gebaarde dat we binnen konden komen.

Het interieur was kleiner dan het huis op Borodi, maar het scheelde niet veel, met een plafond van zeven meter hoog, tapijt op de vloer en cederhout op de muren. In het midden stond een marineblauwe Gulfstream 5. De nummers op de staart kwamen overeen met de internationale aanduiding van Sranil. Een van drie vliegtuigen die op het eiland geregistreerd stonden en die alle drie aan de koninklijke familie toebehoorden. Een met goud geschilderd wapen op de deur toonde de Sranilese vlag: palmbladeren, een kroon, drie sterren op een horizontale lijn.

Achter het vliegtuig stonden stapels met houten kratten, drie meter hoog opgestapeld. Milo liet de agenten er een paar omlaaghalen, begon ze open te wrikken.

Mikimoto-parels in de eerste. Duizenden ervan in de doosjes

die met fluweel gevoerd waren. De volgende drie bevatten in plastic gewikkelde bontjassen, voornamelijk sabelbont. Krat nummer vier was gewijd aan een Tiffany-kroonluchter van een meter breed: stokrozen in een kakofonie van kleuren en licht. Vijf en zes: goudstaven. Door naar platina juwelen. Tapijten. Schilderijen, voornamelijk vredige huiselijke taferelen. Etsen van oude meesters, meer goud, zakken met grof gesneden diamanten.

Een van de agenten zei: 'Krijgen we een vindersloon?'

Milo legde zijn koevoet neer, liep naar de andere kant van de hangar waar, aan het oog onttrokken door het enorme vliegtuig, een heel wagenpark stond onder marineblauwe hoezen. Op elke auto dezelfde koninklijke tekens.

Toen de hoezen weggetrokken werden, kwamen een rode Ferrari Enzo tevoorschijn, een zwarte Bugatti Veyron, een limoenkleurige Lamborghini cabrio, een zilveren Rolls-Royce Phantom limousine. Achter de limo stond een witte Prius.

'O man,' zei dezelfde agent. 'Ik had in Saoedi-Arabië geboren moeten worden.'

'Sranil,' zei een ander.

'Wat dan ook, jongen. Met zoveel glitter mag je me Hoessein noemen en besnijden met een bot mes zonder verdoving.'

'Deed het de eerste keer niet genoeg pijn?' zei zijn maat.

Een andere agent zei: 'Als ik goed geïnformeerd ben, valt er niet veel te beginnen met wat ze hebben overgelaten.'

'Dan ben je niet goed geïnformeerd, kerel. Vraag maar aan je vrouw.'

Gelach.

De eerste agent zei: 'Wat doet die hybride auto hier? Hij ziet eruit als een puist op de reet van de Rolls.'

'Heeft waarschijnlijk een massief gouden motorblok, jongen. Of misschien zwaar opgevoerd – kan ik de motorkap effe openmaken, chef?'

Milo hield een hand omhoog om hem te weerhouden. Liep om de auto's heen, trok handschoenen aan. Verduisterd glas in elk voertuig, maar de deuren waren niet vergrendeld. Hij opende het chauffeursportier van de Prius en stond stil.

We haastten ons erheen.

Een agent zei: 'O, jezus, dat is weerzinwekkend.'

Twee skeletten bezetten de achterbank van de hybride, bijeen-gekropen in een omhelzing, een duet van in elkaar geschoven botten. Naar mijn idee geen pose die in scène was gezet; het natuurlijke instinct om bij elkaar te kruipen, als je geconfronteerd werd met het allerslechtste nieuws.

Milo richtte de bundel van zijn zaklantaarn op de botten en ik probeerde iets te zien om zijn massieve lichaam heen. Op de kleinere schedel was nog een waas van katoenachtige blonde kuifjes, op de andere donkerder lokken.

Dijbenen en scheenbenen samengedrukt, de vingers verstrengeld. Eeuwige minnaars.

Milo zei: 'Twee kogelgaten in elke schedel, voorhoofd en onder de neus.'

'Executie,' zei de agent die had gevraagd om onder de motorkap te kijken. 'En ze hebben hem laten toekijken.'

Milo liet zijn zaklantaarn verder rondgaan. 'Er is nog wat huid, vooral aan de benen, ziet er leerachtig uit.'

'Mummificatie,' zei een andere agent. 'Vocht en temperatuur worden gereguleerd in deze ruimte, dat heeft de ontbinding waarschijnlijk vertraagd, maar niet gestopt.'

'Wow, jongen, iemand heeft hier naar *Forensic Files* zitten kijken.'

'Chef, hoe lang denkt u dat ze hier al zijn?'

Milo zei: 'We zullen wachten wat de lijkschouwer daarover te zeggen heeft, maar ik vermoed een paar jaar.'

'Dat klinkt redelijk, chef. De man van de bewaking zei dat hij zich niet kon herinneren dat iemand hier ooit was geweest, en hij heeft de baan al achttien maanden. In tegenstelling tot de volgende hangar, dat is de kleine Porsche-garage van Larry Stonefield. Larry rijdt graag iedere dag in een andere auto, zijn ploeg loopt de hele dag in en uit.'

'Vijftien? Doe mij er maar één, kerel, dan ben ik al blij.'

'Doe mij maar een van die kisten, mijn vriendin zou een moord doen voor een fractie van wat daarin zit.'

'Goede woordkeuze, jongen.'

Milo richtte zijn zaklantaarn op de voeten van het skelet, stak zijn hoofd verder naar binnen, kwam weer naar buiten. 'Allemaal soorten korsten en vlekken op de vloerbedekking. Als ze niet in de auto zijn afgemaakt, is het vlakbij gebeurd. Oké, laten we deze plek afzetten.'

Mitochondriaal DNA van beenmerg van het blonde skelet en het lijk van Helga Gemein bevestigden dat Dahlia Gemein Sranil nooit bereikt had.

De identiteit van het tweede slachtoffer werd niet vastgesteld, zou misschien nooit vast komen te staan, maar dat zou niemand verbazen. De regering van Sranil had een formele klacht ingediend betreffende ongeautoriseerd betreden van de hangar, eiste onmiddellijke teruggave van het vliegtuig, de kisten, het skelet met donker haar. Liet haar diplomatieke privileges gelden en bracht een heel leger van anonieme mannen en vrouwen van Buitenlandse Zaken mee.

'Het is vast mijn geluksweek, Sturgis,' zei de hoofdcommissaris. 'Ik krijg je twee keer te zien.'

'Ik ben de geluksvogel, meneer.'

De hoofdcommissaris raakte zijn achterste aan. 'Lekker om gelikt te worden. Dus krijgen we de confectiepakken met hun geniepige kleine lettertjes over ons heen. Wij mogen het vrouwelijke skelet houden, de rest gaat terug naar sutma-land. Zie ik eruit alsof ik aangeslagen ben, Sturgis?

'Nee, meneer.'

'Diplomaten zijn amorele, kontlikkende wormen, waar ik mijn tijd niet aan verdoe. Als de president zou bellen, zou ik hem precies hetzelfde vertellen.'

'Daar twijfel ik niet aan, meneer.'

'Denk aan verkiezingen, Sturgis: een of andere psychopaat geeft honderden miljoenen dollars uit voor een baan met zes cijfers. Dan hebben we het toch over een ernstige persoonlijkheidsstoornis, of niet, dokter?'

Ik glimlachte.

De hoofdcommissaris zei: 'Hij denkt dat ik een grapje maak. Hoe dan ook, laat de FBI, de sultan en het vuile gewin dat Teddy oppotte maar in de stront zakken. Alsof hij er beter van is geworden. Hoewel ik het de sultan niet kwalijk kan nemen dat hij niet bankroet wilde gaan door al die uitgaven.'

Milo zei: 'En Dahlia?'

'Verkeerde plek, verkeerde tijd. Of misschien houden ze niet van blondines in Sranil.'

'Dus we zijn klaar.'

'Met internationale betrekkingen wel, en de klok loopt nog door voor wat betreft de torenmoorden. Nog twaalf dagen, dan ga je door naar Southwest.'

'Bedankt, meneer.'

'Als ik jou was zou ik mij niet bedanken, maar roeien als een galeislaaf.'

36

Dagen gingen voorbij. Een week. Milo begon zich neer te leggen bij Southwest Division.

'Er was daar een goed steakhouse. Jammer dat ik ondertussen gezond ben gaan eten.'

Vandaag betekende dat een driedubbele portie lam en onbeperkte groenten van zijn persoonlijke buffet bij Moghul.

De vrouw in de sari schonk de icetea bij alsof ze per karaf betaald werd.

'Je raadt het nooit,' zei hij. 'Een van de hoofdverdachten van de wapenhandel is de neef van raadslid Ortiz en Ortiz is de glibberige modder in het kraanwater van Zijne Vrijgevigheid.'

'Politiek,' zei ik.

'Wat hij ook beweert, hij is een van hen.'

De deur naar de straat ging open. Een man met een gemiddeld postuur, met een bril en een donkergroene hoodie, spijkerbroek en sportschoenen stapte naar binnen, liep recht op ons af, zonder te aarzelen.

Eind twintig, geschoren hoofd, scherpe jukbeenderen, een snelle, doelgerichte pas.

Een veelzeggende zwelling onder zijn trui.

Milo's Glock was eruit voor de man tot op drie meter was genaderd.

De vrouw in de sari schreeuwde en liet zich op de grond vallen. Achter dikke lenzen zette de man ogen als schoteltjes op. 'Wat nou... O, shit... sorry.'

'Handen op je hoofd, geen beweging.'

'Inspecteur, ik ben Thorpe. Pacific Division, u weet wel.'

'Handen op je hoofd. Nu!'

'Tuurlijk, tuurlijk.' De man gehoorzaamde. 'Inspecteur, ik moest een wapen meenemen voor een inval. Ik belde uw kantoor eerst, meneer ze zeiden dat u hier was, ik dacht dat ik even –'

Milo stak een hand onder de trui en pakte het pistool van de man. Ook een Glock. Fouilleerde hem, vond het insigne in een zak van de spijkerbroek.

Agent Randolph E. Thorpe, Pacific Division.

Foto's in zijn portemonnee lieten een mooie jonge vrouw en drie peuters zien, Thorpe die trots op een Harley-Davidson zat, op de achtergrond een huis met een grinddak. Twee creditcards en een ledenpas van een baptistengemeente, helemaal in Simi Valley.

Milo zei: 'Oké, rustig maar.'

Thorpe ademde uit. 'Nog een geluk dat ik niet in mijn broek heb geplast, meneer.'

'Dat is het zeker. Wat kan ik voor je doen?'

'We hebben een tijd geleden met elkaar gesproken, meneer. Over een telefooncel op Venice Boulevard? U was op zoek naar een tipgever, een verdachte die Monte heette? Ik denk dat ik hem voor u gevonden heb. Niet Monte, uw tipgever.'

Milo gaf het pistool terug. 'Ga zitten, agent Thorpe, en eet iets. Ik trakteer.'

'Eh, nee, bedankt, chef. Zelfs als ik niet al gegeten had zitten mijn darmen een beetje in de knoop.' Thorpe wreef over het probleemgebied.

'Een kopje thee om ze tot rust te brengen?'

'Ik hoef niets.' Thorpe keek om zich heen. 'Is deze plek gevaarlijk of zo?'

'Als iemand op me afkomt, onaangekondigd, duidelijk gewapend, heb ik de neiging om mezelf te beschermen. Je zag er nogal intens uit, vriend.'

'Dat komt van het werk,' zei Thorpe. 'Ik concentreer me volledig op wat ik doe. Mijn vrouw zegt dat ik in een robot verander, zelfs als ik televisiekijk. Sorry als ik...'
'Laten we het op een misverstand houden. Is er wat thee voor agent Thorpe hier?'
De vrouw in de sari zei: 'Ja, meneer.' Ze was weer overeind en zag er niet aangedaan uit. Zelfs gelukkig. Haar geloof in Milo's beschermende kracht was weer eens bevestigd.
'Wie is de tipgever, agent Thorpe?'
'Noem me maar Randy, meneer. Ik weet het niet zeker, maar er is een oude man, ik dacht een paar dagen na ons gesprek aan hem, hij is uit de buurt. Ik heb u niet meteen gebeld omdat ik het niet kon onderbouwen, maar gisteren zag ik hem terwijl hij naar dezelfde telefooncel ging, mijn laatste dag in uniform voor de inval. Ik was bezig met een code 7, dronk koffie aan de overkant, hij loopt recht naar de telefoon en staat op het punt om te gaan bellen, verandert van gedachten, gaat weg. Komt een paar minuten later terug, komt tot het punt dat hij de hoorn van de haak haalt, verandert weer van gedachten, gaat weg. Ik bleef in de buurt maar hij kwam niet meer terug. Het zou niets kunnen zijn, maar ik dacht toch...'
'Stel het op prijs, Randy. Heb je een naam?'
'Ik weet alleen maar George. Maar hij woont in een van die bejaardenhuizen in de buurt. Hier is het adres.'
'Uitstekend,' zei Milo. 'Zorg dat je die scherpe ogen houdt, Randy. Als dit iets oplevert, doe ik een goed woordje bij de hoofdcommissaris.'
'Kunt u dat doen?'
'Altijd.'

Er woonden twee Georges in het mintgroene appartementencomplex dat omgedoopt was tot het Peace Gardens Rusthuis. George Bannahyde zat in een rolstoel en verliet nooit het gebouw. George Kaplan, een van de meer gezonde bewoners, had een kamer op de eerste verdieping.
Te veel bejaardenhuizen zijn niet meer dan een krot, opgezet om de zakken van de eigenaars te spekken met het geld van belastingbetalers. Dit huis was schoon, rook fris, was zacht ver-

licht, er was veel te eten en er waren weldoorvoede, goed verzorgde bewoners die bordspelen speelden, oefeningen deden op matten, films keken op breedbeeldtelevisies. Er was een schema opgehangen, waarop activiteiten vermeld stonden op elk uur van de dag, met uitzondering van de maaltijden.

Milo verzekerde de baliemedewerker dat meneer Kaplan niet in moeilijkheden was, integendeel, hij was belangrijk voor de politie van Los Angeles.

Ze zei: 'George?'

'Is hij er?'

'Boven in zijn kamer. Ik kan hem naar beneden laten komen, als u wilt.'

'Nee, geen probleem, we gaan wel even langs.'

Veel hoofden draaiden toen Milo en ik voorbij de activiteitenruimte liepen. We beklommen de trap naar een pas gestofzuigde gang. Bruine vloerbedekking waar je in wegzonk, nep-adobe muren, donkeroranje deuren met naamplaatjes.

De deur van G. KAPLAN stond open. Een kleine zwarte man met een ronde rug en een lichte huid zat op een keurig opgemaakt bed. Hij droeg een wit hemd, dat tot de hals was dichtgeknoopt, een messcherp gestreken kastanjebruine pantalon, opgepoetste zwart-witte wingtips. Zijn schaarse zilverkleurige haar zat zo vol pommade dat het licht gaf. Grijsblauwe ogen, in een kleur die niet zoveel van de mijne verschilde, bestudeerden ons met genoegen. Op een nachtkastje stonden een doos Tam Tam-crackers, een pakje dry roasted pinda's en de benodigdheden voor het maken van een kopje oploskoffie. Aan de muur boven het hoofdeinde hingen portretten van Martin Luther King en Lyndon Johnson, waarvan de laatste gesigneerd was.

Twee stoelen stonden naar het bed gekeerd. George Kaplan zei: 'Ga zitten, Gemma belde van beneden, agenten, ik ben helemaal klaar voor jullie.'

Een zangerige tongval, een fluweelzachte intonatie; misschien een van de vele variaties van het dialect van New Orleans. Zijn ogen waren sereen, maar beide handen trilden en zijn hoofd schudde met onregelmatige tussenpozen. Parkinson of iets wat daarop leek.

'Bedankt dat u met ons wilde spreken, meneer Kaplan.'

'Toch niets anders te doen.' Kaplans lippen gingen uiteen. Al te witte tanden klakten op elkaar. 'Wat zou de politie met George S. Kaplan willen bespreken?'

Milo bestudeerde de foto's voordat hij ging zitten. 'Lyndon Johnson? Meestal is het John F. Kennedy.'

'George S. Kaplan is geen man voor meestal. Er was niets mis met die Kennedy's, als je van mooie gezichten houdt. President Johnson zag er niet als een filmster uit – god, die oren, hij kreeg geen respect. Maar hij was het die wetgeving doorvoerde om de rassentegenstellingen glad te strijken.'

'De Great Society.'

'Hij was een dromer, net als dr. King. Ik heb zijn schoenen een keer gepoetst, Ambassador Hotel. Van de president, niet van dr. King, helaas. Had daar ruim achtenveertig jaar een kraampje. Ik was er op de avond dat Robert F. Kennedy werd neergeschoten, probeerde de agenten te vertellen dat ik die Jordaanse gek al dagen rond het hotel had zien hangen, mompelend in zichzelf. Niemand wilde horen wat ik te zeggen had.'

'Wij wel.'

Kaplan wreef over een parelkleurige hemdsknoop, worstelde om zijn handen stil te houden. 'Weet u hoe oud ik ben?'

'U ziet er nog goed uit, meneer.'

'Raad eens, agent – sorry, rechercheur. U bent toch een rechercheur, of niet?'

'Ja, meneer.'

'Wat zou u zeggen? Maakt u zich geen zorgen, ik zal niet beledigd zijn.'

'Normaal zou ik u rond de zeventig schatten, meneer Kaplan, maar als u achtenveertig jaar in het Ambassador heeft gewerkt en dat ging dicht rond...'

'Het ging dicht in 1989. Achtenzestig jaar dienstverlening en ze lieten alles gewoon wegkwijnen. Een architectonisch meesterwerk, ontworpen door Myron Hunt. Weet u wie hij was?'

'Nee, meneer.'

'Beroemd architect. Ontwierp de Rose Bowl. Het Ambassador was een paleis, haalde de chicste mensen binnen. U had de bruiloften moeten zien, de gala's in smoking. Ik heb er een heleboel schoenen een snelle glansbeurt gegeven en die kunst is verloren gegaan. De gemeente heeft het onroerend goed gekocht, zegt dat het een school wordt. Net wat we nodig hebben, tieners die er een bende van maken. Dus hoe oud ben ik?'

'Tachtig –'

'Drieënnegentig.'

'U ziet er geweldig uit, meneer Kaplan.'

'Schijn bedriegt. Ik mis een hele lading inwendige organen, de dokters blijven maar dingen weghalen. Blijkbaar geeft God ons extra organen die verwijderd kunnen worden zonder serieuze gevolgen. Waarom, dat weet alleen Hij. En ik denk dat ik gauw de kans zal krijgen Hem dat te vragen. Zin in een cracker?'

'Nee, bedankt, meneer.'

'Pinda's?'

'Wij hoeven niets, meneer.'

'En wat is er zo interessant aan George S. Kaplan voor de politie van Los Angeles?'

'Monte.'

Kaplan keek naar zijn knieën. 'Ik heb een Joodse naam, voor het geval u dat niet had opgemerkt. Kaplan komt uit het Hebreeuws. Betekent kapelaan. Ik snap het nog steeds niet. Iemand zei dat mijn familie misschien gewerkt had voor Joodse slavenhouders, maar dat klopt niet, we zijn vrije mensen geweest sinds het begin. Kwamen pas na de vrijlating van de slaven, van Curaçao, dat is een eiland in de Caraïbische Zee, er woonden daar heel veel Joden, dus wie weet? Wat denkt u, rechercheur? Valt dat mysterie op te lossen?'

'Het internet heeft heel veel websites over genealogie...'

'Heb ik allemaal geprobeerd. Met hulp van mijn achterkleinzoon Michael, hij is een computernerd – zo noemt hij zichzelf. Zo heb ik ontdekt dat mijn naam een Hebreeuwse oorsprong heeft. Maar het ging nergens naartoe. Blijkbaar willen sommige mysteries niet graag opgelost worden.'

'Sommige wel, meneer. Monte.'

'Hoe hebt u mij gelokaliseerd?'

'We hebben ontdekt dat uw telefonische tip uit de telefooncel kwam.'

'Een heleboel mensen gebruiken die telefooncel.'

'Niet zoveel als je zou denken, meneer Kaplan.'

'Mobiele telefoons. Hoef ik niet. Heb ik niet nodig.'

'Een agent die de telefooncel in de gaten hield, zag u gisteren naderbij komen. Hij had de indruk dat u nog een keer ging bellen, maar toen van gedachten veranderde.'

Kaplan lachte. 'En ik dacht nog wel dat ik voorzichtig was.'

'U wilde helpen maar niet te zeer betrokken raken.'

'Hij is een angstaanjagend mens, Monte. Ik heb drieënnegentig jaar geleefd, wil er nog best een paar bij.'

'Hij hoeft er niet van te weten, meneer Kaplan.'

'Als u hem arresteert op grond van mijn verklaring, hoe kan hij dat niet te weten komen?'

'U zult in mijn aantekeningen vermeld worden als een anonieme bron.'

'Totdat een of andere advocaat begint rond te neuzen en u onder druk komt te staan.'

'Ik reageer niet goed op druk,' zei Milo. 'En ik kom mijn beloften altijd na. Ik beloof u dat uw naam in geen enkel dossier genoemd zal worden.'

Kaplan bleef omlaag kijken. 'Weet u zeker dat u geen cracker wilt?'

'Het is geen eten dat ik nu nodig heb, meneer.'

'U denkt dat Monte dat meisje gedood heeft.'

'Ik denk dat ik moet horen wat u dwarszit over hem.'

'Och, och,' zei de oude man. 'George S. Kaplan doet zijn burgerplicht, zoals zijn moeder het hem heeft geleerd, en dit is wat er van komt.'

'Als Monte gevaarlijk is, meneer, is er des te meer reden om hem van de straat te halen.'

'Ik heb hem nooit iets gevaarlijks zien doen.'

'Maar hij is een enge vent.'

'Ik heb lang genoeg geleefd om een angstaanjagend mens te herkennen als ik er een zie. Geen respect voor ouderen.'

'Was hij onbeleefd tegen u?'

Het hoofd van Kaplan bewoog van de ene kant naar de andere. Toen het ophield zei hij: 'Die meid op televisie, die mooie die gedood werd in dat grote huis vlak bij Bel Air. Ze woonde met hem samen. Met hem en zijn andere vriendin, alle drie liepen ze dat huis in en uit. Je zou denken dat ze lekker aan het scharrelen waren, maar alle keren dat ik ze zag leek het niet alsof ze zich vermaakten.'

'Serieus?'

'Meer dan serieus, ik zou het doelgericht noemen. Schichtige blikken, alsof ze iets in hun schild voerden. Ik loop veel door de buurt, goed voor de gewrichten en spieren, ik zie dingen die andere mensen niet zien. Er is een vrouw, een paar huizen verderop, die haar man al bijna zes jaar met de tuinman bedriegt. Ze kust haar echtgenoot als hij thuiskomt alsof ze zielsveel van de arme sukkel houdt, als hij weg is komt de tuinman langs. Mensen doen idiote dingen, ik zou er een boek over kunnen schrijven.'

'Vertel eens over Monte en het meisje op televisie.'

'De laatste keer dat ik haar met hem zag was misschien een week voordat ze vermoord werd. Montes andere vriendin was er niet, alleen dat meisje en Monte en ze gingen dat huis binnen en ik begon te denken dat Monte misschien de ene vriendin met de andere bedroog, ze ziet er absoluut beter uit. Maar ze zagen er niet uit alsof ze gingen rotzooien – grimmig, dat is het woord. Echt grimmig. Nadat Monte het meisje had binnengelaten draaide hij zich om en gaf mij de vuilste blik die je ooit hebt gezien. Hij zei: moet je wat, ouwe? Ik liep maar verder, voelde dat hij naar me keek, de haartjes in mijn nek gingen overeind staan. Ben daar niet meer in de buurt gekomen. Ongeveer een week later kijk ik naar de breedbeeldtelevisie beneden en op het nieuws zie ik haar. Een tekening, maar zij is het. Dus ik doe mijn burgerplicht. Ik had er niet op gerekend dat ik nog meer moest doen.'

'Enig idee wat Montes achternaam is?'

'Ik hoorde alleen dat zijn vriendin hem Monte noemde.'

'Waar is het huis?'

'Twee straten naar het oosten, een straat naar het noorden. Hij rijdt in een zwarte pick-up. Zij rijdt in een Honda. Grijs, die andere vriendin. De mooie heb ik nooit met een eigen voertuig gezien, reed altijd met een van de andere twee mee.'

'U hebt het adres niet toevallig, ofwel?'

'U zweert op een stapel bijbels dat mijn naam nergens genoemd wordt?'

'Op mijn erewoord als padvinder, meneer.'

'Was u een padvinder?'

'Eerlijk gezegd wel.'

'Ik had best een padvinder willen zijn,' zei George S. Kaplan. 'Destijds waren er geen gekleurde padvinders in Baton Rouge. Ik heb toch wel geleerd om overal op voorbereid te zijn. Een grijns legde zijn tanden bloot. Hij strekte zijn hand uit naar een bureaula. 'Ik zoek dat adres even en schrijf het voor u over. Ik zal het in blokletters doen, zodat niemand mijn handschrift kan traceren.'

37

Het huis was een bungalow met een vlakke voorgevel van stucwerk in de kleur van geklonterde havermout. Het was smal, had een geteerd dak en de luiken waren dicht. Een vierkant van cement in plaats van een gazon, er stonden geen voertuigen geparkeerd, er had zich geen post opgehoopt.

Milo en ik reden snel voorbij, parkeerden een kleine kilometer verder. Hij belde Moe Reed mobiel, vroeg om de gegevens van de woning.

Was eigendom van en werd beheerd door een makelaarsfirma in Covina, verhuurd aan een huurder met de naam van M. Carlo Scoppio.

'Heb hem nagetrokken, chef. Blanke man, tweeëndertig jaar oud, nooit gezocht of gearresteerd, geen veroordelingen, niet bekend in de politiebestanden. De eigenaars kunnen hem niet uitzetten, maar ze zouden het graag doen.'

'Wat is het probleem?'

'Hij betaalt altijd zijn huur, maar doet het chronisch te laat,' zei Reed. 'Alsof hij probeert op hun zenuwen te werken met vertragingstechnieken. Ze zeggen dat het een heel gedoe is om een huurder uit te zetten, zelfs als je te maken hebt met een totale nietsnut, en Scoppio zorgt ervoor dat ze geen gronden hebben. Komt nog bij dat hij een advocaat is en ze willen er geen last mee krijgen.'

'Wat zijn zijn fysieke kenmerken?'
'Eén vijfenzeventig, tachtig kilo, bruin haar en groene ogen. Afgaande op de foto is het een vent die je nooit zou opvallen. Bent u in de buurt van een fax?'
'Nee, maar de cijfers komen overeen met Capusjonnie. Waar werkt Scoppio als jurist?'
'Heb ik nog niet nagekeken, maar dat doe ik wel even.'
'Doe geen moeite, ik kan het zelf doen. Bedankt, Moses, nu mag je weer naar de top van de Olympus klimmen.'

Ik zei: '*Monte* Carlo?'
Milo zei: 'Klinkt goed, maar die ouwe George is wel echt een ouwe George. Om niet te zeggen antiek. Scoppio geeft hem een grote bek, Kaplan koestert wrok, een paar dagen later ziet hij een tekening op televisie, overtuigt zichzelf ervan dat hij is afgebekt door een moordenaar.'
'Ouwe George leek mij helder genoeg. Wat belangrijk is, je hebt niets anders en misschien is dat steakhouse nog altijd open.'
'Met de moed der wanhoop. Dat zijn altijd mijn beste momenten.'

Een zoektocht naar het werkadres van M. Carlo Scoppio, advocaat, leverde niets op. Navraag bij de orde van advocaten evenmin.
Milo zei: 'Hij loog, dat is een goed begin.'
Ik zei: 'Juristen kunnen andere functies vervullen.'
'Even stil, kletsmajoor. Laten we teruggaan naar het kantoor en tegen vijf uur terugkomen. Als de timing klopt zal ik eens een babbeltje maken met deze charmeur.'

Zoeken op Google naar *m. carlo scoppio* leverde de website van Baird, Garroway en Habib op, een advocatenkantoor in East Los Angeles, gespecialiseerd in civielrechtelijke zaken betreffende persoonlijk letsel. De naam van Scoppio stond bijna onder aan de personeelslijst. Juridisch assistent.
'Hij loog niet gewoon, hij maakte zichzelf groter dan hij was,' zei Milo. 'We komen een stap dichter bij een psychopaat. Hij las de informatie snel door. '*Hablo español...* en vijf andere ta-

len. Misschien ging het om een handige deal die verkeerd liep, arme sukkels draaien ervoor op, advocaten gaan er met het geld vandoor. Misschien betekent juridisch assistent dat Scoppio ze binnenhaalde.'

Graven naar artikelen over het advocatenkantoor leverde verschillende berichten op over een onderzoek door de officier van justitie van de stad. Alle drie de partners werden ervan verdacht dat ze verkeersongelukken in scène zetten, samenwerkten met corrupte artsen, fysiotherapeuten en chiropractors. Er was geen aanklacht uit voortgekomen.

Carlo Scoppio werd nergens genoemd.

Milo probeerde een contact bij het kantoor van de officier van justitie. De vrouw had zelf geen kennis van de zaak, maar keek de stand van zaken na.

'De zaak lijkt te hangen, inspecteur.'

'Dat betekent?'

'Ik vermoed te weinig bewijs om ze aan te klagen. Ziet ernaar uit dat ze illegalen gebruikten als uitvoerders, probeer maar eens getuigen te vinden die daar iets over willen vertellen.'

'Komt de naam M. Carlo Scoppio ergens voor?'

'Scoppio... nee, het lijkt er niet op – o, hier heb ik hem, hij is een juridisch assistent... verdacht van ronselen. Heeft hij iemand vermoord? Daar kunnen we misschien gebruik van maken.'

Om 16.48 uur waren we weer terug bij Scoppio's huisadres en reden we de bungalow voorbij.

Nog geen spoor van de zwarte pick-up die George Kaplan had beschreven, maar een grijze Honda stond op het betonnen parkeerterreintje.

Milo zei: 'Het vriendinnetje is er, misschien komt het vriendje gauw opdagen.'

Er waren te weinig auto's op straat om zonder risico vlakbij te kunnen stoppen. Ik parkeerde vier huizen verderop, schakelde de motor uit. Milo legde een verrekijker op zijn schoot, kauwde op een panatela, stopte van tijd tot tijd om flarden tabak uit het passagiersraam te spugen.

'We kunnen hier nog wel even zijn, als je muziek wilt opzetten vind ik het prima.'

'Waar ben je voor in de stemming?'
'Iets waar mijn oren niet van gaan bloeden – kijk nou eens.'
Een zwarte Ford pick-up kwam aangereden uit zuidelijke richting en stopte naast de Honda.
Milo greep de verrekijker en richtte hem op het portier van de chauffeur, waar een man uitstapte.
'Dat is 'm – raad eens wat hij draagt? De grijze hoodie.'
Carlo Scoppio liep om de auto naar de passagierskant om iets te pakken.
Plastic tassen. Vijf. Scoppio zette ze op het beton.
Milo zei: 'Albertsons, die ouwe Monte C. heeft net de boodschappen gedaan, wat een roerend huiselijk tafereeltje.'
Scoppio liep terug naar de chauffeurskant, reikte naar binnen en toeterde.
De voordeur van de bungalow ging open en een vrouw stapte naar buiten. Vrij lang, gekleed in een wit topje en spijkerbroek.
Scoppio wees naar de tassen. De vrouw liep erheen.
Milo's schouders spanden zich. 'Je gaat dit niet geloven. Hier, kijk maar eens.'
'Waarnaar?'
'Haar.'

38

De twee lenzen brachten een aangenaam gezicht dichterbij, omlijst door lang, roestbruin haar. Eind twintig tot begin dertig, appelwangen, heldere blauwe ogen.
Milo zei: 'Onze jonge onderzoeker, Lara Dinges...'
Ik zei: 'De behulpzame juffrouw Rieffen.'
Carlo Scoppio tilde drie tassen op, liet er twee achter die Lara Rieffen meenam. Er werden geen vriendelijkheden uitgewisseld tussen de twee. Helemaal geen woord.
Ze gingen naar binnen. De deur ging dicht.
Milo zei: 'Dit verandert alles.'

Terwijl we terugreden naar het bureau belde hij Dave Mc-Clellan, de hoofdonderzoeker van de lijkschouwer, vroeg of Lara Rieffen volgens schema was ingeroosterd voor de toren-moorden.

McLellan zei: 'Heeft ze het verknald?'

'Nee, ik moet het gewoon weten, Dave.'

'Heb het rooster hier niet voor me, ik ben op het gemeentehuis en doe mijn best om indruk te maken op de raadsleden. Waar-om moet je het weten?'

'Wie moet ik hebben voor het rooster, Dave?'

'Nu laat je me echt schrikken – vertel me de waarheid, heeft Rieffen het op grote schaal verknald?'

'Verknalt ze het vaker?'

'Ze is nieuw, heeft de neiging om een beetje lui te zijn.'

'Ze maakte de tegenovergestelde indruk op Borodi, Dave. Deed haar best om over te komen als gretige Annie.'

'Misschien vindt ze je leuk.'

'Mijn onweerstaanbare charmes, ik heb er al mijn hele leven last van. Waar krijg ik het rooster te pakken?'

'Ga je me niet vertellen waarom? Ik krijg plotseling last van mijn buik.'

'Misschien is het niets, Dave.'

'Nu beginnen mijn darmen echt te kronkelen,' zei McLellan. 'Bel Irma, mijn administratieve kracht. Ze weet alles. Ik wou dat ík alles wist.'

Irma Melendez had dertig seconden nodig om het antwoord te vinden: een onderzoeker met de naam van Daniel Paillard was als eerste aangewezen om op de melding van Borodi af te gaan.

'Heeft hij dat niet gedaan, inspecteur Sturgis? Volgens mijn ge-gevens namelijk wel.'

'Lara Rieffen heeft het gedaan.'

'Zij?' zei Melendez. 'Hoe dat zo?'

'Ik dacht dat u dat misschien zou weten.'

'Ik heb geen idee, inspecteur. Ze moeten met zijn tweeën iets hebben afgesproken – misschien had Dan een noodgeval. Ze zal het niet vrijwillig hebben aangeboden.'

'Ze is geen workaholic?'

'Dat is nog zacht uitgedrukt.'
'Waar kan ik Paillard vinden?'
'Hij heeft vrij vandaag.'
'Geef me dan zijn mobiele nummer en zijn vaste nummer, alsjeblieft.'
'Heeft Dan iets verkeerd gedaan?'
'Helemaal niet.'
'Mooi zo,' zei Melendez. 'Hem vind ik wel leuk.'

Daniel Paillard was bij de Universal Studios met zijn vriendin.
'Gaat het om iets belangrijks?'
'Waarschijnlijk niet,' zei Milo, 'maar vertel me er eens over.'
'Er is niets te vertellen,' zei Paillard. 'Ze kwam de dag ervoor
naar me toe, zei dat ze de week erop tijd vrij moest hebben, of
ik wilde ruilen. Ik zei prima, waarom niet.'
'Welke dag moest ze vrij hebben?'
'Dat heeft ze nooit gezegd.'
'Ze heeft die vrije tijd nooit opgenomen?'
Stilte.
'Dan?'
'Blijkbaar niet,' zei Paillard. 'Ik denk dat ik het vergeten ben –
een gegeven paard, weet u wel? Zit ik nu in de problemen? Ik
bedoel, het was iets tussen ons tweeën.'
'Je zit niet in de problemen.'
'Ik bedoel, ik heb mezelf wekenlang een slag in de rondte ge-
werkt, al die schietpartijen tussen die bendes,' zei Paillard.
'Toen ze naar me toe kwam, zag ik er geen probleem in zolang
het werk maar gedaan werd – heeft ze het verknald?'
'Verknalt ze vaker iets?'
'Ze is groen,' zei Paillard.
'Wil je iets voor me doen, Dan? Vertel haar niets over dit ge-
sprek.'
'Is ze verwikkeld in andere moeilijkheden?'
'Nog niet,' zei Milo. 'Wees discreet, Dan, dan ben ik dat ook.'
'Ja, ja, tuurlijk,' zei Paillard. 'Ze is groen, misschien een beet-
je lui, meer kan ik echt niet over haar zeggen.'

Milo draaide zijn bureaustoel rond naar mij. 'Een lui groentje, maar ze probeert overijverig over te komen. Een bedrieger, net als Scoppio. Zij deed voorbereidend onderzoek op de lichamen, maakte opmerkingen dat Doreens kleren goedkoop waren. Dat komt nu ook in een heel ander licht te staan.'

Ik zei: 'Dat Rieffen een dienst ruilde op de dag voor de moord betekent dat ze wist dat Backer en Doreen in dat torentje zouden zijn. Doreen woonde met haar en Scoppio, dus dat is geen mysterie. Als Scoppio onze Capusjonnie van Port Angeles is, hebben we een motief van vijftigduizend. Maar ik heb altijd gevonden dat de plaats delict iets persoonlijks had, dus misschien was er meer aan de hand dan geld. Kaplan zei dat ze alle drie een grimmige indruk maakten als ze samen waren. Misschien was de glans van de relatie eraf.'

'Een triootje dat misliep.'

'Misschien omdat het trio een duo was geworden.'

'Doreen liet haar kamergenootjes vallen voor Backer,' zei hij. 'Een oude vlam wakkerde weer op. Bij wijze van spreken.'

'Backer en Doreen werden betaald door Helga om Teddy's paleis op te blazen, verkenden het terrein en vonden het torentje wel een leuke plek. Ned Holman zag hoe ze het gebruikten, twee maanden voor de moorden. Het is heel goed mogelijk dat ze er hun eigen feesttentje van hadden gemaakt, misschien hebben ze zelfs Rieffen en Monte mee naar boven genomen. In beide gevallen zouden ze makkelijk te volgen zijn. De plaats delict heeft altijd gewezen in de richting van twee moordenaars. Nu hebben we een nieuw paar.'

'Rieffen is betrokken bij de moord, zorgt ervoor dat zij de zaak krijgt toegewezen. Handig. De voor de hand liggende reden is om te rommelen met het bewijsmateriaal, zodat ze elk teken van haar aanwezigheid en die van Scoppio kon verbergen. Ze was daarboven voordat ik kwam, God weet wat ze gedurende die tijd allemaal gedaan heeft.'

Ik zei: 'Eén ding dat ze niet verborg was de zaadvlek op het been van Doreen. Integendeel, ze wees jou erop en daarom vraag ik me af of ze geen spelletjes met je speelde. Backer gebruikte altijd condooms, we hebben aangenomen dat hij voor Doreen een uitzondering maakte. Wat als hij dat niet deed en het zaad van iemand anders kwam?'

'Monte wurgt Doreen en misbruikt daarna haar lijk? Waarom zou Rieffen op die vlek wijzen? En waarom zou ze hem niet wegvegen, meteen na de moord?'

'Misschien wilde Monte niet dat ze dat deed. Trots op zichzelf, speelde zijn eigen spelletje. In haar eentje was Rieffen misschien voorzichtiger. Of ze dacht dat het ook wel spannend was. Hoe dan ook, ze wist dat de vlek verdwenen zou zijn tegen de tijd dat het lichaam bij Jernigan kwam. Dat is precies het soort van risicovolle adrenalinestoot waar psychopaten naar hunkeren. Rieffen krijgt het bewijs in handen, zorgt dat ze zelf daarbij een scherpzinnige indruk maakt. Dan vindt ze een rustig moment in het lijkenhuis en vernietigt het bewijs, zodat de rest van de ploeg van de lijkschouwer een onkundige indruk maakt.'

'Het is niet genoeg dat ik slaag,' zei hij. 'Jij moet falen.'

'Asociale, megalomane blaaskakerij op zijn zuiverst, ouwe reus.'

'Een spatje DNA had het hele plan kunnen vernachelen – als iemand de moeite had genomen om de vlek te analyseren. Maar zij is een verdomde onderzoeker, ze wist hoe ze het moest aanpakken.'

'Geen reden om het DNA te analyseren,' zei ik. 'Zoals de lichamen waren gepositioneerd was Backer de voor de hand liggende donor.'

'Nu we het over Backer hebben, misschien hebben we het wel over een kwartet dat een duo werd. Ze kenden elkaar allemaal. Een schot door het hoofd, Desi is uit de weg geruimd, ze hebben de sleutel van de opslagruimte. Dan staat Doreen tegenover twee schurken, geen probleem om haar te overmeesteren. Rieffen richt het kleine vuurwapen op haar, Monte steekt toe met het grote. Daarna wurgt hij haar en dient een ongelooflijk vernederende genadeslag toe. Daarna verplaatsten ze de lichamen.'

'Ze lieten het identiteitsbewijs van Backer achter, maar dat van Doreen namen ze mee omdat zij bij hen had gewoond en het naar hen zou kunnen leiden.'

'Rieffen en Monte woonden samen met een pyromaan, en dat Monte de vijftigduizend ophaalde, geeft aan dat ze van het plan wisten. Wat als het kwartet een zakelijke overeenkomst was, Alex?'

'Ze waren allemaal betrokken bij de brand,' zei ik.

'Elimineer Backer en Doreen en het aandeel verdubbelt.'

'Een kwartet,' zei ik. 'Twee andere jongelui waren verdachten bij de brand van Bellevue. Kathy Nog Iets, de naam van de jongen weet ik niet meer.'

Hij greep naar zijn blocnote. 'Kathy Vanderveldt, Dwayne Parris. Lindstrom zei dat ze goed terecht waren gekomen, zij studeerde medicijnen en hij rechten.'

'Lindstrom heeft hun nooit werkelijk gesproken, ze vertrouwde op de aantekeningen van de vorige FBI-agent. Wat als Kathy en Dwayne droomden van carrières in medicijnen en rechten, maar het niet haalden? Een onderzoeker werkt met het menselijk lichaam, maar werkt onder supervisie van een arts. Een juridisch assistent – die mensen vertelt dat hij een jurist is – moet verantwoording afleggen aan een advocaat.'

'Twee imitatie-professionals die hun namen veranderen. En de FBI, grondig als altijd, heeft het niet door.'

Hij draaide zich naar zijn computer. 'Oké, laten we eens zien wat wij als lokale politie kunnen opscharrelen.'

Hij opende een aantal websites voor schoolreünies, vond er een die jaarboekfoto's aanbood, focuste op Seattle. Toen hij *kathy vanderveldt* intoetste, won hij de jackpot bij Center High. Nadat gebleken was dat Dwayne Parris in dezelfde klas had gezeten, gebruikte hij zijn eigen creditcard om te betalen voor de foto's en drukte ze af.

Zwart-witfoto's, maar duidelijk genoeg.

Jongere versies van de twee gezichten die we net met boodschappentassen hadden zien lopen.

Kathy Lara Vanderveldt had warm naar de camera geglimlacht. Lid van de wetenschapsclub, de natuurclub, Toekomstige Artsen van Amerika.

Dwayne Charles Parris had een smal, stoïcijns mondje laten zien. Een jongen die er in elk opzicht doorsnee uitzag, met borstelig donker haar dat hij laag over zijn voorhoofd droeg. Hockeyteam van de universiteit, Model United Nations, boekhoudclub. Ik zei: 'Ze gebruikt haar tweede naam als haar eerste, hij is Carlo, Italiaans voor Charles. Vraag me af waar hij Scoppio vandaan had.'

'Misschien betekent het iets in het Italiaans.'

Dat deed het.

Explosie.

Milo zei: 'Monte kaboem.'

Hij ging verder met zoeken en begon met *kathy vanderveldt* als zoekterm. Geen strafblad, hetzelfde gold voor Dwayne Parris, maar in de Seattle Times was een vijf jaar oud verslag te vinden van de familiereünie van Vanderveldt-Rieffen. Een gebeurtenis van sociaal belang, want er hadden 153 mensen aan deelgenomen. Een paginabrede groepsfoto, Kathy was nergens te zien, maar een klein kind met dezelfde naam zat te stralen op de eerste rij.

Milo zei: 'Het kleine nichtje komt naar het feest maar grote Kathy niet, omdat ze een alias gebruikt. Ze is op de loop voor iets slechts, maar geen strafblad?'

Ik zei: 'Het is mogelijk dat datgene waarvoor ze op de loop is nooit in een dossier is gekomen. Dat zij om zo te zeggen ook haar verloren jaren had.'

'Nog een jonge eco-terrorist die er niet mee ophield?'

'En wier carrière op de een of andere manier verkeerd liep. Doreen belazerde de FBI, maar Lindstrom zei dat ze hun wel een paar botjes had toegeworpen. Kleinere zaken, maar alles is betrekkelijk, voor de FBI zou 'kleiner' kunnen betekenen dat er geen grote gebouwen werden opgeblazen. Wat als de informatie van Doreen Kathy en Dwayne genoeg belastte om hun carrièredoelen te bederven en hen te dwingen om een andere identiteit aan te nemen? Kathy en Dwayne konden raden wie hen bedrogen had, maar dat beseften Doreen en Backer niet. Jaren later maken de vier weer contact in Los Angeles, spreken af om samen te werken bij een brandstichtingsklus. Een herinnering aan het vuur bij Bellevue waar Van Burghout omkwam, maar nu krijgen ze zwaar betaald. Kathy en Dwayne gaan erin mee, totdat ze weten hoe ze het geld te pakken kunnen krijgen. Daarna is het afgelopen met Backer en Doreen.'

'Een reünie van de wandelclub van eco-pyromanen,' zei hij.

'Oké, het is tijd om het ego van Gayle eens onder handen te nemen.'

39

Special agent Gayle Lindstrom sprak met ons in een pizzatent in Westwood Village, niet ver van het gebouw van de FBI. De klantenkring bestond voor een groot deel uit studenten, wat betekende dat er ongelimiteerd goedkoop bier op tap was en er niet veel aan het interieur was gedaan.

Milo sprak, Lindstrom luisterde en raakte bij elke nieuwe onthulling meer gespannen. Toen hij klaar was, zei ze: 'Die twee. Oh, verdomme.'

'Kathy en Carlo zijn jouw maatjes.'

'Het zijn namen in een dossier.'

'Je deed het klinken alsof ze glansrijk carrière hadden gemaakt. Zij is een dokter, hij is een advocaat, alleen het opperhoofd ontbreekt.'

'Ik zei dat omdat dat is wat er in het dossier staat. Er is absoluut niets wat erop wijst dat ze crimineel, laat staan moorddadig zouden zijn.'

'Alles wat je weet is wat je gelezen hebt.'

'Hou op,' bitste ze. 'Je hoeft me niet nog stommer te laten voelen dan ik me al voel.'

'Als je niets te maken had met de afhandeling van Vanderveldt en Parris, dan is er geen reden om je stom te...'

'Je wilt het niet snappen, of wel? De eerste keer dat we elkaar spraken had je door dat ik in de problemen zit. Zoals dat het me moeite kost om niet razend te worden over absoluut hersendode beslissingen, genomen omdat mensen hun eigen hachje willen redden, niet omdat ze het algemeen belang willen dienen. Ik stel mezelf graag voor dat als ik de baas was geweest, 11 september nooit was gebeurd. Misschien is dat idiote eigenwaan, misschien moest ik mezelf over mijn bol aaien omdat de baan niet heeft uitgepakt zoals ik hoopte. Hoe je het ook wilt zien, ik sta nu ergens langs de zijlijn en wat ik nodig heb – wat ik nodig had – was om er weer in te komen. Toen ik hoorde dat je die Zwitserse heks had gepakt, had ik je wel kunnen trakteren op een dinertje bij Spago. Daarna ontdek ik dat de Zwitserse heks niets te maken had met de moord op

Doreen. Ondertussen zit Buitenlandse Zaken achter ons aan, omdat je zonder toestemming bent binnengegaan in die hangar. Je hebt me niet alleen niet geholpen, je hebt mijn leven moeilijker gemaakt.'

'Tjee,' zei Milo. 'Ik dacht dat het mijn werk was om moorden op te lossen, terwijl het de bedoeling was dat ik jouw coach zou zijn.'

Lindstrom kneep haar handen samen.

Milo plukte aan zijn pepperoni.

'Milo, wij zijn de goeien, waarom vechten we tegen elkaar?'

'Help me even, Gayle, dan spelen we daarna weer samen in de zandbak.'

'Waarom denk je dat ik je zou kunnen helpen? Ik ben een impopulair meisje met een werkplek vol oude zaken en de opdracht om ze op te lossen, want anders. Dat is zoiets als de opdracht om Britney iets over kernfysica te leren.'

'Vergeet kernfysica,' zei Milo. 'Laten we het over medicijnen hebben. En rechten.'

'Je wilt dat ik uitzoek of Kathy zich ooit heeft ingeschreven, prima, dat kan ik doen. Hetzelfde kan ik doen met Parris en de rechtenfaculteit, maar wat schiet je daarmee op? Je hebt tastbaar bewijs nodig.'

'Alles wat de zaak onderbouwt, is de moeite waard, Gayle. Vertel me nu precies wat Doreen de FBI aanbood voordat ze ervandoor ging.'

'Prullaria.'

'Ik hou van prullaria, Gayle.'

'Dit was echt klein grut, het kwam niet verder dan de Forest Service. Er was een stuk federaal land in het noorden van Washington State dat betwist werd. Het gebruikelijke conflict tussen de houthakkende-boerende-mountainbikende-toeristische kant en de geef-het-land-terug-aan-de-muggen-kant. Doreen had zich opgegeven als vrijwillige bomenknuffelaar, een paar maanden voordat ze werd opgepakt voor tippelen in Seattle. Veldonderzoek of zoiets. Wat ze losliet toen we druk uitoefenden waren twee plannen. Het eerste hield in dat haar medevrijwilligers de balans zouden laten doorslaan door haren van een Canadese lynx achter te laten op boomstammen

– dat wil zeggen, ze zouden het DNA zelf aanbrengen en het daarna "ontdekken". Blijkbaar is de lynx een megabedreigde diersoort, dus dat zou een enorme beperking hebben betekend voor het gebruik van dat land. Voor de tweede zwendel zouden ze wilde paarden vergiftigen en de kadavers achterlaten op plekken waar grizzlyberen normaal gesproken niet kwamen. Daarmee zouden ze grizzlyberen aantrekken en zo de schatting van de omvang van hun habitat kunstmatig vergroten. Begin je te begrijpen waar het om gaat? De Forest Service met zijn lage budget maakte zich er nog minder druk over dan de FBI en nam geen maatregelen. Toen kwam het ter ore van een senator, die tonnen uit de houthakkersbranche had gekregen. Hij maakte kabaal en er volgde een onderzoek. Niemand ging naar de gevangenis, maar mensen raakten hun baan kwijt.'

'Namen,' zei Milo.

'Heb ik niet, de vent van wie ik de dossiers heb geërfd had het niet zo met pietluttige details.'

'Misschien niet zo pietluttig, Gayle, als Kathy Vanderveldt en Dwayne Parris onder die vrijwilligers waren. Sommige mensen raakten hun baan kwijt, andere misschien wel hun carrière.'

'Weggestuurd van de universiteit vanwege moreel laakbaar gedrag?' zei ze. 'Ja, dat zou wel gekund hebben.'

Ze stond op, probeerde geld op tafel te leggen. Milo's grote hand sloot zich om de hare. 'Ik trakteer, Gayle.'

'Waarom?'

'Je verdient het.'

'Ja hoor,' zei Lindstrom. 'Als ik slechte cijfers had, loog mijn vader ook zo tegen me.'

Ik zei: 'Manipuleren met fysiek bewijs.'

Hij zei: 'Kathy Lara kan geen dokter worden, maar vindt een baantje waar ze nog altijd plezier kan hebben met biologie. Altijd hetzelfde liedje, met gestoorde figuren draait het allemaal om controle.'

'Bij iedereen draait het om controle,' zei ik. 'Het gaat erom wat je daarvoor doet.'

Het telefoontje van Lindstrom kwam toen we terugreden naar het bureau.

'Dat was snel, Gayle.'

'Ik zou graag zeggen dat ik mijn contacten had ingeschakeld, maar ik hoefde niets anders te doen dan onze kopie van het dossier van de Forest Service erbij te pakken. Vanderveldt en Parris worden als deelnemers genoemd bij beide zwendels. In feite zijn zij de enige deelnemers die genoemd worden. En Vanderveldt werd inderdaad van de medicijnenfaculteit van Idaho gesmeten – waar ze de slechtste van haar klas was geweest. Parris haalde nog best goede cijfers aan de rechtenfaculteit van de Universiteit van Washington, maar hij werd er ook uit gegooid. Allebei zijn ze twee keer in beroep gegaan. Afgewezen. Zie je daar werkelijk een motief in?'

'Dat en vijftig mille, Gayle.'

'Ja, dat verklaart waarschijnlijk een heleboel,' zei Lindstrom. 'En wat nu?'

'Nu ga ik met ze praten.'

'Ik zou daar graag bij betrokken zijn.'

'Op het juiste moment.'

'Ik hoop dat dat geen leugen is. Bij mijn vader wist ik het altijd wel. Bij jou is het moeilijker.'

40

Plaatsvervangend officier van justitie John Nguyen bevestigde wat Milo al wist: onvoldoende gronden om Rieffen en Scoppio voor wat dan ook te arresteren, alle verhoren zouden op vrijwillige basis moeten zijn.

'Zoiets als: u bent van harte uitgenodigd om een keer op visite te komen?'

'Tenzij je er getuige van bent dat ze iets stouts doen en je ze daarvoor oppakt.'

'Verkeerd invoegen, komt dat in de richting?'

Nguyen lachte. 'Ik dacht meer aan iets waar bloed bij vloeide.'

'En als ze het DNA van een lynx ergens op aanbrengen?'
'Wat is een lynx trouwens helemaal?' zei Nguyen. 'Toch iets waar je een jas van maakt?'
'Hou je in, John.'
'Puur theoretische vraag, Milo. Met mijn salarisschaal heeft mijn vrouw al geluk als ze wol krijgt.'

Toen we het weinige wat we van de verdachten wisten nog eens doornamen, vermoedden we dat Rieffen minder geneigd zou zijn tot geweld, makkelijker over te halen. Misschien.
Reed en Binchy namen afzonderlijke wagens en begonnen aan een onopvallende surveillance van de man die zichzelf M. Carlo Scoppio noemde. Hij ging om negen uur 's ochtends naar zijn werk, reed naar het advocatenkantoor in East Los Angeles, was daar nog steeds om halftwaalf.
'Chef, ik kreeg ineens een idee,' zei Reed. 'Het kantoor is wel heel dicht bij de plek waar die onderzoeker van de lijkschouwer, Escobar, neergeschoten is.'
'Hoe dichtbij, Moses?'
'Ongeveer drie straten verder. Het is grond van de provincie, eigendom van het medisch centrum, maar er is niks mee gedaan.'
'Heb je het verkend?'
'Het was dichtbij, ik begon het me af te vragen. Er is een kruispunt vlakbij. Niet veel verkeer, maar het licht blijft er lang op rood staan. Als Escobar een type was dat zich netjes aan de wet hield, zou het makkelijk genoeg zijn geweest om hem te pakken als hij stopte en de auto over te nemen.'
'Ga maar terug en neem wat foto's,' zei Milo. 'Nadat Sean je heeft afgelost.'
'Ik koop wel een camera,' zei Reed.
'Een goedkope is goed genoeg om herinneringen aan te leggen, Moses. Op een dag maken we een plakboek.'

Lara Rieffen had dienst in het lijkenhuis en deed voorbereidend onderzoek inzake een schietpartij in Pacoima. Het plan was om haar 'tegen te komen' op het parkeerterrein, als ze terugkwam om haar documentatie in te leveren, waarbij Milo haar vriendelijk zou benaderen en zou doen alsof hij daar voor zaken was. Dan naar binnen gaan en een plek in het gebouw vinden voor een vervolggesprek. Dat informeel zou moeten blijven, zodat ze zich niet bedreigd zou voelen en het personeel van het lijkenhuis geen verstoring van de orde zou merken. Maar de baas moest ervan weten, dus belde Milo Dave McLellan en bracht hem het slechte nieuws.

Hij zei: 'Ik heb zitten tandenknarsen sinds we elkaar spraken. Ze is echt zo slecht, hè? Nou, dan maken we weer een goede indruk.'

'Je had het onmogelijk kunnen weten, Dave.'

'Doe wat je moet doen om die trut te pakken, Milo. Ik zal zorgen dat er een kamer vrij is op de begane grond.'

'Bedankt, ik zal het zo rustig mogelijk houden.'

'Wat mijn gevoelens voor haar betreft, mag je haar en plein public vastbinden,' zei McLellan. 'Maak je geen zorgen over de rust, het zit toch al stampvol agenten.'

'Waarom?'

'Bobby Escobar. Plotseling heeft de afdeling moordzaken van het bureau van de sheriff besloten dat ze zijn kantoor moeten inspecteren, hun eigen technische jongens langsgestuurd, maar ze willen niet zeggen waarom. Ze lopen de deur hier plat sinds zes uur vanmorgen.'

'Welke rechercheur heeft de leiding?'

'Een nieuwe vervanging, Irvin Wimmers.'

'Ik ken Irv. Goeie vent.'

'Volgens mij zijn ze hier alleen maar om hun hachje te redden. Maar goed, wil je dat ik Rieffen naar binnen haal op een bepaald tijdstip? Of hoe ze verdomme ook mag heten?'

'Wanneer wordt ze terugverwacht?'

'Vier of vijf uur, afhankelijk van de details en de rijtijd.'

'Laten we op vijf uur mikken.'

'Zorgen we voor,' zei McLellan. 'Kunnen we daarna het vuil op straat zetten.'

Milo belde rechercheur Irvin Wimmers van de afdeling moordzaken van het bureau van de sheriff en vroeg om een ontmoeting, zodra Wimmers daar tijd voor had.

Wimmers zei: 'Ik maak wel tijd, Milo. Wat dacht je van nu?'
'Je weet niet eens waar het om gaat, Irv.'
'Ik weet dat jij mij belt. Hoe vaak zijn we naar dezelfde conferenties geweest? Denver, Washington, Philadelphia – die hele leuke in Nashville met die geinige dia's over ontbinding. Als we elkaar zien, drinken we meestal koffie. Als we terugkomen in Los Angeles, hoe vaak bellen we elkaar dan?'
'Ik weet het niet.'
'Ik zal je zeggen hoe vaak,' zei Wimmers. 'Eén keer. Die bijlmoord in Compton, je tipte me over dat oude dossier, waar een van je gepensioneerde jongens aan werkte, uiteindelijk konden we die trut pakken voor niet één, maar twee echtgenoten die ze tot hamburgers had verwerkt. Dus ik vermoed dat je me weer iets bruikbaars te vertellen hebt. Misschien over Escobar? Zeg ja, dan kan mijn dag niet meer stuk.'
'Het gaat over Escobar, Irv, maar misschien is het wel niets. Had hij een voorspelbaar rooster bij het lijkenhuis?'
'Hij had helemaal geen rooster,' zei Wimmers. 'Hij studeerde en werkte daar niet meer, maar ze lieten hem zijn sleutel houden en gaven hem een piepklein kantoortje om aan zijn scriptie te werken.'
'Wat onderzocht hij?'
'De technologie van het verplaatsen van bewijs door onoplettendheid – mensen die het verknallen met de borsteltjes voor vingerafdrukken, het onzorgvuldig verzamelen van vezels, dat soort dingen. Waar denk jij aan, Milo?'
Wimmers luisterde naar de kale versie van het verhaal en zei: 'Dat is wel eng – oké, ik moet even gaan zitten om hierover na te denken. Mijn partner komt zo en ik ben al sinds vijf uur op, ik moet iets eten anders val ik flauw. Waar bel je vandaan?'
'Kantoor.'
'Heb je tijd om me ongeveer halverwege te ontmoeten? Ik weet een plekje dat je zal bevallen.'

Ruby's Kalkoentheater werkte vanuit een winkelruimte aan Eighth Street, net ten westen van Wilton. Monumentale vogels in frituurbakken, gesneden naar wens, glinsterend van het vet opgediend.

Irvin Wimmers was een zwarte man, langer en breder dan Milo, met een snorretje dat getekend leek, een plukje haar tussen zijn onderlip en zijn kin en een glanzend kaal hoofd, dat in de lengte doorgroefd was. Hij droeg een kaneelkleurig double-breasted pak, een kastanjebruin overhemd met puntige boord, een smalle olijfkleurige das met een patroon van oranje slagschepen.

Op de schaal voor hem lagen een bruingebakken kwart kalkoen, met dikke cranberrysaus, okra's, koolsla en een zwetende berg macaroni met kaas. Op een tweede bord lagen hartige koeken met het formaat van honkballen, die dropen van de jus. Als je ging honkballen hoefde je geen bat mee te nemen, de kalkoenpoot zou het heel aardig doen.

Milo zei: 'Niet een beetje vroeg voor Thanksgiving, Irv?'

Wimmers zei: 'Ik zeg altijd: vier het als je de kans krijgt. Hoe gaat het nou, stadsjongen?'

'Het gaat.' Handen werden geschud. Milo stelde mij voor.

Wimmers zei: 'Ik heb van u gehoord, dokter. Hebt u er ooit over gedacht om voor de provincie te komen werken? Daar gaat het nog echt om waarheid, rechtvaardigheid en de Amerikaanse levensstijl.'

Ik glimlachte.

'Zwijgzaam, als een echte psychiater – ga zitten, jongens. Moet ik een halve vogel voor jullie bestellen?'

'Een kwart is goed, Irv.'

'Voor ieder?'

'Voor ons allebei.'

'Aan het lijnen, Milo?'

'God bewaar me.'

Wimmers gromde vergenoegd. 'Wat drinken jullie? De ijsthee is goed, ze doen er wat granaatappelsap bij, schijnt gezond te zijn, zorgt ervoor dat we niet verroesten vanbinnen.'

'Die is op,' zei Milo. 'Doe mij maar gewoon een busje Antiroest.'

Wimmers sjokte naar de toonbank, kwam terug met een paar enorme glazen vol roodbruine thee. 'Dus je denkt dat deze corrupte onderzoeker iets te maken had met Bobby Escobar?'

'Ik kan het niet bewijzen, Irv, maar ik weet zeker dat ze een zaadvlek wegveegde omdat die aan haar vriendje toebehoorde. En Bobby was gespecialiseerd in gerommel met bewijsmateriaal, dat betekent dat hij misschien scherpe ogen had en iets gezien had.'

'Afgaande op wat ik gehoord heb, Milo, had hij zeker scherpe ogen. Toen hij nog als onderzoeker van de lijkschouwer werkte, werden de mensen zenuwachtig van hem omdat hij te fanatiek was, weet je wel? Het jongetje in de klas dat zijn vinger opsteekt als de leraar het aangekondigde proefwerk vergeet.'

Milo zei: 'Hoe ver lag zijn kantoor van die vrieskist waar ze de gelabelde lichamen bewaren?'

'Precies aan de andere kant van de hal,' zei Wimmers. 'Hmm, komt dat niet mooi uit? Dus laten we even zorgen dat we dit strak hebben: ik zei al dat Bobby geen vast rooster had, maar voordat ik hierheen reed belde ik zijn vrouw en zij zei dat het niet ongebruikelijk voor hem was om tussen de universiteit en zijn parttimebaan in een medisch laboratorium rond middernacht naar het lijkenhuis te komen en er even te blijven. Dat is precies wat hij deed op de ochtend dat hij vermoord werd. En de twee dagen ervoor, exact de periode waarin Rieffen met het bewijs zou hebben gerommeld. Dus misschien glipte ze laat naar binnen om kattenkwaad uit te halen, ervan uitgaande dat er niemand zou zijn. Maar Bobby zit in zijn kantoor achter een gesloten deur te typen op zijn laptop. Ze gaat de koelcel in, doet haar kwade werk en komt Bobby toevallig tegen als hij zijn kamer uit komt.'

Milo zei: 'Ze was ambtenaar, droeg een insigne, een ander had haar misschien genegeerd. Maar Bobby werd nieuwsgierig.'

'Het enige probleem is, Milo, afgaande op wat ik over Bobby heb gehoord, dat hij altijd verslag uitbrengt als hij iets vreemds opmerkt. Daar is deze keer geen aantekening van.'

Milo zei: 'Misschien liet hij een briefje achter op iemands bureau, en zag Rieffen het en pakte het.'

'Dat zou kunnen,' zei Wimmers. 'Maar probeer dat maar eens te bewijzen.'

Ik zei: 'Zelfs als Bobby het verdacht vond en in de koelcel keek, hoe had hij haar kunnen betrappen? We hebben het hier over het verwijderen van bewijs, hoe constateer je de afwezigheid van iets?'

'Waarom moest hij dan dood?'

'Misschien keek hij haar aan met een onheilspellende blik. Of maakte een opmerking. Niet genoeg om in een verslag te zetten, maar meer dan genoeg om Rieffen op de kast te jagen. Zij zei het tegen Monte, hij besloot om het probleem op te lossen.'

'Moorddadig vriendje,' zei Wimmers. 'Ik kan niet geloven dat ze het zo wist te draaien dat ze een moord kon onderzoeken die ze zelf had gepleegd. Dat moet vrij uniek zijn.'

'Ze hoefde er niet veel voor te draaien,' zei Milo. 'Ze bood aan om van dienst te ruilen met een andere onderzoeker. Het zegt genoeg dat ze nooit de moeite nam om haar vrije tijd op te eisen.'

'Te mooi om waar te zijn,' zei Wimmers. 'Man, dit meisje is wel een exemplaar. Nu hoeven we het alleen nog maar te bewijzen.'

'Waarom kwam je vandaag terug naar het kantoor van Escobar?'

Wimmer schoof de cranberrysaus rond over zijn bord. 'Waarvoor ik terugkwam was mijn indruk van de zaak. Aanvankelijk was het niet mijn zaak. Twee groentjes kregen de melding, werden van de zaak gehaald om zich met bendewerk bezig te houden en handelden het vooronderzoek af als een uit de hand gelopen overval. Gezien de buurt en het feit dat de portemonnee van Escobar verdwenen was, leek dat oppervlakkig gezien wel aannemelijk. Maar toen ik de zaak beter bestudeerde, klopte er niets van. Escobars mobiele telefoon was er nog gewoon, op de passagiersstoel. En een boel kostbaarheden die hij op zijn lichaam droeg, allemaal geërfd van zijn vader die een pandjeshuis had. Ik heb het over een grote gouden ring met een diamant, een gouden indentificatie-armbandje, een oorbel van goud en diamant. Spul dat je makkelijk zou kunnen weghalen. Bovendien zat Escobar achter het stuur van zijn auto toen we hem vonden, maar het meeste bloed lag erbuiten en toen ik terugging naar de plaats delict, vond ik iets wat eruitzag als sleepsporen.'

'Hij werd buiten de auto neergeschoten en daarna teruggezet?'

'Hoeveel gewapende overvallers ken jij die daar de tijd voor nemen? Het leek mij dat het in scène was gezet.'
'Daar hebben Rieffen en Monte veel ervaring mee.' Milo beschreef de torenmoorden in detail.
Wimmers zei: 'Zeg alsjeblieft dat jouw jongen is neergeschoten met een .22-revolver of misschien een automatisch geweer en dat de hulzen waren opgeraapt.'
Milo knikte.
'Is jouw kogel gaaf genoeg voor analyse?'
'Volgens de lijkschouwer zijn er alleen fragmenten, maar die kunnen samengevoegd worden, dus misschien.'
'Wie belt het vuurwapenlab, jij of ik?'
'Ga je gang, Irv.'
Wimmers belde Ballistiek, regelde dat er zo snel mogelijk een vergelijking werd gedaan. 'Ze zeiden achtenveertig uur, ik heb het teruggekregen naar vierentwintig. Hij wreef twee reuzenhanden samen. 'Dit begint nog beter te smaken dan mijn vogel.'

41

Er is een zesde zintuig, een uiterst verfijnde gevoeligheid voor gevaar. Soldaten op het slagveld kennen het, agenten met veel ervaring hebben het en bij een bepaald slag van koelbloedige psychopaten is het ook hoogontwikkeld.
Milo benaderde Lara Rieffen op een subtiele manier, deed alsof hij vrolijk was toen ze haar dienstauto verliet op de parkeerplaats van het lijkenhuis. Ze kletste met hem mee en liep in de pas met zijn losse, langzame loop, maar ik keek in haar ogen en er was geen twijfel dat zij een ander ritme in gedachten had.
Dat moest Milo ook wel doorhebben, maar hij hield zijn performance vol terwijl we met z'n drieën het noordelijke deel van het lijkschouwingscomplex binnengingen. Waar het vuile werk gedaan wordt.

Eenmaal binnen gebruikte hij de lichtste aanrakingen van een duim op een arm om Rieffen naar de lege kamer te loodsen waar Dave McLellan voor had gezorgd. De route ging in de richting van haar werkplek, er was geen reden voor haar om weerstand te bieden of iets te vermoeden, maar haar mond werd al wel strakker en ze liep voor Milo uit. Hij haalde haar in en toen ze bij de open deur waren, pakte hij haar elleboog vast en stopte de optocht.

'Ik zou graag een paar minuten van je tijd gebruiken, Lara.'

Een stijve glimlach. 'Waarvoor, inspecteur?'

'Om de plaats delict op Borodi nog eens door te nemen. Ik moet een paar details vastleggen, voordat ik mijn rapport voltooi.'

'U hebt de zaak gesloten?'

'Dat mocht ik willen, juist het tegenovergestelde. Het ziet er helemaal niet naar uit dat de zaak snel gesloten wordt, maar ik heb een nieuwe opdracht van de bazen, ik moet weer verder.'

Haar blauwe ogen knipperden. 'O. Dat moet frustrerend zijn.'

'Hoort bij de baan. Een paar seconden maar, oké?' Hij duwde haar naar binnen voordat ze kon antwoorden.

Twee stoelen tegenover één, een tafel aan de kant waar Milo's jas opgefrommeld lag. Kathy Vanderveldt alias Lara Rieffen ging zitten waar ze moest zitten.

Geen doorkijkspiegel voor observatie, geen ruimte of praktische manier om Gayle Lindstrom naar binnen te werken, maar Milo had de special agent wel op de hoogte gebracht.

Als het aperitiefje makkelijk naar binnen gaat, mag je aanschuiven voor het voorgerecht, Gayle.

Ik ging naast Milo zitten. Lara Rieffen keek naar me. Meer bezorgd over mijn aanwezigheid dan over die van Milo.

Hij zei: 'De dokter hoort er ook bij.' Hij klikte zijn aktetas open en bracht wat tijd door achter het deksel, zat te klunzen als een onhandige goochelaar die zijn rekwisiet niet kon vinden.

Lara Rieffen probeerde er verveeld uit te zien, maar haar lichaam wilde niet meewerken. Ze deed haar best om een ontspannen indruk te maken, maar het zag er juist gewild en gespannen uit. Ongeveer wat een beginneling met yoga bij de eerste paar lessen op de mat zou laten zien.

Milo bleef schuiven met papieren. Rieffen keek op haar horloge. Ik zei: 'Drukke dag?'

'Altijd. Voordat ik aan deze baan begon, had ik er geen idee van.'

'Waar werkte je voordat je hier kwam?'

'Labs,' zei ze. 'Niets forensisch, medische omgeving.'

'Altijd met wetenschap bezig, hè?'

'Altijd.'

Milo zei: 'Sorry, het is een bende hierbinnen, geef me een momentje.' Hij klakte met zijn tong. Lara Rieffen begon zich te ontspannen – en nu echt. Op haar gemak gesteld door zijn incompetentie.

'Neem uw tijd, inspecteur. Ik wil graag deel zijn van de oplossing, niet van het probleem.'

'Bedankt, Lara. Ik wou dat iedereen er zo over dacht. Oké, daar gaan we.' In plaats van dat hij er papieren uit haalde, sloeg hij de tas dicht en zette hem op de vloer. Hij glimlachte naar Rieffen en bleef haar gadeslaan met die halfdichte ogen en die luie blik die hij voortbrengt als hij in de juiste stemming is.

Haar lippen krulden omhoog. Meer door misselijkmakende verwarring dan door iets wat met opgewektheid te maken had.

'Wat moet u weten, inspecteur?'

'Nou, om te beginnen, laten we het eens over Monte hebben.'

Lara Rieffen trok haar hoofd terug. Mooie blauwe ogen schoten naar de deur.

Milo sloeg zijn benen over elkaar en legde zijn handen achter zijn hoofd. *Probeer maar te ontsnappen, ga je gang, je bent van mij, ik maak me geen zorgen.*

Lara Rieffen zei: 'Monte?' Alsof ze een buitenlands woord uitprobeerde.

'Ook wel bekend als Carlo. Of Scoppio.'

Geen antwoord.

'Of Dwayne Parris.'

Rieffen schudde haar hoofd.

'Of *kaboem*, Lara.'

Nu kruiste Rieffen haar benen. Ze glimlachte zwak en ademde uit. 'Godzijdank.'

'Waarvoor, Lara?'

'Ik ben doodsbang voor hem, hij zegt dat als ik er ooit over denk om hem te verlaten, hij me in stukken zal snijden en die ergens zal achterlaten waar ze nooit meer gevonden zullen worden.'

Milo huiverde. 'Dat is zwaar geschut.'

'Extra zwaar geschut, inspecteur, maar als u naar hem vraagt, dan weet u dat waarschijnlijk al.'

Hengelend naar informatie. Toen dat niet werkte, kneep ze haar ogen samen en deed haar best om tranen naar buiten te werken. Ze produceerde een paar mislukte druppeltjes.

Milo's grote, dikke vingers rustten op de hare.

'Eindelijk,' zei ze. 'Iemand die me kan helpen.'

'Beschermen en dienen, Lara, het werk van de politie. Oké, laten we de details helder krijgen, zodat we deze klootzak goed kunnen pakken.'

Lara Rieffens techniek was die van een klassieke oplichter: een mengeling van eufemismen, afleiding en rechtstreekse leugens. Ze schilderde Dwayne Parris/Monte Scoppio af als het ultieme kwaad, zichzelf als een volgzaam slachtoffer en probeerde ondertussen uit te vinden wat Milo wist.

Hij nam haar mee uit vissen, hield vergissingen voor haar als aas en trok dat dan weer terug, doorboorde kleine onjuistheden met goedaardigheid, terwijl hij de grote leugens negeerde. Maakte het haakje klaar.

'Dus... wanneer precies leerde je Monte kennen?'

'Paar jaar geleden.'

'Echt? Hmmm.' Weer begon hij mompelend in de aktetassen te zoeken. 'Eh, misschien vergis ik me, maar ik denk dat ik hier ergens een aantekening heb... helaas ben ik bang dat ik die niet kan vinden... laat maar.'

'Wat voor aantekening, inspecteur?'

'We hebben met mensen gesproken over Monte. Om zijn achtergrond te leren kennen, weet je wel? Iemand beweerde dat jullie elkaar lang geleden al kenden – op school.'

'Niet echt.'

'Het is niet waar?' Nog meer gerommel. 'Ah, hier heb ik het, Center High, de klas van...'

'O, dat. Strikt genomen is het waar, maar Center is enorm, we verkeerden in andere kringen.'

'Dus je wist wie hij was...'

'Nauwelijks. We ontmoetten elkaar jaren later en ook dat was helemaal niet intens.'

'Een paar jaar geleden.'

'Ja.'

'Waar?'

'Ik trok rond met een rugzak met een paar vrienden in Oregon. Hij was op dezelfde camping. Ik herkende hem niet, maar hij herkende mij. Hij kan heel charmant zijn, ik had het net uitgemaakt met een vriendje, waarschijnlijk was ik kwetsbaar.'

'Aha.' Hij krabbelde iets. 'Nou, dat is dan opgehelderd. Eh, wil je iets drinken, Lara?'

'Dus... het was Monte die Des Backer en Doreen ontmoette in Venice – ik vermoed dat het een zondag was.'

'Absoluut een zondag, inspecteur. Monte ging skeeleren. Hij is daar gek op.'

'Jij niet.'

'Ik rij liever op mijn motor. Dat was ik ook aan het doen toen hij over het pad skeelerde en hen zag.'

'Wat waren Des en Doreen aan het doen?'

'Dat heeft Monte nooit gezegd. Hij kwam alleen maar terug en vertelde me dat hij iemand anders van Center had ontmoet.'

'Wist je tegen die tijd al dat hij gewelddadig was?'

'Niet echt. Ik bedoel, ik wist dat hij driftig kon worden, maar hij had me niet aangeraakt, nog niet.'

'Later veranderde dat.'

'Ja, nogal.'

'Wil je nog een tissue, Lara?'

'Het gaat wel.'

'Oké... dus Monte vertelde je dat hij Des en Doreen had ontmoet. Hoe voelde hij zich daarbij?'

'Wat bedoelt u?'

'Was hij gelukkig? Verrast? Ontsteld?'
'Hij was absoluut ontsteld. Hij gaf hun ergens de schuld van, maar hij wilde niet zeggen waarvan, ik weet het nog steeds niet. Iets uit zijn verleden, als hij erover sprak werd hij razend.'
'Maar hij wilde niet zeggen waarom.'
'Monte is een erg gesloten mens.'
'Iets uit zijn verleden... had het er misschien mee te maken dat zijn juridische carrière misgelopen was?'
'Hij sprak er nooit over.'
'Maar kan jij dat begrijpen – een studie rechten?'
'Ik denk het wel.'
'We weten dat hij rechten studeerde, maar verzocht werd om te vertrekken. Heeft hij dat ooit aan jou uitgelegd?'
'Nee, en ik wist dat ik er niet naar moest vragen.'
'Kijk, dit is wat mensen ons verteld hebben: Des en Doreen hebben misschien iets gedaan waardoor Monte weggestuurd werd van de universiteit. Daar zou je wel wrok over kunnen koesteren, denk je niet? Hij vertelt mensen dat hij een advocaat is, maar dat is hij niet.'
'Klinkt redelijk.'
'Trouwens, wanneer is hij begonnen om zichzelf Monte te noemen?'
'In die dagen.'
'In welke dagen?'
'Op school. Dat is wat ik gehoord heb. Hij gokte graag.'
'Monte Carlo.'
'Hij gebruikte valse identiteiten om te gokken in indiaanse casino's. Tenminste, dat is wat de mensen zeiden.'
'Oké... nog één ding, Lara. De mensen hebben ook gezegd dat Des en Doreen jou ook in problemen zouden hebben gebracht. Iets met je studie medicijnen?'
Stilte.
'Lara?'
'U vergist u.'
'Je hebt nooit medicijnen gestudeerd? Universiteit van Idaho, de klas van...'
'Ik begon eraan, maar ik veranderde van gedachten.'
'Omdat...'

'Mijn belangrijkste drijfveer is niet het verdienen van geld, ik hou meer van pure wetenschap.'

'In het laboratorium zijn.'

'Precies.'

'Dus het had niets te maken met de haren van lynxen?'

Stilte.

'Lara?'

Een lang uitgerekte zucht. Een zwakke glimlach. 'Oké, ik geloof dat ik daar iets meer over moet zeggen. Ik wilde het niet omdat het eerlijk gezegd te pijnlijk is, inspecteur, en ik zag er de noodzaak niet van.'

'Dat kan ik begrijpen, Lara, maar het punt is dat ik alles nodig heb wat je kunt bieden om tegen Monte te gebruiken. Dus als Des en Doreen een streek met jou hebben uitgehaald, dan is het des te waarschijnlijker dat ze hem ook iets hebben geflikt en dan zou ik er graag van weten. En afgaande op wat de Forest Service ons verteld heeft, waren het twee schaamteloze klikspanen.'

'Inspecteur, het was een groot misverstand. Natuurlijk praat ik er niet over, omdat het moeilijk genoeg is om een baan te vinden en ik hou van de mijne. Bovendien realiseerde ik me later dat ik geluk had gehad.'

'Waarmee?'

'Om medicijnen achter me te laten, het pakte uiteindelijk heel goed uit. Medicijnen is niet veel meer dan big business geworden, mijn richting is onderzoek.'

'Als je hier werkt krijg je de gelegenheid om onderzoek te doen?'

'Uiteindelijk wel, hoop ik. Ondertussen leer ik voortdurend iets bij en dat bevredigt mijn nieuwsgierige kant. Uiteindelijk hoop ik terug te gaan naar school en een academische titel te behalen.'

'Klinkt logisch. Dus dat gedoe met lynxharen...'

'Een groot misverstand, inspecteur. Weer een van Montes briljante ideeën. Maar ik geef toe dat het stom van mij was om erin mee te gaan.'

'Oké... ik waardeer het dat je eerlijk tegen ons bent, Lara. Ook al kwam het er aanvankelijk niet zo soepel uit.'

'Dat spijt me, inspecteur. U bracht me van mijn à propos, ik ben niet altijd zo goed in multitasking. Als het moet kan ik meer dan één ding tegelijk doen, maar het kost moeite om mijn concentratie erbij te houden. Het is een soort van leerstoornis, mijn ouders hebben me laten testen toen ik klein was. De psycholoog zei dat ik getalenteerd was, maar problemen had met organisatie en geheugen. Dus als ik iets vergeet, reken me er alstublieft niet op af.'

'Afgesproken. Oké, laten we het over Montes wapens hebben.'

'Daar kan ik u wel over vertellen. Hij heeft er tonnen van. Geweren, jachtgeweren.'

'We zijn voornamelijk geïnteresseerd in handwapens.'

'Die ook.'

'Welke gebruikte hij om Des Backer dood te schieten?'

'Ik heb geen idee.'

'We hebben een kogel kaliber 22 uit het hoofd van Des gehaald. Heeft Monte een .22?'

'Is dat een kleiner vuurwapen?'

'Meestal.'

'Hij heeft een hele doos vol kleine vuurwapens, inspecteur. Zorgt dat ze altijd geladen zijn, bewaart de doos op de vloer van de kast in de slaapkamer. Precies naast mijn schoenen, ik heb er nachtmerries over gehad.'

'Waarover?'

'Zijn drift, wat er gebeurt als hij razend wordt, het zou zo makkelijk voor hem zijn om gewoon – hij bewaart ook altijd een geladen vuurwapen in zijn nachtkastje. Soms heb ik letterlijk nachtmerries – gekke dromen, maar ze lijken zo echt.'

'Vertel me erover.'

'Het is dezelfde droom, steeds weer. Er is brand in huis en die breidt zich uit naar de kast, vuurwapens ontvlammen door de hitte en worden dol, beginnen lukraak te schieten, er is geen ontsnappen aan. Ik word zwetend wakker met bonzend hart. Op een keer maakte ik hem wakker omdat ik getroost wilde worden. Hij zei dat ik mijn bek moest houden en moest gaan slapen.'

'Wat een charmeur.'

'Ik ben er zo diep in vastgeraakt, inspecteur. Het is alsof je in een put bent gevallen en er niet meer uit kunt klimmen.'

'We krijgen je er wel uit... dus Monte heeft een hele doos vol kleine geladen vuurwapens.'

'Ja, meneer.'

'En vuurwapens met een groter kaliber?'

'Vast wel. Ik heb nooit goed gekeken, hou niet van vuurwapens.'

'Ga je niet naar de schietbaan met Monte?'

'Nee, hij gaat alleen.'

'De reden dat ik vraag naar een vuurwapen met een groot kaliber is dat er een in Doreens vagina is gestoken. Voordat hij haar wurgde.'

'O, mijn god, zelfs voor Monte is dat schokkend.'

'Wil je nog een tissue, Lara?'

'Ja, alstublieft.'

'Dus Monte sprak nooit over wat hij met Doreen deed. Het grote vuurwapen.'

'Nee, nee, nooit.'

'Wat zei hij over wat er daarboven in dat torentje gebeurde?'

'Niets. Hij kwam gewoon thuis en vertelde me dat hij het gedaan had.'

'Wat gedaan had?'

'Het afgehandeld met Des en Doreen – zijn woorden. Ik heb het afgehandeld met ze. Ik was te bang om erover te praten.'

'Je moet je hebben afgevraagd waarom hij zoiets zou doen.'

'Natuurlijk.'

'Kon je een of andere verklaring bedenken?'

'Er zijn geen logische verklaringen, inspecteur. Niets rechtvaardigt moord.'

'Tja, dat is waar... waar ik naartoe wil is, heb je toen gedacht aan die oude wrok? Lynxharen? Zou het kunnen dat wraak het motief van Monte was?'

'Lijkt dat niet een beetje buiten proportie?'

'Zoals je zei, moord is dat altijd. Maar is het in je opgekomen?'

'Niet echt.'

'Niet echt... oké, dus we schieten al aardig op hier, we krijgen een beeld. Bij wijze van spreken. Er is alleen een klein probleem, Lara. Niets ernstigs, maar je verdient het wel om het te weten.'

'Om wat te weten?'

'We houden Monte vast en hij vertelt een ander verhaal.'

'Wat beweert hij?'

'Dat jij de hele zaak gepland had. Dat het om jouw wrok ging – Doreen en Des die jou verlinkten over de lynxharen en je medische carrière verknalden. Dat Doreen en Des ervandoor gingen, nadat ze jou hadden verraden, maar dat jij het voor jezelf uitdokterde omdat zij de enigen naast jou en Monte waren die ervan wisten.'

'Nee, helemaal niet, het is de wrok van Monte. Ik was al van gedachten veranderd over medicijnen.'

'Ik geef alleen maar door wat Monte zegt, zodat je me iets kunt geven waar ik mee kan werken. Zo beweert hij bijvoorbeeld dat het niet toevallig was dat jij en Des en Doreen weer samenkwamen. Zij spoorden jou op, hoorden dat je in Los Angeles was van iemand in Seattle, konden je niet vinden onder je eigen naam maar bedachten dat je misschien de meisjesnaam van je moeder gebruikte, omdat je dat eerder had gedaan. Jij hebt een pagina op Facebook en Monte niet.'

'Ik weet niet hoe ze het gedaan hebben, maar degene die ze benaderden was Monte.'

'Op die zondag in Venice.'

'Ja.'

'Maar misschien was het geen toeval – dat Monte ze tegen het lijf liep.'

'Blijkbaar niet.'

'Nou, dat komt dan tenminste overeen met het verhaal van Monte. Behalve dat hij beweert dat jij daar was, regelde dat hij hen daar zou ontmoeten. Omdat jij net zoveel ervaring met explosieven had als hij – dat hadden jullie allemaal – en Des en Doreen probeerden hulp te krijgen bij een klus.'

'Daar weet ik allemaal niets van.'

'Monte zei ook dat de afspraak was dat jullie met zijn vieren honderdduizend zouden delen.'

'Echt niet.'

'Je weet van de vijftigduizend die Desi betaald kreeg. De helft die hij had moeten delen, maar die hij niet deelde.'

'Nee, dat weet ik niet.'

'Maar je snapt wel waar ik het over heb.'

'Een soort van uitbetaling?'

'Voor ervaring en materiaal – veganistische instantpudding, bijvoorbeeld.'

Stilte.

'Je weet toch wel wat dat is?'

'Ik heb ervan gehoord. Lang geleden.'

'Nooit gebruikt.'

'Echt niet!'

'Snap ik, waarom zou je ook... ik moet simpelweg ontrafelen wat Monte zegt en wat jij zegt, hij is degene met gewelddadige neigingen, hij zou natuurlijk alles zeggen om zijn hachje te redden.'

'De revolvers zijn van hem, ik heb nog nooit een vuurwapen gehad.'

'Daar twijfel ik niet aan...'

'Ik kan niet tegen vuurwapens. Daarom werk ik als onderzoeker van de lijkschouwer, niet in het laboratorium voor ballistiek.'

'Snap ik... laat me even iets nakijken... oké, hier heb ik het. Nu we het over ballistiek hebben, hier is een rapport. We vonden de doos van Monte precies waar je zei dat hij zou zijn, dus ik weet dat je daar de waarheid over hebt verteld en dat waardeer ik. In tegenstelling tot Monte, die een slap verhaal vertelt dat hij er geen flauw idee van had, alsof we dat nooit gevonden zouden hebben.'

'Zo kan hij zijn.'

'Hoe?'

'Onnadenkend. Ontkennend.'

'Ik twijfel er niet aan. Hoe dan ook, we hebben de doos gevonden en ook de .22 die gebruikt is om Des Backer dood te schieten. Helaas staan jouw vingerafdrukken erop, niet die van Monte.'

Stilte.

'Lara?'

'Dat slaat helemaal nergens op.'

'Dat zei ik ook tegen het lab, dus ze hebben nog een keer op vingerafdrukken getest – de jouwe hebben we omdat ze vingerafdrukken namen toen je de baan kreeg en die van Monte kregen we toen we hem arresteerden. Die van hem zitten overal op de doos. En op sommige van de andere vuurwapens. Maar niet op dat vuurwapen.'

'O, wow – nu snap ik het pas. Nadat Monte terugkwam, vroeg hij mij om de revolver terug te stoppen. Ik wilde geen medeplichtige zijn, zelfs niet na de daad, maar je gaat niet tegen hem in. Hij had net twee mensen vermoord, verdomme.'

'Dus je stopte de revolver weg.'

'Terug in de doos. U vond het vast helemaal bovenop.'

'Dat is precies waar we het gevonden hebben.'

'Ik wilde dat het duidelijk te zien zou zijn. Zodat als iemand ooit zocht, ze het zouden zien.'

'Je dacht dat wij zouden gaan zoeken.'

'Ik hoopte erop. Jammer genoeg dacht ik niet helder en trok ik geen handschoenen aan. Niet dat ik daarmee was weggekomen, Monte was erbij.'

'Monte stond erbij en beval jou om de revolver op te bergen.'

'Hij had het zelf kunnen doen, maar hij hield ervan om te overheersen.'

'Om jou bevelen te geven.'

'Voortdurend.'

'Dat moet zwaar geweest zijn, Lara.'

'Het vrat aan mijn ziel.'

'Net als het besef van wat Monte gedaan had, zonder dat je iemand erover kon vertellen.'

'Alles wat ik gedaan heb sinds de avond dat hij het mij vertelde, is een soort van zelfverdediging geweest, inspecteur. Toen ik u ontmoette op de plaats delict dacht ik dat u iemand was die me zou kunnen helpen, maar om die stap te nemen... ik had het eerder moeten doen, het spijt me. Godzijdank heb ik het eindelijk gedaan.'

'Laten we het over die eerste keer hebben, Lara. Hoe kwam het zo dat jij aan het werk ging op de plaats delict van Borodi?'

'Ik was aan de beurt. Ik heb nooit echt in toeval geloofd, maar ik begin van gedachten te veranderen, want de laatste tijd is mijn leven er vol van.'

'Zoals dat je Monte tegenkwam op de camping.'

'Precies. Zoals dat Monte Des en Doreen in onze levens bracht. Hij moet jaren bezig zijn geweest met het plannen van zijn wraak.'

'Dus je kreeg een oproep om naar de plaats delict te gaan en wist nog van niets.'

'Het was gewoon een oproep, inspecteur.'

'Toen Monte je vertelde dat hij Des en Doreen vermoord had, zei hij toen waar het gebeurd was?'

'Ik heb het niet gevraagd. De volgende ochtend krijg ik een oproep en zijn zij het. U kunt het zich voorstellen. Ik viel bijna flauw.'

'Toen ik je tegenkwam, leek je het goed onder controle te hebben, Lara.'

'Ik moest alle vezels in mijn lichaam inspannen om niet te gaan schreeuwen, inspecteur. Het moment dat ik daar weg was stortte ik gewoon in.'

'Te bang om me te vertellen wat je wist.'

'Het spijt me, het is duidelijk dat ik het had moeten doen, ik was zo doodsbang en later, toen ik erover nadacht, dacht ik dat ik in de problemen zou komen omdat ik er niet meteen over verteld had, ik was... ik had het gevoel dat ik helemaal klem zat.'

'Dat kan ik begrijpen.'

'Het is belemmering, of niet?'

'Eerlijk gezegd, daar zou het op kunnen uitdraaien, Lara. Of John Nguyen – hij is de plaatsvervangend officier van justitie – besluit te vervolgen is aan hem. Als je blijft meewerken, heb ik er geen probleem mee om een goed woordje voor je te doen bij John.'

'Dat zou ik op prijs stellen.'

'Tuurlijk. Toeval – ja, dat heb ik in mijn eigen leven ook wel gezien. Wat sommige mensen het lot zouden noemen, karma of gewoon geluk. Hoe noemen psychologen het, dokter Delaware?'

'Een van de mysteries van het leven.'

'Heh, heh – oké, laten we verdergaan. Jij verschijnt op de plaats delict, ontdekt wie de slachtoffers zijn, probeert jezelf in de hand te houden.'

'Mijn maag draaide zich om.'

'Angstaanjagend toeval – er is wel iets wat me dwarszit. Je hebt extra je best gedaan om die opdracht te krijgen. We kwamen erachter omdat wij niet aan toeval dachten en ons afvroegen hoe het kwam dat jij een opdracht kreeg voor een plaats delict met slachtoffers die je kende. Dus zijn we de werkroosters hier in het lijkenhuis nagegaan. We hebben het nagetrokken bij Dave McLellan. Je hebt gevraagd om te ruilen met een andere onderzoeker, Dan Paillard. Dan bevestigt het.'

Stilte.

'Lara?'

'Ik weet waar het op lijkt, maar dat had niets te maken met wat er gebeurde. Helemaal niets, ik was gewoon gretig om meer ervaring op te doen. Het is een intense plek en omdat ik nieuw was, had ik het gevoel dat ik iets in te halen had.'

'Je ruilde met Dan, maar je deed nooit aanspraak op jouw vrije tijd.'

'Wat bedoelt u?'

'Je hebt hem nooit gevraagd om een dienst voor jou te doen.'

'Blijkbaar niet. Ik vergat dat ik iets tegoed had. Zoals ik u verteld heb, inspecteur, ik heb geen sterk geheugen.'

'Dat zou misschien ook kunnen verklaren waarom je überhaupt vergat dat je met Dan geruild had.'

'Soms vergeet ik waar ik mijn schoenen heb gelaten.'

'Dat kan ik je wel vertellen, Lara. Ze stonden precies waar je zei, naast de doos met vuurwapens.'

'Ik... ik bedoelde bij wijze van spreken. Maar... natuurlijk.'

'Dus je ruilde met Dan om ervaring op te doen.'

'Precies.'

'Oké... het lijkt erop alsof je alle vraagtekens die ik had toen ik binnenkwam hebt kunnen verklaren. Het probleem is, op zichzelf klinken al die verklaringen redelijk genoeg, maar als je ze allemaal bij elkaar legt, maken ze op John Nguyen een andere indruk. Dat weet ik omdat hij het me heeft verteld. John is in de grond een goeie vent, maar hij is ook heel achterdochtig. Ik had een zaak waar ik geen aanklacht van wilde maken, omdat het bewijs het niet rechtvaardigde, maar John ging er als een bulldozer overheen. En sleepte er een veroordeling uit. Hij

is agressief, slim en weet precies hoe hij een jury moet over-
tuigen.'

Stilte.

'Lara?'

'Dus wat doen we nu, inspecteur?'

'Wat we nu doen is dat jij misschien iets kunt verklaren als
meer dan toeval of een gebrekkig geheugen. Iets waardoor de
indruk van... een grote database vol toeval vermeden wordt.'

'Ik heb al toegegeven dat ik Carlo kende op school. Ik wist gewoon niet dat u 'kende' in de meest strikte zin bedoelde.'

'Begrepen. Maar ik kan nu al zeggen dat John niet gaat geloven dat jouw ruil met Dan Paillard er alleen maar op gericht
was om wat ervaring op te doen. Hij is ervan overtuigd dat je
betrokken was bij de moord en probeerde om greep te houden
op de situatie. Dat betekent voorbedachten rade en voor een
jongen als John is dat een hele grote martini.'

'Maar...'

'Laat me even uitspreken, Lara – gaat het? Hier is nog een tissue. Het is belangrijk dat je het bekijkt vanuit het perspectief
van een aanklager: je vraagt John om te geloven dat je er geen
idee van had wat Monte ging doen toen hij het huis verliet, dat
hij thuiskwam en je vertelde dat hij iemand vermoord had, dat
je het moordwapen voor hem opborg en er met niemand over
sprak omdat je bang was. John heeft genoeg te maken gehad
met vrouwen in huiselijke situaties, tot zover kan hij het waarschijnlijk wel aannemen. Maar daarna wil je dat hij ook nog
gelooft dat je toevallig die zaak kreeg omdat je jezelf wilde bij-
scholen. Dat gaat John niet slikken. En eerlijk gezegd denk ik
dat een jury het ook niet slikt. Daarvoor kijken ze te veel televisie, ze willen alles snappen bij de derde onderbreking voor
reclames. Als je dat combineert met jouw afdrukken op het
moordwapen, kun je...'

'Ik had wel een idee.'

'Waarover?'

'Over de oproep. Je zou het een voorgevoel kunnen noemen.
Maar ik wist het niet zeker. Ik wist niet eens zeker dat hij ze
echt vermoord had. Hij heeft er zo lang over lopen praten dat
ik de hele kwestie eigenlijk al naast me had neergelegd. Maar

toen ik in het lijkenhuis kwam en er een melding binnenkwam van Westside, kreeg ik een wee gevoel in mijn maag en vroeg ik of ik met Dan kon ruilen.'

'Omdat...'

'Precies zoals u zei, ik voelde dat ik geen controle had, wilde gewoon greep op de zaken krijgen. Ik denk dat ik voor een deel ook hoopte dat zij het niet zouden zijn. Dat Monte gewoon had gelogen en dat de nachtmerrie voorbij zou zijn. Ik had toch al besloten om hem te verlaten.'

'Dus je ruilde doelbewust van dienst om die plaats delict af te handelen.'

'Ik weet dat het verkeerd was – om niets tegen u te zeggen. Als ze me belemmering ten laste willen leggen, kan ik ze niet tegenhouden. Maar als je wat Monte heeft gedaan vergelijkt met wat ik heb gedaan, denk ik niet dat u nog twijfelt wie u wilt geloven.'

'Wij willen best, Lara.'

'Pardon?'

'Jou geloven.' Hij opende zijn aktetas; sloot hem weer. 'Eh, ik wierp net een blik op mijn aantekeningen en er is nog een probleem, laten we dat ook even oplossen. Ik heb het over de datum.'

'Waarvan?'

'Toen je Dan vroeg om te ruilen. Het was niet de ochtend van de moord, het was de dag ervoor. Dus als je specifiek ruilde om greep op de gebeurtenissen te krijgen... je snapt waar ik naartoe wil.'

'Wie heeft u die datum gegeven?'

'Dan.'

'Dan moet hij zich vergissen.'

'Normaliter zou ik zeggen dat dat mogelijk is, niemand heeft een perfect geheugen, helemaal niet als het gaat om zulke kleine details. Maar Dan heeft meteen daarna het logboek aangepast, gedateerd en ondertekend met zijn naam. Hij kan zich vergissen, maar voor John Nguyen – en voor een jury – is dat bewijs.'

Stilte.

'Lara?'

'Ik weet niet wat ik moet zeggen, inspecteur.'

'We laten het even rusten, misschien bedenk je nog een oplossing...'

'Wow. Het voelt alsof mijn hersenen een grote warboel zijn. De psycholoog die mij testte zei dat dat soms gebeurt onder druk. U hebt dat vast wel eens gezien, dokter Delaware.'

'Natuurlijk.'

'Waarover ben je in de war, Lara?'

'De volgorde. De verklaring voor het feit dat ik met Dan ruilde – de eerste reden, dat ik meer ervaring wilde – was de juiste.'

'Niet het verhaal over psychologische controle?'

'Dat is ook waar, maar het kwam later bij me op. Toen de oproep kwam, kon ik er niet zeker van zijn dat het om hen ging maar ik was bang. Want ze woonden aan de Westside – allebei, in Santa Monica...'

'Des op California. Waar woonde Doreen? Dat hebben we nog steeds niet uitgevonden.'

'Ergens aan de Westside, ze heeft het nooit gezegd. Dus het was logisch dat het aan de Westside zou zijn waar ze – waar Monte het zou doen.'

'Dicht bij huis.'

'Is dat niet wat geografische profilers altijd zeggen? Dat misdaden gebeuren in comfortzones?'

'Dat gaat over de comfortzone van de dader.'

'Monte woont ook aan de Westside, het leek helemaal logisch. Ik moest het gewoon zelf zien. Dus er is echt geen tegenstrijdigheid. Ik wilde meer ervaring en ik wilde ook psychologische controle.'

'Heb je iets uitgevonden op de plaats delict waardoor je meer controle kreeg?'

'Ik heb uitgevonden dat Monte nog erger was dan ik me had voorgesteld. Hij beweerde dat hij alleen maar een rekening wilde vereffenen, maar toen zag ik dat ze gewurgd was, van dichtbij. Ik zag die zaadvlek en ik wist dat hij iets gestoords had gedaan.'

'Je vermoedde dat de vlek van Monte was.'

'Des gebruikt condooms en zoiets als dit paste bij Monte – dominant, wreed. Daarom wees ik u erop, inspecteur. Ik was te bang om het u openlijk te vertellen, maar ik hoopte dat u het spoor zou volgen.'

'Je bood hulp en bijstand, hè?'

'Vanaf het begin.'

'Dus je bedacht dat het zaad van Monte was en niet van Des? Oké... eh, hoe weet je dat Des condooms gebruikte, Lara?'

Stilte.

'Lara?'

'Dat moet ik ooit ergens gehoord hebben. Vroeger op school. Des was een enorme versierder, iedereen had het erover, hoe hij alles besprong waar een gat in zat. Hoe hij condooms in zijn portemonnee deed.'

'We vonden geen condooms op de plaats delict.'

'Ik bedacht dat Monte ze wel zou hebben meegenomen.'

'Waarom zou hij dat doen?'

'Hij is kwaadaardig – misschien als trofee, een ziek soort van mannelijke overheersing. Net als ejaculeren op Doreens been.'

'Je weet zeker dat het zaad niet van Des was?'

'Ik kan nergens zeker van zijn. Ik dacht gewoon dat Monte wel in staat was tot zoiets gestoords. Om Doreen eerst te vermoorden en daarna te vernederen. Toen ik u erop wees, hoopte ik dat u het zou analyseren, zou uitvinden dat het van Monte was, zodat u zou begrijpen dat er meer aan de hand was dan een eenvoudige moord.'

'Als er iets is wat deze zaak niet is, Lara, dan is het eenvoudig. John Nguyen herinnert me daar elke dag aan. Nu ziet het er helemaal uit alsof de zaak niet in de nabije toekomst afgesloten kan worden. Helemaal niet met die zaadvlek die weg is. Hoe denk je dat dat gekomen is?'

'Iemand hier heeft het verknald. Dat gebeurt vaker dan u denkt.'

'Iemand verknalde het – je bedoelt dat er geen sprake was van opzet.'

'Wie zou zoiets met opzet doen?'

'Dat was wat Bobby Escobar wilde weten.'

'Wie?'

'Bobby Escobar, onderzoeker van de lijkschouwer, werkte ook hier – de vacature die jij ingevuld hebt – voordat hij weer naar de universiteit ging voor zijn masterstudie. Erg geliefd, dus mocht hij 's avonds terugkomen om aan zijn studiemateriaal te werken.'

'Hij heeft u verteld over de vlek?'

'In grote lijnen.'

'Oké... nou, dan zal iemand het wel onderzoeken en hopelijk maken ze de procedures iets strenger. Voor de keten van bewijs, bedoel ik.'

'Dat zou goed zijn... maar daar hebben we meteen weer een ander vervelend probleem, Lara. Bobby bracht verslag uit aan Dave McLellan dat hij hier 's avonds laat aan het werk was, een paar dagen nadat de lichamen van Des en Doreen waren binnengekomen, en dat hij net zijn kantoor uit ging, dat precies tegenover de koelcel lag, op hetzelfde moment dat jij uit de ijskast kwam. Komt dat je bekend voor?'

'Een kleine Latino? Grote snor?'

'Dat is Bobby. Hij ging de koelcel in en zag dat het er bij een van de lichamen op leek dat er gerommeld was met de plastic wikkel. Die van Doreen. Dave dacht niet dat het iets ernstigs zou zijn, jij hoorde bij het personeel, misschien controleerde je gewoon een serienummer voor je papieren. Maar nu we weten van de vlek, snap je waar het op lijkt.'

'Dat is wat het was, ik controleerde de nummers.'

'Maar iemand anders kwam daar binnen en verwijderde de vlek?'

'Of hij werd toevallig afgewassen, inspecteur. Zulke dingen gebeuren hier, geloof me.'

'Ik kan John Nguyen al horen kreunen.'

'Wat bedoelt u?'

'Bekijk het vanuit het perspectief van John, Lara. Jij bent gezien terwijl je de koelcel binnenging, iemand heeft aan het plastic gezeten, een bewijsstuk is verdwenen.'

'Misschien heeft hij het gedaan.'

'Wie?'

'Die vent, Bobby, misschien wilde hij zijn baan terug en dus probeerde hij mij in een kwaad daglicht te stellen.'

'Bobby heeft het druk met zijn studie en een parttimebaan.'

'Misschien is hij van gedachten veranderd.'

'Alles is mogelijk, Lara, maar ik zou niet eens proberen om dat voor te houden aan John Nguyen – wacht even, dan heb ik nog iets anders voor je. Een probleem, bedoel ik: Bobby werd vermoord.'

Stilte.

'Lara?'

'O, dat.'

'Dat?'

'Ik hoorde dat een onderzoeker was neergeschoten buiten het terrein. Ik wist niet dat hij het was.'

'Hij was het, Lara. Hij was door het hoofd geschoten, net als Des Backer. Met een .22, net als Des, geen hulzen achtergelaten, net als bij Des. En dat is ook logisch, omdat het wapen – het exemplaar met jouw vingerafdrukken erop – een revolver is, die kleine Smith & Wesson 650 die we in de doos in de kast vonden. Natuurlijk hebben we een vergelijking gedaan en helaas komen de groeven van de kogel in Bobby's hoofd overeen met die van de kogel in het hoofd van Des. Ik zeg helaas, want nu hebben we jouw vingerafdrukken op een wapen van meervoudige vernietiging. Bij wijze van spreken. Monte heeft daar een verklaring voor – een die niet van het toeval afhangt. Wil je raden wat hij zegt?'

'Iets om mij te belasten. Maar hij is een psychopaat en een leugenaar.'

'Dat mag zo zijn, Lara, maar John Nguyen heeft wel oren naar wat Monte zegt. Namelijk, dat jij degene was die Bobby in een hinderlaag te grazen nam. Monte geeft toe dat hij Bobby volgde, toen die het lijkenhuis verliet, dat hij wachtte totdat Bobby voor een rood licht moest stoppen en hem toen overviel, dat hij hem uit zijn auto trok en hem naar de plek sleepte waar hij zegt dat jij Bobby doodschoot. Hij geeft zelfs toe dat hij Bobby terugplaatste in de auto. Alles wat jij deed, volgens zijn versie, is de trekker overhalen. Dat verhaal spreekt John wel aan, omdat het niet van toeval aan elkaar hangt.'

Stilte.

'Dit is belachelijk, inspecteur.'

'Dat is het ook om lynxharen aan bomen te plakken waar ze niet horen. En als je erover nadenkt is dat weer niet zo heel erg anders dan het wegvegen van een vlek. Een vlek waarvoor Monte te macho was om hem op de plaats delict te verwijderen – zoals je zei, hij is een gokker en neemt graag risico. Hij zei waarschijnlijk dat er geen kans was dat iemand die vlek ooit ging analyseren. Twee mensen worden gevonden in een seksuele houding, er is zaad, waarom zou je zelfs maar vermoeden dat iemand anders daaraan bijdroeg? Ik wil best geloven dat hij jou die avond intimideerde, Lara, daarom kon je de vlek niet op dat moment weghalen. Jullie hadden allebei wapens, maar dat van Monte was groter. Het gaat allemaal om het formaat, etcetera. Je richtte jouw kleine pistool op Doreen terwijl Monte zijn kunstje uithaalde met het grote vuurwapen, of niet soms? Toen wurgde hij haar en kwam klaar op haar been.'

Stilte.

'Lara?'

Stilte.

'Lynxharen, vlekken, het gaat steeds om spelen met bewijsmateriaal, Lara.'

Stilte.

'Nu begin je je af te sluiten, Lara, zoals je zegt dat Monte dat vaak doet. Dat is niet in je eigen belang, John Nguyen zal dat niet waarderen.'

Stilte.

'Lara, ik heb opengestaan voor jouw verklaringen en dat blijf ik doen. Maar je moet me wel tegemoetkomen. Zoals dat reisje naar Port Angeles om het geld te halen. We hebben videobeelden waarop Monte die koffers ophaalt, maar allebei jullie namen staan op de passagierslijst naar Seattle. Op een dag dat je geen dienst had.'

Stilte.

'Vertel me wat er echt gebeurd is, Lara. Begin bij het begin, het is in je eigen belang.'

'We zijn klaar.'

'Pardon?'

'Klaar. Afgelopen. Ik moet een advocaat hebben.'

'Je zegt dat je pertinent een advocaat wilt hebben.'

'Afgelopen.'

'Ga je gang, Lara. Dat doe je toch altijd.'

42

Een klop op de deur.

Milo zei: 'Entrez-vous.'

Een duo van vrouwelijke sheriffs, de Dikke en de Dunne, stond over Lara Rieffen gebogen.

'Bedankt, dames, geef deze maar de complete visitatie – gebruik die kamer aan de andere kant van de hal.'

De kleinere agente zei: 'Doen we, chef.'

Hij wendde zich tot Rieffen. 'Zie ik je weer, Lara? Of zullen we maar Kathy zeggen? Zoals in de goeie ouwe tijd?'

Haar antwoord bestond uit een verzengende blik en een minachtende zwaai van het rossige haar.

De langere agente zei: 'Mooie coupe soleil. Wat gebruik je, l'Oréal?'

Toen hij weer naar binnen was gelopen, haalde Milo zijn jas van tafel en controleerde de mini-videorecorder die hij onder het kledingstuk had verstopt. High-tech, geleend van Reeds halfbroer Aaron Fox, een voormalig rechercheur van de afdeling moordzaken van de politie van Los Angeles, nu een detective in Beverly Hills met een voorliefde voor speeltjes.

Bij het afspelen bleek dat beeld en geluid helder waren. 'Perfect. Afgezien van die vijf kilo extra, kunnen ze geen camera uitvinden die dat niet heeft?'

Hij trok handschoenen aan en doorzocht Rieffens tas.

Wat hij vond waren haar identiteitsbewijs van de lijkschouwer, en vijf foto's van haar en M. Carlo Scoppio in wandeltenue, tegen een beboste achtergrond.

'Maakte ze een geïntimideerde indruk op jou?'

'Niet in het minst.'

In een portemonnee zat honderddrieëntwintig dollar in cash en wat kleingeld, identiteitsbewijzen en creditcards op de namen van Lara Rieffen, Kathy Lara Vanderveldt, Laura Vander, Kathleen Rieffenstahl, Laura Rice, Cathy Rice, Lara Van Vliet.

Een stiletto met een drukknop en een busje met pepperspray deelden een dichtgeritst vakje met twee tampons.

Milo zei: 'Dat vraagt om een spitsvondigheid, maar ik zit er even doorheen.'

In een tweede vakje zat een paar oorbellen van opaal. Hij inspecteerde de achterkanten. Een ervan was gegraveerd.

DF

'Een trofee van de moord, arme Doreen.'

Nog een vakje, dieper en afgesloten door een drukknop, bevatte lippenbalsem, ademverfrisser en een velletje wit papier, het formaat van een brief, tweemaal dubbelgevouwen.

Een vier maanden oude e-mail van montecarlo@bghlaw.net aan KLV@pkmail.com.

hé schatje iemand op het kantoor hing vandaag een van die stomme posters op die pleiten voor innerlijke vrede en ik dacht aan jou en toen bedacht ik dit:

DE OPPERSTE NEGATIE VAN KATHY EN MONTE C. (VOOR UITWENDIGE CHAOS)

Ik vertel de waarheid. Zij liegen.

Ik ben sterk. Zij zijn zwak.

Ik ben goed.

Zij zijn slecht.

daar is alles wel zo ongeveer mee gezegd, hè, liefje? wat je maar wilt, je zegt het maar, jij bent vuurwerk. LOL. hou altijd van je. blijf mijn lontje ontsteken

Irvin Wimmers verscheen met nog twee agenten in geelbruine uniformen. Na een kort en vrolijk gesprekje met Milo namen Wimmers en zijn mannen Rieffen mee, lieten haar door het lijkenhuis marcheren, geboeid, haar hoofd omlaag, langs verbijsterde collega's en langs de blik van totale minachting van Dave McLellan. Toen ze vlak bij hem was, stak hij opzichtig zijn duim op naar Milo.

Rieffen keek op naar hem. Een cobra die gestoord werd in haar slaap.

Ik zei: 'Wat een ongelooflijke manipulator.'

'Het heeft haar niet veel goedgedaan,' zei Milo.

'Ik bedoelde jou.'

'Moi? Nu heb je me diep getroffen.' Hij grijnsde. 'Zeg eens, hoe was ik, regisseur?'

'Je verdient een percentage van de aangepaste winst en een grote hap van de marketingopbrengsten.'

'Hoera voor Hollyweird – niet dat ik echt heb staan jokkebrokken.'

'Wie zou dat ooit van jou kunnen denken?'

'Nee, serieus. Monte wordt toch gauw opgepakt, ik liep er alleen op vooruit.'

'Zodra we terug zijn op het bureau lanceer ik je verkiezingscampagne.'

'Als we hem eenmaal hebben valt er niet aan te twijfelen dat hij zich tegen haar zal keren. En Bobby heeft in zekere zin wel tegen me gesproken. Al was het dan vanuit zijn graf. Dat is toch een soort van verklaring, of niet? En hij had nog gelijk ook, ik bedoel Bobby. Het was een beetje stout van mij om te jokken over het wapen, maar ik moest wel, ik was zo doodsbang dat ik de zaak nooit zou kunnen afsluiten, mijn baas kan zo gemeen zijn, als hij tegen me schreeuwt voel ik me vreselijk. En ook dat pakte goed uit, zodat ik dat nare oude vuurwapen kan vinden en het niet meer gebruikt kan worden om andere mensen dood te maken, vertelt u me alstublieft dat ik een goed mens ben, dokter Delaware.'

Ik lachte nog steeds toen we bij de auto kwamen.

Hij niet.

Ik zei: 'Wat is er aan de hand?'

'Er is niets aan de hand, het leven is geweldig. Ik concentreer me er alleen op hoe ik die ouwe gokker Monte ga aanpakken.'

43

Baird, Garroway en Habib, advocaten, bezetten een ruimte die de breedte van drie winkels had op Soto. Het vensterglas was zwart geschilderd, beloften van snelle resultaten in vijf talen waren er in felgele verf op aangebracht. Zoals Reed had opgemerkt was het op loopafstand van het complex van het provinciaal ziekenhuis.

Special agent Gayle Lindstrom zei: 'Als ze achter ambulances aan willen rennen, hoeven ze niet ver te lopen.'

Ze zat achter het stuur van een vierdeurs-Chevrolet, gefinancierd door de federale inkomstenbelasting, droeg een wit haltertopje, een strakke spijkerbroek, sandalen met sleehakken. Ronde oorbellen glinsterden. Meer make-up dan haar gewoonlijke snelle ochtendlaagje, incusief een overdaad aan roze lippenstift.

Milo zei: 'Ik zie een hele nieuwe kant van jou, Gayle.'

'Ik hou ervan om een meisje te zijn.'

Hij liet zich onderuitzakken in de passagiersstoel. Ik had de achterbank voor mezelf. De auto was smetteloos maar hij rook naar vanille, alsof iemand er was losgegaan met ijsjes.

De man die zijn werkgevers kenden als M. Carlo Scoppio was sinds zijn aankomst binnen het gebouw van de advocatenfirma gebleven, afgezien van een rookpauze van tien minuten op de parkeerplaats aan de achterkant. Geen kans om hem te grijpen terwijl hij aan het paffen was; drie andere nicotinezoekers zaten zich in zijn nabijheid te goed te doen.

Een aantal keer was Scoppio meegelopen naar de voordeur van de firma met mensen op krukken. Een paar van de mankepoten zagen er daadwerkelijk gehandicapt uit.

Om drie uur 's middags, toen de snackkar *La Cucaracha* toeterde, maakte Scoppio geen deel uit van de kleine menigte die de deur uit rende voor iets lekkers.

'Misschien smeert hij zijn eigen boterhammen,' zei Lindstrom. 'Spaart zijn zuurverdiende bloedgeld als appeltje voor de dorst.'

Zeven agenten van het arrestatieteam waren opgesteld op verschillende plekken in de buurt. De locatie was niet echt geschikt voor een surveillance: het drukke verkeer op Soto maakte het moeilijk om snel naar de overkant van de straat te rennen. Bovendien waren er maar weinig voetgangers, waardoor er ook geen kans was op surveillance vanaf het trottoir. Het terrein waar Scoppio had staan roken was aan de noordkant afgesloten door hogere gebouwen, er was maar één weg naar binnen en naar buiten, een gebarsten oprijlaan. Naar het oosten kronkelde een wirwar van zijstraatjes met woonhuizen, in het westen lag de verkeersader, waar de snelweg dichtbij was en de oprit duidelijk te zien. Er bestond dus een risico op een achtervolging met hoge snelheid. Hoewel tegen halfvijf 's middags elke ontsnappingskunstenaar te maken zou krijgen met auto's die bumper aan bumper stonden.

Terwijl Scoppio zijn werk deed in de wonderlijke wereld van persoonlijk letsel, werd het huis dat hij met Lara Rieffen en Doreen Fredd had gedeeld ondersteboven gehaald door Moe Reed, Sean Binchy en de technische recherche van de sheriff.

Geen sporen van het verblijf van Fredd, geen bloed, behalve een paar speldenknopjes onder de badkamerspiegel, waarschijnlijk geknoeid bij het scheren. Geen aanwijzing dat er ooit iets gewelddadigs had plaatsgevonden in de bungalow. De technische ploeg bemonsterde, zocht naar vingerafdrukken en vertrok weer.

Binchy en Reed vonden de doos met vuurwapens precies waar Rieffen had gezegd dat hij zou staan. Bovenop stond een houder van zwart plastic, waar de .22 S&W in zat. De serienummers waren weggevijld, maar met chemische middelen waarschijnlijk wel weer naar boven te halen.

Binchy reed met de revolver naar het lab voor ballistiek. Het eindverslag zou even op zich laten wachten, maar de analist zag genoeg om zijn oordeel te geven dat de kogels van Backer en Escobar uit hetzelfde wapen kwamen.

Reeds nauwkeurige zoektocht door alle kamers bracht een waar arsenaal onder het bed aan het licht: drie geweren, een jachtgeweer, dozen met munitie. Misschien had Rieffen de waarheid verteld over haar nachtmerries.

Zowel haar afdrukken als die van Monte waren op het moordwapen te vinden. Er waren verschillende wapens die overeenkwamen met het vuurwapen met een langere loop dat in de vagina van Doreen Fredd was gestoken, maar er werd ten slotte ook een Charter Arms Bulldog gevonden, precies zoals dokter Jernigan had vermoed.

In de bovenste la van een bureau in een logeerkamer werden krantenartikelen gevonden over de episode met de lynxharen, naast Rieffens toelatingsbericht van de faculteit medicijnen, dat nogal beduimeld was. Zakjes met voorgeschreven kalmeringsmiddelen en kristallen van iets wat eruitzag als metamfetamine doken op in de onderste la.

Een voorraadkast was gevuld met zware zakken van neteldoek, gevuld met stapeltjes bankbiljetten.

Reed berekende het totaal drie keer: $46.850,-.

'Ik ben de uitgaven op beide creditcards nagegaan sinds ze zijn teruggekomen uit Washington, chef. Ze zijn drie keer uit eten geweest, hij geeft belabberde fooien, de totale kosten bedroegen $146,79. Verder springt er niets substantieels uit bij de creditcards, alleen nog ongeveer honderd dollar aan verwaarloosbare uitgaven. Maar ik vond wel wat luciferdoosjes van drie indiaanse casino's in zijn nachtkastje, dus dat zou het restant kunnen verklaren.'

'Je begint slordig te worden, Moses.'

'Meneer?'

'Die diners, wat hadden ze voor toetje?'

'Ik gok op veganistische instantpudding, chef.'

Om 16.56 uur reden twee Latino-vrouwen van middelbare leeftijd in vrijetijdskleding weg van het advocatenkantoor in een gebutste Nissan, gevolgd door een jongere blondine, die werd geïdentificeerd als Kelly Baird Englund, dochter van de oudste partner en zelf advocaat, in een blauwgrijze Jaguar cabrio. Een paar seconden later waggelde papa Bryan Baird, een zwaarlijvige man in een slechtzittend blauw pak, naar zijn zwarte Mercedes. Ed Habib, al niet veel beter uitgedost, slingerde naar alle kanten met zijn zwarte Lexus LX terwijl hij in zijn telefoon sprak, gevolgd door Owen Garroway, een patriciër in een krijtstreeppak, die met veel aplomb zijn zwarte Porsche Cayman dirigeerde.

'Zwart is het nieuwe zwart,' zei Gayle Lindstrom.

Nog geen teken van Carlo Scoppio en dat was tegen 17.15 uur niet veranderd.

Lindstrom wiebelde onrustig heen en weer. 'Misschien probeerde hij Rieffen te bereiken, slaagde er niet in en kwam er op de een of andere manier achter dat ze opgesloten zit.'

Milo zei: 'Ze is rechtstreeks naar de Hogere Machten gebracht. Wimmers heeft het zelf afgehandeld.'

'Ik zeg het alleen maar.'

'Gewoon mee doorgaan, Gayle.'

'Waarmee?'

'Je gedragen als een bundeltje menselijke prozac – oké, daar gaan we.'

Scoppio was nog niet verschenen, maar een broodmagere, schichtige man met zandkleurig haar en een rugzak liep naar de achterkant, keek in Scoppio's pick-up truck, liep op een sukkeldrafje naar de deur. In de verrekijker was een gezicht te zien dat verwoest was door puistige uitbarstingen. Voortdurende, schokkerige bewegingen bepaalden het ritme van zijn loopje.

'De goedmoedige buurtleverancier van meth,' zei Lindstrom. 'Snelle aflevering.'

De deur ging op een kiertje open. De dealer was anderhalve minuut binnen, maakte zich daarna snel uit de voeten.

Milo sprak in de radio. 'Voor degenen die het niet kunnen zien, onze verdachte heeft net drugs gekocht, waarschijnlijk meth, is nu mogelijk aan het trippen. Dus bereken dat mee in je inschatting van het gevaar.'

Instemmende geluiden vanuit het veld.

Vier minuten later kwam Carlo Scoppio naar buiten lopen.

Hij had zijn casual merkkleding verruild voor een spijkerbroek, hardloopschoenen, een te grote sweater met capuchon die een illusie van massa aan zijn gemiddeld postuur gaf. Een kleine witte scheur aan de linkermouw kwam overeen met de sterk vergrote bewakingsbeelden van de opslagruimte.

In zijn handen had hij een sporttas.

Een onopmerkelijke man met aflopende schouders, een zacht, vierkant gezicht, donker krullend haar. Achtbaanogen.

Hij schudde zichzelf uit als een natte hond. Maakte een korte draf op de plaats. Bewoog zijn hoofd heen en weer. Liep naar zijn truck.

Lindstrom zei: 'Als dat geen trippen is, weet ik het niet meer. Hopelijk zit er geen narigheid in die tas.'

'Misschien gaat hij gewoon sporten,' zei Milo.

'Meneer Letterlijk.'

'Ik word te oud voor symboliek.'

Scoppio's truck rolde van de parkeerplaats.

Lindstrom zei: 'Klaar?'

'Wacht even, Gayle.'

'Als jij het zegt.' Haar handen stuiterden op het stuur. 'Maar ik moet je er wel op wijzen dat als hij te veel voorsprong neemt...'

'Ja, schat, natuurlijk, schat, ik doe de afwas wel, schat.'

'Jij en ik en huiselijk geluk,' zei Lindstrom. 'Ik weet zeker dat mijn partner het net zo hilarisch zou vinden als de jouwe.'

Milo lachte. 'Nu gaan we.'

Carlo Scoppio reed de oprit van de snelweg voorbij, ging verder in zuidelijke richting naar Washington, toen naar het westen. Net voorbij Vermont stopte hij bij een groezelig winkelcentrum. Genoeg lege winkelruimte, maar een donutshop en een wasserette leken het aardig te doen. En dat gold ook voor Dynamite Action Gym, de naam die tweemaal was geschreven, ook in Thaise letters. Helder licht kwam uit de wijd geopende deur.

De truck werd geparkeerd aan de voorkant. Scoppio stapte uit en ging naar binnen.

Lindstrom zei: 'Het lijkt erop dat de letterlijke uitleg deze keer wint.'

Milo pakte zijn radio op. 'Hebben we een sportschooltype onder ons?'

De leider van het arrestatieteam zei: 'Dan moet je Lopez hebben.'

'Waar is hij?'

Een andere stem zei: 'Ik ben hier, chef, een straat naar het zuiden.'

'Wat draag je?'

344

De teamleider zei: 'Wat hij altijd draagt, een sweater zonder mouwen om die kanonnen van hem te laten zien.'

Gegrinnik uit het veld.

Lopez zei: 'Je moet je licht niet onder de korenmaat stellen.'

Milo zei: 'Laat die lamp dan maar eens binnen schijnen. Als de kust veilig is, onderzoek je hoe het met de verdachte staat.'

'Als het een open situatie is is het makkelijk genoeg, meneer. Als het zo'n club is met lidmaatschap, een balie met een hekje, zou het moeilijk kunnen worden.'

'Maar één manier om daarachter te komen, agent Lopez.'

Om 18.11 uur betraden de slagersnek, de megabiceps en de runderlappen van dijen van Jarrel Lopez de sportschool.

Hij stond in een oogwenk weer buiten. Rende naar de FBI-auto. 'Leuke open opstelling, voornamelijk oosterse vechtsporten, maar ook wat gewoon boksen. De verdachte is aan het werk met de bokszak.'

'Een vuistvechter.'

'Hij slaat als een meisje. Wilt u dat ik een proeflidmaatschap voor een dag koop, naar binnen ga en een oogje in het zeil hou?'

'Ik heb liever dat je teruggaat naar je maatjes, gewapend en gevaarlijk.'

'Dat zei ik vanmorgen nog tegen mezelf, chef. De zon scheen, de lucht was blauw, ik dacht: het is een mooie dag voor gewapend en gevaarlijk.'

Om 18.48 uur had Gayle Lindstrom de auto verlaten en had Milo het stuur overgenomen. Ze controleerde haar make-up, schudde haar haar op, liep nonchalant naar de donutshop en kwam met een dampende beker naar buiten. Haar eigen sweater met capuchon, slanke snit en van perzikkleurig velours, maakte dat de draad, die aan de achterkant in haar spijkerbroek was gestoken, onzichtbaar was.

Niet geleend van Aaron Fox deze keer, de FBI had zijn eigen speelgoedkist.

Lindstrom zei: 'Dit noemen we de elektrische tanga.'

'Au,' zei Milo.

'Niet noodzakelijkerwijs.'

Om 19.14 uur verliet Carlo Scoppio de sportschool. Hij zag er vermoeid en enigszins rood aangelopen uit.

Voordat hij zijn truck had bereikt, was een jonge vrouw in een perzikkleurige hoodie naar hem toe gelopen, glimlachend, maar op een opzichtige manier zenuwachtig.

'Mag ik u iets vragen?'

'Uh-huh.'

'Ik denk dat ik verdwaald ben. Is dit een slechte buurt?'

'Dat kan het wel zijn. Waar kom je vandaan?'

'Tempe. Dat is in Arizona. Ik had hier met iemand afgesproken op Hollywood en Vine. Is dat hier in de buurt?'

Hij lachte haar uit. 'Niet echt.'

'Je maakt een grapje.'

'Je bent er nogal ver vandaan – heb je een auto?'

'Ik heb de bus genomen. Van Union Station. Ze zeiden dat ik moest uitstappen op Jefferson en dan overstappen op de... ik ben het vergeten. Dus het is hier niet prettig?'

'Ik zou hier niet alleen rondlopen in het donker.'

'O man... kun je me vertellen welke kant ik op moet voor Hollywood?'

Gelach. 'Ik kan wel wijzen – het is die kant op. Naar het noorden. Maar je kunt het niet lopen.'

'Is er een bus?'

'Geen idee... godver...'

Carlo Scoppio verstijfde, toen Milo en zes andere grote mannen naar hem toe kwamen gerend. Gayle Lindstrom had haar handboeien tevoorschijn gehaald en zei dat hij gearresteerd was. Scoppio sloeg de handboeien weg, raakte de onderarm van Lindstrom en bracht haar uit balans.

Een baskoor van bevelen vulde het winkelcentrum, toen Scoppio zijn sporttas liet vallen en de houding van een bokser aannam. Met zijn vuisten omhoog zag hij er belachelijk en zonderling uit.

'Politiepolitiepolitie hou je handen waar we ze kunnen zien handen omhoog!'

Scoppio knipperde met zijn ogen.

Hief een hand op.

Liet de andere zakken naar het elastiek van zijn sweater, reikte naar binnen, haalde er iets uit wat glansde en een lange loop had.

Het koor veranderde van gezang: '*Pistoolpistoolpistoolpistoolpistool!*'

Scoppio bracht zijn arm met het wapen omhoog.

Milo richtte zijn Glock.

Hetzelfde instinct als een paar dagen geleden bij Moghul, waar hij de levensverwachting van agent Randy Thorpe met een paar jaar had verkort.

Thorpe was slim geweest.

Scoppio kneep zijn ogen samen. Zijn vinger werd wit.

Milo vuurde.

Net als alle anderen.

44

Dokter Clarice Jernigan zei: 'Dat was nog eens een leuke lijkschouwing.'

'Hilarisch,' zei Milo.

Het kantoor van de patholoog in het lijkenhuis had zich overal kunnen bevinden.

Geen monsters die in formaldehyde dreven, geen morbide humor. Peruaanse lelies en cactussen in potten stonden op een lagere, witte boekenplank, naast vrolijke familiefoto's. Jernigan, vijf kinderen die er gezond uitzagen en een echtgenoot die op een bankier leek.

Ze zei: 'Ik bedoel leuk als je het beschouwt als een intellectuele puzzel. Jouw meneer Scoppio had achtentwintig kogels in zich van vijf verschillende vuurwapens, met tenminste vier wonden die theoretisch fataal waren. Ik hoef niet precies aan te wijzen welke hem de kop kostte, want eerlijk gezegd, wie kan het iets schelen, de man is een zeef. Maar als ik dit opschreef voor het *Journal of Forensic Science* zou ik mijn geld op de frontale hoofdwond zetten. Een kogel van groot kaliber

die recht door de cortex ging en omlaag dook in de hersenstam.'
'3-5-7?'
Een knik. 'De jouwe?'
'De mijne is negen millimeter.'
'Net als twee andere schutters. Geen geweervuur. Hoe komt dat? De jongens van het arrestatieteam brengen altijd aanvalsgeweren mee.'
'De agent had geen onbelemmerd zicht.'
'Een spervuur van kogels voor de deuren van de saloon... Nou ja, als jouw negen millimeter ergens boven de borstkas insloeg kun je jezelf een eervolle vermelding geven. Als je hem in zijn benen raakte?' Ze haalde haar schouders op.
Milo reageerde niet op haar zijdelingse vraag.
Jernigan zei: 'Als het erom gaat waarom hij de confrontatie koos tegen zoveel zware artillerie, dan is dat een varkentje dat dokter Delaware moet wassen.' Tegen mij: 'Ik kan leven met "zelfmoord door middel van agent". Wat denkt u?'
Ik zei: 'Ik vind het best.'
'Ik ga opschrijven dat zijn inherente psychiatrische problemen werden versterkt door een amfetamineroes, want we willen deze klootzak van alles de schuld geven, ervoor zorgen dat er geen figuren van de ACLU gaan lopen zeiken en mopperen.'
Milo zei: 'Hij was compleet aan het trippen?'
'Het verbaast me dat hij niet uit zijn huid is gesprongen, chef. Hoe dan ook, ik zie geen moeilijkheden, hopelijk doen de pennenlikkers dat ook niet.'
'Daar kom ik gauw genoeg achter. Over een uur heb ik een afspraak met de hoofdcommissaris.'
'Dat wordt leuk.' Ze liep met ons mee naar de deur.
Milo zei: 'Bedankt, dokter.'
'U bedankt. Voor wat u voor Bobby hebt gedaan. Bobby was een geweldige jongen. Ik weet dat ik objectief zou moeten zijn, maar nadat ik had gehoord dat de klootzakken hem in een hinderlaag hadden gelokt, stond ik mezelf toe om een beetje genoegen te beleven aan het moment waarop ik zijn verrotte gezicht van zijn verrotte schedel trok. En ik ben mijn belofte over lijkschouwingen trouwens niet vergeten. Zolang het niet uit de hand loopt.'

45

Milo reed naar het kantoor van de hoofdcommissaris en ik ging terug naar huis.

Ik nam een omweg en reed langs het terrein op Borodi. Alle as en sintels waren verdwenen, de zaak was netjes gladgestreken met bulldozers en omringd door een nieuw hek waar niet mee te spotten viel. Doyle Bryczinski zat in zijn auto bij het trottoir. Hij leek te sluimeren, maar toen ik voorbijreed zwaaide hij.

Ik reed een stukje achteruit. 'Weer aan het werk, hè?'

'Het bedrijf pakt de zaken eindelijk serieus aan,' zei hij. 'Ze realiseerden zich dat ik hier beter elke dag en de hele dag kan zijn. Soms doe ik een dubbele dienst. Als ma me niet nodig heeft, ben ik hier.'

'Ga door met het goede werk.'

Hij salueerde. 'Dat is voor mij de enige manier om door te gaan.'

Milo belde niet na zijn gesprek met de hoofdcommissaris en ik vroeg me af of het was misgelopen.

Waarschijnlijk was hij op weg naar Southwest Division. Misschien was dat steakhouse nog steeds open en stond hij op het punt om zich over te geven aan zeven gangen van onverzadigde vetten.

Hij kwam de volgende ochtend binnenvallen, in een alohahemd, een bruine slobberbroek, desert boots. Ik had aan voogdijrapporten zitten werken, met Blanche opgerold op mijn schoot.

Ze sprong eraf en keek glimlachend naar hem op.

Hij zei: 'Moet ik buigen? Neem de volgende keer een Deense dog,' maar hij aaide haar veel langer over haar bol dan de beleefdheid vereiste.

Ik zei: 'Ga je op vakantie of mag je er alleen van dromen?'

'Twee weken plezier in de zon. Rick heeft wat tijd kunnen vrijmaken, we vertrekken morgenochtend naar Hawaï.'

'Denk maar aan mij als je aan de luau zit.'

'Als ik aan de luau zit, denk ik alleen maar aan meer luau.'

Hij liep naar de keuken, haalde een kwart liter sinaasappelsap uit de koelkast, zette zijn bril op en las de houdbaarheidsdatum. 'Een week eroverheen, ik bewijs je een dienst.' Hij hield het pak ondersteboven en slokte.

Blanche keek gefascineerd toe. Zijn eetgewoonten hebben haar altijd verwonderd.

Ik zei: 'Twee weken. Geen klusje in Southwest?'

Hij drukte het lege pak in elkaar en gooide het weg, pakte toen een bord met koude rosbief en nam het mee naar de tafel. 'Verandering van plan.'

'De wapensmokkelaars zijn geen prioriteit meer?'

'Dat wel, maar niet de mijne.'

'De hoofdcommissaris is blij.'

'Dat is geen concept dat hem iets zegt. Wat ik naar voren bracht was dat ik de zaak van Backer en Doreen had afgesloten lang voor zijn deadline en bovendien een mogelijk rampzalige brandstichting voorkomen had door Helga in haar kraag te pakken. Maar dat ík niet blij was, vanwege twee skeletten in een Prius. Ja, het was een zaak voor Van Nuys, maar ik heb het nagetrokken en Van Nuys deed er niets mee, niemand, en ik vond dat schandalig. Ik vertelde hem ook dat, toen ik een paar avonden geleden naar het vliegveld van Van Nuys reed, Hangar 13A helemaal was leeggehaald. Geen vliegtuig, geen auto's, geen goud en bont en diamanten en kunst ter waarde van triljoenen. Er is geen melding dat de skeletten ooit naar het lijkenhuis zijn gebracht en de FAA vond geen aantekening dat het vliegtuig ooit was opgestegen. Om nog maar te zwijgen van de afwezigheid van een enkel lettertje in de pers. Het antwoord van Zijne Verhevenheid was het soort van medeleven dat hij te bieden heeft.'

'Ik weet wat je doormaakt?'

'"Loop niet te zeuren, Sturgis, we zijn allebei slachtoffers van de politici en diplomaten, allemaal Ivy League-homo's die hun korte pikkies moeten compenseren – en ga niet gevoelig lopen doen over 'homo's', dat bedoel ik in algemene zin." Daarna leidt hij me zijn kantoor uit en vertelt me dat ik me moet concentreren op West Los Angeles, mijn neus niet in de zaken van andere sectoren moet steken. Ik zeg: bedoelt u daarmee niet alleen Van Nuys, maar ook Southwest, meneer? Hij zegt: vraag me niet om mezelf nader te verklaren, Sturgis. Daarvan krijg ik het aan mijn prostaat.'

46

Tijdens zijn verhoor van Lara Rieffen had Milo John Nguyens meedogenloze benadering van vervolging gebruikt om haar bang te maken.

Een toneelstukje, maar voor een deel was het op waarheid gebaseerd.

Rieffens advocaten dienden moties in om de zaak 'niet ontvankelijk' te verklaren; Nguyen sloeg telkens feller terug en won elke keer.

Hun volgende stap was om de toelaatbaarheid van verschillende bewijsstukken aan te vallen. Als onderdeel van die strategie werd ik opgeroepen om te getuigen over Rieffens mentale toestand tijdens de 'onmiskenbaar intimiderende en beledigende ondervraging door rechercheur Sturgis'.

Nguyen zei: 'Geen antwoord geven, ik handel het wel af,' en toen de advocaten van de verdachte probeerden te onderhandelen om er een serie kleinere aanklachten uit te slepen, dreigde Nguyen de doodstraf te eisen. Hij wees erop dat de afdrukken van Rieffen op het moordwapen al genoeg zeiden en dat er bovendien speciale omstandigheden waren, omdat het om meerdere slachtoffers ging, om een hinderlaag, extreme wreedheid en perversiteit, om moord voor gewin.

Rieffen bekende schuld aan doodslag, in ruil voor de theoretische mogelijkheid van vervroegde vrijlating.

Nguyen zei: 'Ik heb er vrede mee, als iemand anders dat niet heeft is dat zijn probleem.'

Ik bleef het internet afspeuren naar meldingen van Dahlia Gemein of prins Teddy.

Haar naam kwam ik nooit tegen, maar vier maanden na de torenmoorden bracht een Aziatisch persbureau het bericht van de tragische dood van prins Tariq Bandar Asman Ku'amah Majur bij een duikongeluk voor de kust van Sranil. De sultan was verslagen en ontsteld door het verlies en had een week van nationale rouw afgekondigd. Ook had hij verklaard dat het kindergeneeskundig oncologisch centrum, het beoogde kroonjuweel van het geplande medisch centrum van wereldklasse voor Sranil, naar de prins vernoemd zou worden.

'Mijn broer was een onzelfzuchtige man, met een warme plek in zijn hart voor kinderen.'

Een week later probeerden opstandelingen de zuidelijke stranden van het eiland te bestormen. Ze werden op de vlucht gejaagd door de troepen van de sultan, maar sommige commentatoren geloofden dat dit nog maar het begin was.

Ik logde uit, trok mijn hardloopkleren aan, rende naar het zuiden over de Glen, maakte een paar rondjes die ik vaker had gelopen en kwam uit op Borodi Lane.

Doyle Bryczinski was weg. Mannen met bouwhelmen waren bezig om het geraamte van een enorm huis in elkaar te timmeren. Twee verdiepingen, een ondergrondse parkeerplaats, meerdere gevels en avontuurlijke ramen. Een stijl die niet meer uitdrukte dan *Kijk mij eens!*

Waar een trottoir had kunnen zijn, als het dat soort buurt was geweest, stond een paartje te wijzen en te praten.

Een oogverblindende blondine, halverwege of eind dertig, mooi gebruind lichaam, gebeeldhouwd gezicht. Ze droeg roze kasjmier, een lichtblauwe zijden sjaal, bruine pumps van krokodillenleer, grote diamanten. De man die zijn arm om haar heen had liep tegen de zestig, een beetje dik rond zijn middel, met golven van zilverkleurig haar van een tint waar hij moeite voor had moeten doen. Een pastelblauw jasje, een witte linnen broek, een rood zakdoekje dat uit zijn borstzak viel als bloed uit een schotwond.

Allebei met design-zonnebrillen.

Toen ik ze voorbij rende, zei de vrouw: 'Oh, het gaat schitterend worden, schat.'